Schauplatz

Teacher's Resource Book

ALISTAIR BRIEN
SHARON BRIEN
COLIN CHRISTIE
HEIKE SCHOMMARTZ

Heinemann Educational,
Halley Court, Jordan Hill, Oxford OX2 8EJ

Heinemann is a registered trademark of Reed Educational & Professional Publishing Ltd

OXFORD MELBOURNE AUCKLAND
JOHANNESBURG BLANTYRE GABORONE
IBADAN PORTSMOUTH (NH) USA CHICAGO

First published 2000

01 02 03 04 05 10 9 8 7 6 5 4 3

A catalogue record is available for this book from the British Library on request.

ISBN 0 435 30542 5

Produced by G & E 2000 Ltd

Illustrations by Debbie Clark

Cover photo provided by Axel Schultes, Architekten

Printed and bound in Great Britain by Athenaeum Press Ltd

Special thanks to Richard Marsden.

The authors and publishers would like to thank the following for use of copyright material:
Bündnis 90/Die Grünen (pp.141, 143, 145); Wochenschau I Nr. 4/5 Juli-Oktober 1990 (p.145);
McDonald's Deutschland Inc. (p.145); 'ran 10/97 (p.146); Brigitte 13/97 (p.148); Rostocker (p.149);
Universal Polydor GmbH 1979, *Zehn kleine Fixer* by Georg Danzer (p.150); Stafette Jan. 1998 (p.152);
Die Zeit, Nr. 24, 10. Juni 1999 (p.153); Stern-Buch, *Christiane F., Wir Kinder vom Bahnhof Zoo* (p.154); Die Zeit (p.155);
'ran 10/98 (p.161); Die Zeit, Nr. 27, 1 Juli 1999 (p.162); Langenscheidt KG, Apa Publications, *Deutschland APA Guide*
(top p.163); Presse- und Informationsamt der Bundesregierung, *Informationen für junge Leute* (bottom p.163)

Tel: 01865 888058 www.heinemann.co.uk

Contents

Introduction

Schauplatz is the ideal course for the new AS and A-Level exams, helping students to progress with confidence from GCSE to A-Level. Presented in one volume, the first half of the Student's Book includes a Transition section before going on to deliver the AS material. The second half of the course takes students from AS to A-Level.

The aim of these new resources is to provide a comprehensive A-Level course in an easy-to-use and interesting format. Specifically the authors set out to:

- choose texts for interest and relevance to the syllabuses
- produce attractive resources easy for both teachers and students to use
- provide motivating and confidence-building tasks
- provide genuine progression from a realistic starting point
- build upon and incorporate study skills to prepare students for coursework and exams
- teach and revisit grammar in context
- encourage independent learning and develop students' knowledge of German-speaking countries
- provide for all students' needs

Components

Student's Book
Cassettes
Teacher's Resource Book
Syllabus-specific Assessment Packs (AQA, Edexcel, OCR)

Student's Book

The Student's Book is divided into 3 sections. The *Transition* section consolidates all the GCSE grammar and skills through a selection of manageable mini-topics, helping students prepare for AS level texts and language gradually. The *AS* section goes on to more sophisticated topics, introducing more complex grammar and developing study and examination skills. In the *A2* section, more challenging material ensures that students reach the required standard for the new A-Level exams.

The *Study skills for your A-Level course* section helps students with independent learning and gives them advice on examination techniques.

The *Grammatik* section at the back of the book is organized in a more traditional format and supplements the explanations and exercises in the main chapters. It can be used for independent learning.

Throughout the book, all four skills are practised, moving from focused and guided tasks to open-ended and creative ones.

Teacher's Resource Book

This includes:

- overviews for each section (*Transition*, *AS* and *A2*) showing the topics, grammar and skills covered
- teaching notes with full tape transcripts, answers, background information and suggestions for extra activities
- differentiated skills and grammar worksheets and support sheets to use alongside specific tasks in the Student's Book
- teaching notes for the worksheets

Symbols and features

▪ Material on cassette

Grammatik zum Auffrischen Grammar explanations in *Transition* section

Grammatik Grammar explanations in *AS* and *A2*

Tip boxes on study skills

Assessment

There are three assessment packs, one for each exam board, which support *Schauplatz*. The packs consist of assessments at three levels: transition, AS and A2, with a cassette. There are six assessments in total and each assessment covers all four skills. They have been written to reflect the style of the papers from the relevant exam board (OCR, Edexcel and AQA).

ICT references

Search engines

http://www.yahoo.de/
http://www.dino-online.de/
http://www.web.de/

Websites

http://www.linguanet.org.uk/
http://www.cilt.org.uk/
http://www.leics-comenius.org.uk/
http://becta.org.uk/

Software

CD-Lesen (Collins Educational)
Reading skills for good KS4 and advanced students

Deutsch lernen am Computer (London: Goethe Institut)
German grammar from beginners to Zertifikat Deutsch als Fremdsprache

Diktat Deutsch als Fremdsprache (Klett, distributed by Chancerel International)
30 texts with cloze, and dictation exercises plus pronunciation and vocabulary

Useful addresses

Association for Language Learning:
150 Railway Terrace, Rugby CV21 3HN, 01788 546443

Centre for Information on Language Teaching and Research (CILT): 20 Bedfordbury, Covent Garden, London, WC2N 4LB, 0207 379 5110.
http://www.cilt.org.uk/

Central Bureau for Educational Visits and Exchanges (CBEVE): 10 Spring Gardens, London SW1A 2BN

The International Pen Friend Service, 10015 Ivrea, Italy

European Bookshop: 5 Warwick St, London W1R 6BH

Goethe Institut: 50 Princes Gate, Exhibition Road, London SW7 2PH, 0207 596 4000

List of worksheets

Transition

AS

A2

Transition overview

	TOPICS	GRAMMAR	MAIN SKILLS	OUTCOME
Ein Wort zum Anfang *p. 8* TN p. 8	Letter of introduction	The present tense *[W/S 3]*	Setting up an irregular verb table, noting vocabulary: noun plurals	Filling in the missing verb endings
Quiz *p. 10* TN p. 8	Quiz about Germany	Word order in exclamations and questions *[W/S 4, 5]*		Writing a new quiz about Britain
TRANSITION				
1 Lebenslagen				
1 So ist es jetzt – so soll es später sein *p. 12* TN p. 8	Present activities and future plans	Nouns, word order for time and place		Writing a letter to a pen friend
2 „Der ganz normale Alltag“ *p. 14* TN p. 9	Everyday life	The perfect, the perfect with *sein* and irregular past participles *[W/S 6, 7]*	Using the dictionary to look up past participles *[W/S 1, 2]*	Completing a diary entry in the perfect tense
3 Immer diese Eltern … (1) *p. 16* TN p. 9	Parents (1)	Subordinate clauses *[W/S 8, 9, 10]*		Writing a test to measure relationships with parents
4 Immer diese Eltern … (2) *p. 18* TN p. 10	Parents (2)	Modal verbs *[W/S 11, 12]*	Giving your opinion: agreeing or disagreeing with others	Filling in the correct verb forms
2 Leute, Leute				
1 Zum Bewundern? *p. 20* TN p. 10	Famous people	Separable verbs, past participles without *ge-* *[W/S 13, 14]*	Looking up separable verbs in your dictionary	Writing a brief description of a famous person
2 In den Schlagzeilen *p. 22* TN p. 10	Newspaper headlines	Subject and direct object	Reading: unknown words, listening for gist and for detail	Writing a brief report to go with a headline
3 Wer mit wem? *p. 24* TN p. 11	Partners	Subject and direct object personal pronouns		Describing a film star
4 Ideale LehrerInnen *p. 26* TN p. 12	Ideal teachers	Adjectives with no ending, nominative and accusative personal pronouns	Listening for specific information, group discussion	Inventing and describing your ideal teacher
3 Glückssachen				
1 Wie wird man glücklich? *p. 28* TN p. 12	Recipes for happiness	The indirect object		Filling in word endings to show different cases *[W/S 17]*
2 Dein Glück ist mein Glück *p. 30* TN p. 13	Bringing happiness to others	Personal pronouns in the dative	Listening for detail	Creative writing
3 Träume sind keine Schäume *p. 32* TN p. 14	Fulfilling your ambitions	Modal verbs in the imperfect tense	How to predict what a text is about before you read it	Writing a newspaper story *[W/S 18, 19, 20]*
4 Märchenhaftes Glück *p. 34* TN p. 15	Fairy tales	Negatives with *kein*, negatives with *nicht*.	Listening for detail	Writing a newspaper report on Red Riding Hood
4 Rund ums Wohnen				
1 Wohnen – aber wo? *p. 36* TN p. 16	Where is home?	Prepositions, prepositions with the accusative	Oral presentation, listening and taking notes under categories	Writing an e-mail using prepositions and perfect
2 Zusammenwohnen als Chance? *p. 38* TN p. 17	Youth housing projects	Possessive adjectives and endings *[W/S 21, 22]*		Writing a report
3 Arbeiten, um zu wohnen? *p. 40* TN p. 18	Working as a live-in home help	Personal pronouns and possessive adjectives *[W/S 23]*; prepositions with the dative *[W/S 24]*		Writing a telephone conversation
4 Lustig ist das Studentenleben … *p. 42* TN p. 18	Student life	Superlatives, prepositions with the accusative or the dative *[W/S 26]*	Listening for specific information	Describing a room using prepositions with the accusative and dative *[W/S 25, 27]*
5 Freizeit				
1 Freizeit – aber bitte mit Fernsehen? *p. 44* TN p. 19	Television	*Sein* and *haben* in the imperfect tense, impersonal constructions		Role-play: defending your point of view *[W/S 28]*
2 Tanzen – im Einzel – oder im Doppel? *p. 46* TN p. 19	Dancing solo or as a pair	Comparatives *[W/S 29]*, adjectives with the indefinite article		Writing a sociologist's report on a visit to a dance school *[W/S 30]*
3 Schön ausdauernd *p. 48* TN p. 20	Endurance sports	The imperfect with regular verbs, adjectives with the definite article	Listening: taking notes	Describing the life of an athlete in the imperfect
4 Eishockey – nur Männersache? *p. 50* TN p. 21	Ice hockey – only a man's game?	The imperfect with irregular verbs *[W/S 34]*	Listening for gist and detail, adding the imperfect to your list of irregular verbs	Describing an ice hockey session using the imperfect
5 Überdosis Sport *p. 52* TN p. 22	Overtraining in sport	Adjectives without an article		*[W/S 31, 32, 33]*
6 Freizeit – in Zukunft nur noch vor dem Bildschirm? *p. 54* TN p. 23	Television in the future	The future tense, coordinating conjunctions	Reading for gist, listening: taking notes	Creative writing using the future *[W/S 35]*

Transition notes

Ein Wort zum Anfang pages 8–9

Present tense endings

Exercise 1 page 9

1b, 2a, 3f, 4e, 5d, 6c, 7h, 8g

Exercise 2 page 9

Sie finden in diesem Buch Kapitel zu vielen verschiedenen Themen: Freizeit, Zukunft, Liebe, Umwelt, Gesundheit, Reisen ... und vieles mehr. Wir hoffen, die Texte gefallen Ihnen!

Vielleicht finden Sie die vielen Grammatikregeln und das Vokabelnlernen ein bisschen schwierig. Aber keine Angst: Sie wiederholen und üben zunächst die GCSE-Grammatik. Die Texte sind anfänglich noch kurz. Sie werden erst allmählich etwas schwieriger. So können Sie Ihr Vokabular und Ihr Grammatikwissen langsam aber sicher erweitern.

Zum guten Schluss wünschen wir viel Erfolg und Spaß mit dem Buch!

For more practice on present tense endings of regular and irregular verbs see the crossword puzzle on **Worksheet 3**.

1 Quiz pages 10–11

Word order in questions and statements

Instead of starting with 'Ein Wort zum Anfang', you could also use this spread as an introduction to the course.

Exercise 1 page 10

1b, 2c, 3a, 4a, 5b, 6a, 7b, 8a, 9c, 10b

Additional information:
2 1997: 82 Million
4 BMW = **B**ayerische **M**otoren**w**erke; München = Munich, the capital of Bavaria
8 Greater London approx. 7 million; Paris approx. 2 million (incl. suburbs 9 million); Berlin approx. 3 million

Exercise 2 page 11

a 1, 4 (first part), 6, 7, 9
b 2, 5, 8, 4 (second part)
c 3, 10

Exercise 3a page 11

2 Johann Wolfgang Goethe war Schriftsteller.
3 Mozart starb in Wien.
4 Sauerkraut besteht aus Weißkohl.
5 Viele Deutsche sprechen Dialekt.
6 Der Reichstag ist in Berlin.
7 Die Schweiz grenzt an Italien.
8 Ludwig van Beethoven war Komponist.

Exercise 3b page 11

2 War Johann Wolfgang Goethe Schriftsteller?
3 Starb Mozart in Wien?
4 Besteht Sauerkraut aus Weißkohl?
5 Sprechen viele Deutsche Dialekt?
6 Ist der Reichstag in Berlin?
7 Grenzt die Schweiz an Italien?
8 War Ludwig van Beethoven Komponist?

Exercise 4 page 11

a Wo wohnt die Königin?
b Wer wohnt in der Downing Street?
c Wie viele Leute leben in Großbritannien?
d Wie heißt die britische Hauptstadt?
e Wie lang ist der Kanaltunnel?

Worksheet 4 provides more practice of question words, **Worksheet 5** of phrasing questions. You could use them as homework or (**Worksheet 5** in particular) as revision for the following class.

Chapter 1 Lebenslagen

1 So ist es jetzt – so soll es später sein pages 12–13

Talking about plans for the future (using the present tense); compound nouns, word order of time, manner, place adverbials

Exercise 1 page 12

The vocabulary provided here is used in the listening and reading texts.

Exercise 3 page 12

CHRISTIANE
jetzt studiert Meeresbiologie
später will im Umweltschutz arbeiten

STEFAN
jetzt geht aufs Gymnasium, macht nächstes Jahr Abitur
später will eine Weltreise machen, danach Elektrotechnik studieren

SABINE
jetzt arbeitet bei einer Bank, macht dort eine Ausbildung
später will nach der Ausbildung reisen, will dann im Ausland arbeiten

CHRISTIANE: Ich studiere Meeresbiologie. Das finde ich superinteressant. Mein Freund studiert auch Meeresbiologie. Wir haben uns an der Uni kennen gelernt. Später wollen wir beide im Umweltschutz arbeiten.
STEFAN: Tja also, ich gehe hier aufs Gymnasium in Balingen. Nächstes Jahr möchte ich mein Abi machen. Mathe und Physik sind meine Lieblingsfächer. Deshalb möchte ich später gerne Elektrotechnik studieren. Aber davor mache ich noch eine Weltreise – wenn ich genug Geld habe.
SABINE: Ich arbeite bei einer Bank. Die Arbeit macht mir total viel Spaß. Ich habe viel Kontakt mit Leuten und ziemlich viel Verantwortung. Das finde ich gut. In zwei Jahren bin ich mit der Ausbildung fertig. Dann will ich erst mal eine Reise machen. Ich verdiene ja schon gut und kann was sparen. Später möchte ich gerne eine Weile im Ausland arbeiten.

Exercise 4 page 12

The exercise also prepares the vocabulary used in the reading texts.

e.g. die Meeresbiologie – marine biology
der Biologieunterricht – biology lesson/class
der Leistungskurs – extension course, leading to undergraduate level at university
der Ausbildungsplatz – apprenticeship
die Unterrichtsstunde – lesson, period

Exercise 5 page 13

CHRISTIANE: die Meeresbiologie, der Umweltschutz (environmental protection)
STEFAN: die Oberstufe (equivalent to sixth form), der Leistungskurs, die Unterrichtsstunde
SABINE: der Ausbildungsplatz

Exercise 6 page 13

a2, b1, c5, d3, e4

Exercise 7 page 13

e.g. Susanne fährt morgen in die Ferien.
In die Ferien fährt Susanne morgen (aber nach Bremen fährt sie heute noch).
Morgen fährt Susanne in die Ferien.

2 „Der ganz normale Alltag" pages 14–15

Talking about everyday activities in the past; perfect tense with *haben* or *sein*, word order in the perfect tense

Exercise 1a page 14

This exercise revises the perfect tense of regular verbs that form their perfect tense with *haben*.

1 Er hat gebadet.
2 Er hat im Parlament / mit anderen Politikern geredet.
3 Er hat Tee gekocht.
4 Er hat Vokabeln gelernt.
5 Er hat ein politisches Problem gelöst.
6 Er hat die Nachrichten geguckt.
7 Er hat seine Socken gesucht.
8 Er hat Radio gehört.
9 Er hat geduscht.
10 Er hat einen Mittagsschlaf gemacht.

Exercise 2 page 14

Here, the focus is on irregular verbs that form their perfect tense with *sein*.

1 Wir haben eine Mathearbeit geschrieben.
2 Ich bin in die Stadt gegangen.
3 Ich habe vier Tore geschossen.
4 Meine Mannschaft hat gewonnen.
5 Ich bin zu spät aus dem Bett gekommen. (colloquial)
6 Ich bin zu spät in die Schule gekommen.

Exercise 3a page 15

1 er ist geschwommen
2 er ist gerannt
3 er ist gelaufen
4 er hat geworfen
5 er hat geschrieben

Exercise 3b page 15

1 Ich bin im Hallenbad geschwommen.
2 Jeden Morgen ist er 1000 Meter gerannt.
3 Wir sind immer zum Bus gelaufen.
4 Ich habe den Brief in den Postkasten geworfen.
5 Er hat Briefe gern geschrieben.

Instead of or in addition to exercise 3, you could use **Worksheet 6** as homework, or for further reinforcement of forming past participles and deciding whether a verb forms its perfect tense with *haben* or *sein*.

Exercise 4 page 15

a Wann sind sie gestern in die Schule gefahren?
b Warum hat dein Vater gemeckert?
c Wir haben gestern Abend Fußball gespielt.
Gestern Abend haben wir Fußball gespielt.
Fußball haben wir gestern Abend gespielt, (aber heute spielen wir Tennis).
Haben wir gestern Abend Fußball gespielt?
d Er ist zu spät aufgestanden.
Ist er zu spät aufgestanden?
e Letztes Jahr sind wir nach Spanien gefahren.
Wir sind letztes Jahr nach Spanien gefahren.
Nach Spanien sind wir letztes Jahr gefahren, (aber dieses Jahr fahren wir nach Italien).

Worksheet 7 revises word order in the perfect tense and of time, manner, place adverbials. You can use it as an in-class activity to end the lesson or to start the following one. Alternatively, the worksheet can be given as homework.

3 Immer diese Eltern ... (1) pages 16–17

Talking about everyday problems with parents; subordinating conjunctions

Exercise 1 page 16

Before playing the tape, introduce the vocabulary given on page 16. You could write the English words on the board, and the German equivalents on sufficiently large Post-it® notes. Then let the students match the English and German words. Take the German words away again and repeat.

Sandra c, Ella c, Jan c, Jörg b

SANDRA: Ich wohne bei meiner Mutter, meine Eltern sind geschieden. Wir verstehen uns ganz gut miteinander. Sie nervt mich nur selten. Zum Beispiel, wenn sie in mein Zimmer kommt, ohne zu klopfen.

JAN: Manchmal nerven meine Eltern total. Sie verbieten mir fast alles. Ich darf nicht oft ausgehen, ich darf keinen Führerschein machen und so weiter. Aber wir haben auch nicht so viel Geld. Deshalb verstehe ich sie manchmal auch.

ELLA: Ich verstehe mich gut mit meinen Eltern. Wir haben nicht immer die gleiche Meinung, aber wir diskutieren über alles. So viel, dass das manchmal fast ein bisschen nervt. Ich bin aber ganz froh, dass ich nicht so strenge Eltern habe.

JÖRG: Manchmal verstehe ich mich ganz gut mit meinen Eltern, aber ziemlich oft auch nicht. Wir streiten zum Beispiel oft über das Ausgehen. Ständig fragen sie mich: Wann kommst du nach Hause, wohin gehst du und so weiter. Und wenn sie mich dann noch fragen, ob auch ein Mädchen mitgeht, dann werde ich wirklich sauer.

See **Worksheet 8** for the usage of questions words as subordinating conjunctions and for reinforcement of the word order in subordinate clauses. See **Worksheet 9** for reinforcing the meaning of the remaining subordinating conjunctions. **Worksheet 10** concentrates on word order in subordinate clauses with modal verbs and verbs in the perfect tense. To avoid confusing the students, you may want to tackle **Worksheet 10** in a separate lesson.

4 Immer diese Eltern ... (2) pages 18–19

Expressing one's opinion; modal verbs

Exercise 1 page 18

Exercise 1 is designed to make the students aware of the difference between 'must not' and *nicht müssen*. They should understand that *nicht dürfen* is the equivalent of 'must not'.

Exercise 2 page 18

a sich um etwas kümmern
b Missachtung
c mit Schlägen
d bestrafen
e ausquetschen
f jmdm. etwas ausreden
g zu etwas stehen

Exercise 4 page 19

a Parents are not supposed to complain/moan too much.
b Parents are supposed to look after their children.
c Parents don't have to be forever young.
d Parents must not hit their children.
e Parents are supposed to listen to their children.

Exercise 6 page 19

a kann
b will
c muss
d darf
e will
f sollen
g will
h können
i darf

Chapter 2
Leute, Leute

1 Zum Bewundern? pages 20–21

Separable verbs and their past participles, past participles of verbs with non-separable prefixes

Exercise 1 page 20

If students don't know who Gandhi was, point out the biography on page 20. If necessary, you could also give some information on Mother Teresa. You may want to write the words printed in bold and their English translations on the board:

Mutter Teresa wurde 1910 in Skopje, Makedonien, im **ehemaligen** Jugoslawien geboren. Sie hat seit 1947 für die Armen in Indien gearbeitet. Viele Leute haben Sie den **„Engel der Armen"** genannt. 1950 hat sie in Kalkutta den **Orden „Missionare der Nächstenliebe" gegründet**. 1970 hat sie den **Friedensnobelpreis erhalten**, 1980 von der Republik Indien den Bharat Ratna (ind.: Juwel Indiens). 1997 ist sie gestorben.

1 Prinzessin Diana
2 Mahatma Gandhi
3 Leonardo di Caprio
4 Geri Halliwell
5 Mutter Teresa
6 Michael Owen

Exercise 2a page 20

This activity is designed to get the students used to using their dictionaries. The students could do **Worksheet 1** and/or **Worksheet 2** before doing exercise 2a. Alternatively, you could give the worksheets as homework only if students have problems finding the dictionary entries quickly.

2 verheiraten – to marry off
3 studieren – to study
4 arbeiten – to work; organisieren – to organise
5 zurückgehen – to go back; demonstrieren – to demonstrate
6 verhaften – to arrest
7 abziehen – to withdraw
8 erschießen – to shoot dead

Exercise 2b page 20

This is a short biography of Gandhi.

Exercise 3 page 21

a Morgen kaufe ich in der Stadt ein.
b Meine Mutter steht um sieben Uhr morgens auf.
OR: Meine Mutter steht morgens um sieben Uhr auf.
c Mein Bruder weckt mich jeden Morgen um acht auf.
d Du atmest tief ein.
e Ich bereite heute Abend meine Mathearbeit vor.

Before going on to the perfect tense of separable verbs, you could reinforce the meaning of the most common separable prefixes with **Worksheet 13**. **Worksheet 14** tackles the conjugation of separable verbs as well as the word order of verb and prefix.

Exercise 4a page 21

a verheiratet
b studiert
c gearbeitet
d organisiert
e zurückgegangen
f demonstriert
g verhaftet
h abgezogen
i erschossen

Exercise 4b page 21

zurückgehen – Er ist zurückgegangen.
abziehen – Die Briten sind abgezogen.

2 In den Schlagzeilen pages 22–23

Noun subjects and direct objects

Exercise 1 page 22

Before passing their vote, students should read the headlines and ask for the meaning of those words they don't know.

Exercise 2 page 22

Words that may be unknown include:

die Wiese (-n)	meadow, lawn
die Wildblume (-n)	wild flower
selten	rare, infrequent

der Rentner (-)	pensioner
sie sprang	imperfect of *sie springt* (she jumps)
er zog	imperfect of *er zieht* (he pulls)

Exercise 3 page 22

Before doing the activity, turn to the headlines again and let the students find the subjects and direct objects. If students find this difficult, work on the first report together with the whole class. **Worksheet 15** could be used for further reinforcement.

To practice the accusative and nominative case of the indefinite article, you could use the speaking activity on **Worksheet 21**. Instead of possessive adjectives, students would have to use the appropriate indefinite article and no article for items in the plural. For instance: *Ich nehme ein Radio und Bücher mit …*. You can still use the worksheet as intended to reinforce possessive adjectives (see below). The repetition should only make students aware of the identical endings of indefinite article and possessive adjectives.

a eine Schulklasse – subject
b den Umweltpreis – direct object
c die Wiese – subject
d ein sechzehnjähriger Junge – subject
e einen 85-jährigen Rentner – direct object
f Das zehnjährige Mädchen – subject
g den Rentner – direct object

Exercise 4a page 23

Encourage the students to work out the genders of the compound nouns. They may remember that *der Abend* is masculine, *die Lehrerin* feminine because of the ending *-in*. They should also be able to work out that *Schüler* is masculine; as with other names of 'professions', they would have to add the ending *-in* for the female form: *die Schülerin*.

1 der Schüler
2 der Wahlkreis
3 die Schulklasse
4 der Musikabend
5 die Darstellerin
6 die Musiklehrerin

Exercise 4b page 23

1 ein
2 der
3 den
4 eine
5 einen
6 die
7 die
8 die

Exercise 5 page 23

Students should get the opportunity to ask for unknown words, since these headlines will enable them to understand the gist of the listening texts.

c, b, a

1: Im Hamburger Völkerkundemuseum ist derzeit eine Ausstellung über die Lebensweise der Eskimos zu sehen. Leider hat ein Dieb in der Nacht von Montag auf Dienstag ein wichtiges Ausstellungsstück, ein Original-Eskimoboot, gestohlen. Die Polizei bittet um sachdienliche Hinweise unter der Nummer: 040 3458 764.
2: Eine Gruppe von Jugendlichen ist in der Nacht von Montag auf Dienstag in einen Kiosk in der Marienstraße eingebrochen. Die Jugendlichen waren zwischen 17 und 19 Jahre alt. Sie haben Zigaretten und alkoholische Getränke im Wert von 2000 DM gestohlen.
3: Alle Fans von David Bowie – hergehört! Es gibt noch Karten für das Konzert am Samstag! Wenden Sie sich an die Hamburger Ticketzentrale, Telefon: 040 346 789 0. Noch einmal die Nummer: 040 346 789 0.

Exercise 6 page 23

Make sure that any unknown words in a–d are clarified before listening again. To encourage the students, let them know that the words they have to listen out for in a–c are quite similar to the equivalent English words.

a Es geht um Eskimos.
b Der Dieb hat ein Eskimoboot gestohlen.
c Die Jugendlichen haben Alkohol und Zigaretten gestohlen.
d Die Nummer ist: 040 346 789 0.

3 Wer mit wem? pages 24–25

Describing character; subject and direct object pronouns

Exercise 1 page 24

Er/Partner should be replaced with *sie/Partnerin* where appropriate.

Introducing vocabulary: the vocabulary used here also appears in the reading texts. Ask the students which phrases they can translate without a dictionary. They should be able to identify those words that look similar to English ones (*romantisch, an Hobbys interessiert, sportlich*) and to translate the relevant phrases. Encourage the students to use the same technique elsewhere. Then explain the remaining vocabulary.

Grammar: revision of word order in subordinate clauses, using *dass* and *ob*.

Ich finde es sehr wichtig/unwichtig …
a ob mein Partner schüchtern ist.
b dass/ob er fröhlich ist.
c dass/ob er mich zum Lachen bringt.
d dass/ob er sportlich ist.
e dass/ob er treu ist.
f dass/ob er verständnisvoll ist.
g dass/ob er romantisch ist.
h dass/ob er an meinen Hobbys interessiert ist.
i dass/ob er selbstsicher ist.
j dass/ob er einen Zahlentick hat.

Exercise 2 page 22

The students should try to match the young people in the pictures. This activity should motivate the students to read the texts in order to find out whether they were good 'matchmakers' or not.

Exercise 3a page 23

1 Jule und Till sind zusammen, weil beide an Mathe interessiert sind.
2 Anna und Ferit sind zusammen, weil beide gern spazieren gehen.
3 Susanne und Matthias sind zusammen, weil beide an Musik interessiert sind.

Exercise 3b page 25

Students should do the gap filling in a–e **before** matching these sentences with those in 1–5.

1 c Till mag Jule. Er mag **sie**, weil sie so selbstsicher ist.
2 e Susanne mag Matthias. Sie mag **ihn**, weil er treu ist.

3 a Jule mag Till. Sie mag ihn, weil er ein echter Mathefreak ist.
4 b Anna mag Ferit. Sie mag **ihn**, weil er sie immer zum Lachen bringt.
5 d Matthias mag Susanne. Er mag sie, weil **sie** an Musik interessiert ist.

Exercise 4 page 25

a Sie mag **ihn** nicht.
b **Es** steht in der Wagnerstraße.
c Ich finde **ihn** toll.
d Wo hast du **ihn** hingelegt?
e Wo hast du **es** hingelegt?

Worksheet 15 provides more opportunity to practise equivalents of 'it' in German and can be handed out as additional material to exercise 4.

4 Ideale LehrerInnen pages 26–27

Describing character; adjectives/adverbs without endings, subject and direct object pronouns

Exercise 1 page 26

The activity introduces vocabulary that will be used in the speech bubbles on page 27. Students should have the opportunity to ask for unknown words.

Exercise 3a page 26

1 richtig, 2 richtig, 3 falsch, 4 falsch, 5 falsch

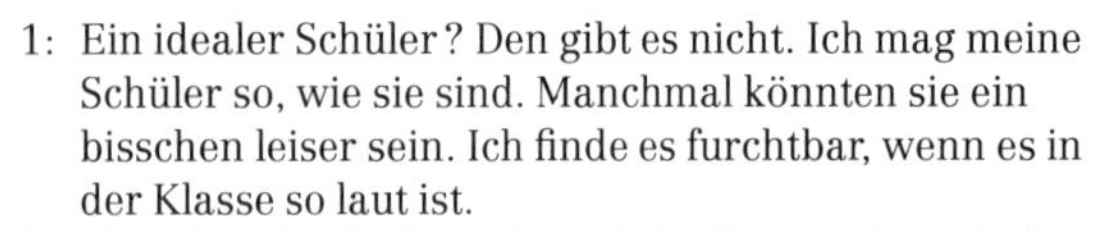

1: Ein idealer Schüler? Den gibt es nicht. Ich mag meine Schüler so, wie sie sind. Manchmal könnten sie ein bisschen leiser sein. Ich finde es furchtbar, wenn es in der Klasse so laut ist.
2: Viele Schüler denken, dass sie im Unterricht nicht fragen dürfen. Dabei finde ich, ideale Schüler stellen auch mal Fragen. Fragen zeigen schließlich Interesse und machen den Unterricht oft erst spannend!
3: Also, ich finde, ideale Schüler sind meistens Mädchen. Sie sind ruhiger, ordentlicher und höflicher als Jungen und machen ihre Hausaufgaben sorgfältiger. Vor allem haben sie oft eine ordentliche Handschrift. Und wie viele Jungen sind schon so?
4: Ideale Schüler sind neugierig. Es ist mir egal, ob sie besonders ordentlich oder leise sind oder ob sie besonders schöne Hefte haben. Hauptsache ist, dass sie neugierig sind und etwas lernen wollen!

Exercise 4a page 27

You may want to work through the first speech bubble together with your students. Then the students could go on to work in pairs or groups of three.

PETRA: a er, b ich, c mich, d ihn
STEFAN: e sie, f wir, g ich
ANDREAS: h uns, i er, j ihn
HEIKE: k sie, l sie, m sie, n wir, o wir, p ich

Exercise 4b page 27

The students hear the statements in speech bubbles on tape and can check whether they filled in the correct pronouns as given above.

PETRA: Ich habe einen sehr guten Mathelehrer. Er kann sehr gut erklären. Obwohl ich in Mathe nicht besonders gut bin, macht sein Unterricht Spaß. Er ermutigt mich immer, wenn ich etwas nicht verstehe. Ich mag ihn auch, weil er sehr humorvoll ist.
STEFAN: Wir haben eine sehr nette Deutschlehrerin. Ich finde, dass sie fachlich sehr gut ist. Wir haben mit ihr *Die verlorene Ehre der Katharina Blum* gelesen. Ich finde das Buch sehr schwer, aber ihr Unterricht ist wirklich o.k.
ANDREAS: Bei unserem Sportlehrer merkt man: Er mag uns. Er ist immer humorvoll und nie zynisch. Außerdem ist er sehr geduldig. Besonders mit denen, die nicht so gut in Sport sind. Deshalb mag ich ihn.
HEIKE: Unsere Biologie-Lehrerin kann sich sehr gut in der Klasse durchsetzen. Sie ist aber trotzdem sehr nett. Zum Beispiel schreit sie nicht rum, wenn es mal etwas lauter wird im Unterricht. Stattdessen spricht sie ein bisschen leiser und wir müssen dann ruhiger sein, wenn wir sie verstehen wollen. Ich finde, das ist ein ganz guter Trick.

Worksheet 16 focuses on using 'you' (*du, dich, ihr, euch, Sie*) in German. You may want to work on this in a separate lesson.

Chapter 3 Glückssachen

1 Wie wird man glücklich? pages 28–29

Noun indirect objects, word order of direct and indirect noun objects

Exercise 1a page 28

In case your students wonder whether the information given here is true: the interview with Frau Dr. Herzensgut is based on a 'Dossier' on 'Glück' in the magazine *Brigitte* 1/1997.

1 Richtig: Positives Denken ist sehr wichtig zum Glücklichsein.
2 Falsch: Frau Dr. Herzensgut meint, dass jeder Krisen haben kann. Wichtig ist positives Denken, damit man mit den Krisen umgehen kann.
3 Richtig: Genügend Schlaf ist sehr wichtig.
4 Richtig: Auch eine gesunde Ernährung ist notwendig zum Glücklichsein.
5 Richtig: Eier und Kartoffeln enthalten Stoffe, die glücklich machen.
6 Schokolade enthält auch Stoffe, die glücklich machen, aber man sollte nicht zu viel davon essen. Zu viel Schokolade macht dick und verhindert somit ausreichende Bewegung.
7 Falsch: Frau Dr. Herzensgut meint, dass ausreichende Bewegung glücklich macht. Extrem viel Sport wird dagegen nur zum Stress.
8 Richtig: Man muss sich selbst mögen, wenn man glücklich sein möchte. Nur wer sich selbst mag, verzeiht sich auch Fehler.

SPRECHER/IN: Frau Dr. Herzensgut, Sie sind ja Expertin auf dem Gebiet der Glücksforschung. Können Sie uns sagen: Was braucht man zum Glücklichsein?

HERZENSGUT: Ja, also, was braucht man zum Glücklichsein? Positives Denken, wenn Sie mich fragen. Krisen hat jeder mal, aber Leute, die positiv denken, werden besser mit Krisen fertig – und sind deshalb insgesamt glücklicher.
Hmmm, was braucht man noch? … Also eigentlich genau das, was Ihre Großmutter schon immer gesagt hat: genügend Schlaf und eine gesunde Ernährung. Eier und Kartoffeln zum Beispiel enthalten viele Stoffe, die Sie glücklich machen. Schokolade auch, aber leider können Sie davon dick werden …

SPRECHER/IN: Wie schade!

HERZENSGUT: Naja, essen Sie ruhig ein bisschen, aber nicht zu viel Schokolade! Sie sollten sich nämlich auch viel bewegen – dann werden in Ihrem Körper jede Menge Glücksstoffe freigesetzt. Aber übertreiben Sie es auch nicht, sonst wird der Sport nur zum Stress.
Wichtig ist es auch, dass Sie sich selbst mögen. Das kann man lernen. Denn nur, wer sich selbst mag, verzeiht sich auch mal einen Fehler. Und das ist schließlich auch wichtig.

Exercise 1b page 28

You could use the activity to revise the usage of modal verbs in subordinate clauses.

Exercise 2a page 28

An alternative way of introducing the vocabulary:

Write the English words on the board, and the German equivalents on sufficiently large Post-it® notes. Then let the students match the English and German words. Take away the notes and repeat.

Finally, take the Post-it® notes away and let the students write down as many translations as they remember. They could compare their results with a partner and add those words they missed. This method can also be used for revising vocabulary.

1b, 2c, 3a, 4g, 5h, 6m, 7e, 8d, 9f, 10i, 11k, 12l

Exercise 2b page 28

This exercise requires the students to be able to use the dative case for indirect objects. If this seems too difficult, let the students fill in the gaps first, without thinking about the endings. You could then revise indirect objects by using one example first, e.g. *Ich schenke den Kindern Glücksmomente.* Write the remaining sentences from the text onto an OHP transparency (*Ich habe ein ______ Junge ______ einen freudigen Schreck gegeben.* etc.) Ask the students to whom something is given in the sentence. The receiver of the 'gift' is the indirect object. Then change the article and noun ending accordingly. For further reinforcement, go on to exercises 3 and 4 on page 29.

1 d einer Musikstudentin
2 c den Sportlern
3 a den Kindern
4 b einem Jungen
5 e den Frischverliebten

Exercise 3 page 29

a Ich schreibe einem Freund einen Brief.
S V IO DO

b Das T-Shirt schenke ich einer Freundin.
DO V S IO

c Der Direktor hat den Lehrern alles erzählt.
S V IO DO V

d Ich bringe meinem Freund eine Überraschung.
S V IO DO

e Monika erzählt den Kindern eine Geschichte.
S V IO DO

Exercise 4 page 29

a Der Großvater erzählt dem Kind eine Geschichte.
b Die Frau erklärte den Kindern den Weg.
c Dem Kind schenke ich ein Spielzeugauto.
d Beschreiben Sie der Schulleiterin den Dieb!
e Ich muss dem Schulleiter sofort einen Brief schreiben!

2 Dein Glück ist mein Glück pages 30–31

Personal pronouns in the dative case

Exercise 1 page 30

Exercise 1 may need some preparation if the students do not remember the dative case of the personal pronouns:

1 Tell the students that this lesson will be about giving presents and making other people happy. To introduce/revise the dative forms of *er, sie, es, sie*, which are used in the exercise, ask the students what they would give to their best friend if they wanted to make him/her happy, e.g.: *Sie wollen Ihren besten Freund/Ihre beste Freundin glücklich machen. Was schenken Sie ihm/ihr?*

To answer, students should use the phrase: *Ich schenke ihm/ihr …*.

If students are short of vocabulary, you could suggest some presents, e.g. *Geld, Zeit, Verständnis, ein tolles Fahrrad, Freundschaft, ein paar neue Klamotten, eine Eintrittskarte zu einem Konzert, ein Buch, einen Computer, eine CD.*

Alternatively: If you have more time (and enough students in your class), you could write down sentence pairs such as: *Ich spiele gern Tennis. Deshalb schenke ich dir einen Tennisschläger. Ich höre gern Musik. Deshalb schenke ich dir eine CD.* Cut out these sentences and hand them to the students. The students will have to find someone who matches their sentence. For example: The student with *Ich höre gerne Musik* has to find the student with *Deshalb schenke ich dir eine CD.* Then let the students say what they are giving to each other, e.g.: *Peter/Petra liest gerne. Deshalb schenke ich **ihm/ihr** ein Buch.*

2 Ask what the students would give to their parents if they wanted to make them happy. Students should use the phrase: *Ich schenke **ihnen** …*.

3 Explain that *ihr, ihm, ihnen* can be translated as 'for/to her, him, it, them' and that these are the dative forms of *er, sie, es, sie*. Clarify that you use these forms for indirect objects in the sentence, using the example sentence: *Ich würde ihr/ihm/ihnen einen … schenken.*

4 To do exercise 1, students need to know the gender and number of the indirect noun objects. Write the indirect noun objects from sentences 1a–e without articles on the board and ask students which of these words are plural forms: *Mensch, Kind, Freunde, Menschen, Klassenkameradin*. Cross out *Menschen* and *Freunde* and write them elsewhere on the board. Then ask students whether they remember the gender of the remaining words. Write down the articles in front of the nouns.

5 Finally, go on to exercise 1.

a Schicken Sie ihm einen Liebesbrief.
b Erzählen Sie ihm doch mal eine schöne Geschichte.
c Schenken Sie ihnen mehr von Ihrer Zeit.
d Zeigen Sie ihm ruhig, dass Sie ihn mögen.
e Erklären Sie ihr doch mal, was sie in Mathe nicht versteht!

For further reinforcement after exercise 1, you could go directly to exercise 3 on page 31 and play the song 'Was soll ich ihr schenken' to the students. If you would like to, you could also set the 'theme' of the lesson by playing the song at the beginning of the lesson, as the students enter the classroom. Ask them whether they can deduce the theme of the lesson from this song. Alternatively, play the song as revision at the beginning of the next lesson. Then use **Worksheet 17** for revision of the word order of noun and pronoun direct objects and indirect objects.

Exercise 2a page 30

1 Das Kind erzählt dem Großvater eine Geschichte.
Der Großvater erzählt dem Kind eine Geschichte.
2 Der Mann schickt der Frau einen Brief.
Die Frau schickt dem Mann einen Brief.
3 Die Eltern geben dem Kind ein Geschenk.
Das Kind gibt den Eltern ein Geschenk.
4 Die Kinder schreiben den Großeltern einen Brief.
Die Großeltern schreiben den Kindern einen Brief.
5 Der Lehrer erklärt den Schülern eine Aufgabe.
Die Schüler erklären dem Lehrer eine Aufgabe.

Exercise 2b page 30

6 Ich gebe **es** meiner Freundin.
7 Sie erzählt **es** dem Kind.
8 Er schreibt **sie** seinen Eltern.
9 Ich schicke **es** meinem Freund.
10 Die Frau erklärt **ihn** dem Mann.

Exercise 2c page 30

6 Ich gebe es ihr.
7 Sie erzählt es ihm.
8 Er schreibt sie ihnen.
9 Ich schicke es ihm.
10 Die Frau erklärt ihn ihm.

You can use **Worksheet 17** for further reinforcement/revision of the word order of direct and indirect objects and/or as preparation for the writing task 4 on page 31.

Exercise 3a page 31

2 Die Prinzen wollen einer Freundin – ihr – etwas schenken.

Jeden Tag und jede Nacht
muss ich daran denken,
jeden Tag und jede Nacht,
was soll ich ihr schenken,
was soll ich ihr schenken?
Alles, alles hat sie schon,
alles, alles und noch mehr,
alles, alles hat sie schon,
was soll ich da schenken,
ohne sie – ohne sie zu kränken?

Exercise 3b page 31

Write the song text on the board, so you can make and wipe out changes.

a ihr	c sie	e sie
b ihr	d sie	f sie

Exercise 3c page 31

Er will einem Freund etwas schenken:

a ihm	c er	e ihn
b ihm	d er	f ihn

The students might argue that the singer could address his friend directly:

a dir	c hast du	e dich
b dir	d hast du	f dich

Er will einem Kind etwas schenken:

a ihm	c es	e es
b ihm	d es	f es

Er will einigen Freunden etwas schenken:

a ihnen	c haben sie	e sie
b ihnen	d haben sie	f sie

Alternatively, if the singer addresses his friends directly:

a euch	c habt ihr	e euch
b euch	d habt ihr	f euch

Der Sänger möchte sich selbst etwas schenken:

a mir	c habe ich	e mich
b mir	d habe ich	f mich

3 Träume sind keine Schäume pages 32–33

Talking about things in the past; reading skills; imperfect of modal verbs

The German saying *Träume sind Schäume* means 'Dreams are but shadows'. *Träume sind keine Schäume* thus translates as 'Dreams aren't just shadows'. However, *Schaum* literally means foam – and is thus a pun on Katrin's occupation as hairdresser.

Exercise 1a page 32

3 Sie ist Friseurin in ihrem eigenen Friseursalon.

Exercise 1b page 32

From looking at the headline and photos, the students should be able to deduce which information the article will probably provide: *Was war Katrins beruflicher Traum? Was macht sie heute beruflich? Wie hat sie ihren Traum realisiert?*

Exercise 2 page 32

a Sie ist in einem Dorf im ostdeutschen Sachsen-Anhalt aufgewachsen.
b Katrin wollte Friseurin werden und sich Westdeutschland ansehen.
c Sie hat ihre Ausbildung in einem Friseursalon für ältere Damen in der westdeutschen Kleinstadt Uelzen gemacht.
d Katrin wollte keine biederen Blusen und Tuchhosen tragen.

e Nach dem Ende ihrer Ausbildung arbeitete sie im Berliner Alternativ-Salon 'Kaiserschnitt'. (Play on words: 'Caesarean section', literally: 'imperial cut'.)
f Der Kaiserschnitt-Salon sollte geschlossen werden. Katrins Eltern liehen ihr Geld und Katrin konnte den Salon übernehmen.

Exercise 5 page 32

a Die Eltern wollten nicht, dass Katrin Friseuse wird.
b Der Wunsch der Eltern war: Katrin sollte zu Hause bleiben.
c Während der Ausbildung musste/sollte Katrin immer Tuchhosen und biedere Blusen tragen.
d Die ersten Chefs vom 'Kaiserschnitt' mussten/wollten den Laden bald schließen.
e Katrin konnte von ihren Eltern Geld leihen. Deshalb ist sie heute ihr eigener Boss.

Exercise 6 page 32

Das Modalverbenturnier:

Divide the class into two groups. Each group has to think of ten modal forms in the past tense and write down the English as well as the German version. Then the groups quiz each other. For instance: a student from group A will ask for the German for 'I wanted to'. A student from group B has to supply the correct answer: *ich wollte*. Set a maximum time for each group to answer. The winner is the group that gets more modal verbs right.

Exercise 7 page 32

Students will probably want to use the perfect tense to answer. Encourage them to use the appropriate modal verbs in the imperfect.

a Um neun Uhr musste Katrin aufstehen.
b Um zehn Uhr musste sie schnell ein Brötchen kaufen gehen.
c Um zwölf Uhr hatte sie eine Pause und konnte ihren Freund Massimo besuchen.
d Nachmittags musste sie noch fünf Kunden die Haare schneiden.
e Abends wollte sie ein bisschen Buchhaltung machen. Danach hat sie mit Massimo ein Bier getrunken.

KATRIN: Hmm, was habe ich gestern gemacht? Also, um neun Uhr musste ich aufstehen und mit meinen Hunden spazieren gehen. Ich habe zwei Hunde, einen Pitbull und einen kleinen Mischling. Ich bin also erst mal spazieren gegangen und dann mit dem Fahrrad ins Geschäft gefahren. Ich kann frühmorgens noch nichts essen und deshalb musste ich mir um zehn erst mal schnell ein Brötchen kaufen gehen. Um elf Uhr habe ich den Laden aufgeschlossen. Ich arbeite jeden Tag von elf bis neunzehn Uhr. Jeden Tag habe ich höchstens zehn Kunden. Mehr wäre zu viel Stress. Um zwölf Uhr hatte ich eine Pause und konnte meinen Freund Massimo besuchen. Er arbeitet in einem Klamottengeschäft schräg gegenüber vom 'Kaiserschnitt'. Nachmittags musste ich noch fünf Kunden die Haare schneiden. Und abends wollte ich noch schnell ein bisschen Buchhaltung machen. Naja. Da war der Tag fast schon vorbei. Ich habe dann nur noch mit Massimo ein Bier in meiner Stammkneipe getrunken und danach sind wir zu mir nach Hause gefahren.

Exercise 8 page 32

Writing support is given on **Worksheets 18–20**, which are for use in class.

4 Märchenhaftes Glück pages 34–35

Negation with *kein* and *nicht*

You may have to remind students of the English names for these fairy tales:

Schneewittchen – Snow White

Aschenputtel – Cinderella

Rotkäppchen – Little Red Riding Hood

Exercise 1 page 34

These statements refer to Cinderella (Aschenputtel).

Exercise 3 page 34

3 Ich habe einen mutigen Vater.
4 Ich habe schöne Kleider. (Students may wonder why the adjective ending changes: because it is used without an article.)
5 Ich habe eine schöne Kutsche.
6 Ich habe einen Prinzen, der mich liebt.
7 Ich habe nette Schwestern.
8 Ich habe (viel) Spaß im Leben.
9 Ich habe (viel) Zeit, weil ich nicht immer putzen muss.
10 Ich habe (viel) Geld.

Exercise 4 page 34

Kein is used to negate nouns.

Exercise 5 page 35

a keinen
b keinem
c keinen
d keine
e keine
f keinen
g kein
h keinen

Exercise 6 page 35

You could ask the students for the German plus article of the negated words to make sure they know the number and gender of the words they have to translate.

a Er ist kein Lügner!
b Ich möchte keinen Tee.
c Es gibt keine Äpfel./Dort sind keine Äpfel.
d Es gibt kein Café in diesem Dorf.
e Kein Problem!

Exercise 7 page 35

a keine
b kein
c nicht
d keine
e nicht
f keine
g kein
h nicht

Exercise 8a page 35

Der Radiobericht bezieht sich auf das Märchen *Rotkäppchen*.

Exercise 8b page 35

1 gegen sieben Uhr
2 sechsjährige
3 einer roten Kappe
4 Kuchen
5 einem Wolf
6 gegen acht Uhr
7 fünfundneunzigjährige

SPRECHER/IN: Gestern morgen gegen sieben Uhr wollte die sechsjährige Barbara Grün aus Rott nach Roetgen gehen, um ihre Großmutter zu besuchen. Das Mädchen war bekleidet mit einem roten Mantel, einer roten Kappe und hatte einen Korb mit Wein und Kuchen dabei. Barbara Grün musste durch den Wald zwischen Rott und Roetgen gehen. Fußspuren deuten darauf hin, dass sie unterwegs einem Wolf begegnete. Seit gestern Morgen gegen acht Uhr gelten Barbara Grün und ihre fünfundneunzigjährige Großmutter als vermisst.

Chapter 4
Rund ums Wohnen

1 Wohnen – aber wo? pages 36–37

Giving reasons; *weil*, prepositions with accusative

Exercise 3a page 36

Note that students should listen out for the place where Clemens and Brigitte live as well as for the type of house they live in.

Clemens wohnt in einem kleinen Dorf etwa 20 km nördlich von Berlin. Das Dorf heißt Börnecke. Seine Familie wohnt im eigenen Haus.

Brigitte wohnt in einem Hochhaus in Hamburg.

CLEMENS: Wir sind vor ein paar Jahren nach Börnecke gezogen, das ist ein kleines Dorf etwa 20 km nördlich von Berlin. Wir wohnen hier in einem Haus mit Garten. Es ist leider ziemlich langweilig hier, es ist einfach nichts los. Börnecke ist nämlich total klein, nur etwa 350 Leute wohnen hier. Ich finde aber super, dass ich bei uns im Haus laut meine E-Gitarre spielen kann. In Berlin haben wir in einer Mietwohnung gewohnt, da kann man sowas ja nicht. Und Häuser sind natürlich viel zu teuer in Berlin.

BRIGITTE: Meine Familie und ich wohnen in Hamburg, in einem Hochhaus mit 22 Stockwerken. Freizeitmäßig ist Hamburg toll, man kann hier ziemlich viel unternehmen. Ich gehe zum Beispiel gern in Konzerte und höre mir Bands an – und irgendwo spielt eigentlich immer eine Gruppe. Unsere Wohnung ist relativ billig, aber leider auch ziemlich klein. Ich muss mit meiner Schwester ein Zimmer teilen. Manchmal ist es auch ein bisschen anonym hier. Die meisten Leute im Haus kenne ich nicht. Das finde ich eigentlich ziemlich schade.

Exercise 3b page 36

CLEMENS:

Vorteil: Er kann im Haus der Familie laut seine Gitarre spielen.

Nachteil: Börnecke mit seinen 350 Einwohnern ist ziemlich langweilig. Es ist nichts los im Dorf.

BRIGITTE:

Vorteil: In Hamburg ist sehr viel los: Brigitte kann viel unternehmen, z.B. zu Konzerten von Bands gehen.
Die Wohnung im Hochhaus ist relativ billig.

Nachteile: Die Wohnung ist ziemlich klein, Brigitte muss mit ihrer Schwester ein Zimmer teilen.
Das Hochhaus ist etwas anonym, sie kennt viele der anderen Bewohner nicht.

Exercise 4a page 37

You may want to let the students know that only six sentences contain prepositions. Students shouldn't despair if they can't find the prepositions. They can simply learn them and the case that goes with them by heart.

1 um
2 in
3 in
4 –
5 –
6 in
7 –
8 auf
9 auf, mit
10 –

Exercise 5a page 37

1 um
2 bis
3 entlang
4 gegen
5 durch

Exercise 5b page 37

für – for
ohne – without

Exercise 5c page 37

1 um
2 durch
3 ohne
4 für
5 gegen

CLEMENS: Ja, also, mit der Freizeitgestaltung habe ich hier natürlich ein paar Probleme. Ich kann nicht mal eben in ein Konzert oder in die Bibliothek gehen. Dafür müsste ich schon nach Berlin fahren. Aber ich kann viel draußen machen. Es gibt hier zum Beispiel einen sehr schönen Teich im Dorf. Oft jogge ich um den Teich und laufe dann durch den Wald. Natürlich besuche ich auch oft meine Freunde oder meine Freundin. Mit meinen Freunden spiele ich meistens Gitarre. Deshalb gehe ich eigentlich nie ohne meine Gitarre los. Für meine Freundin kaufe ich manchmal Blumen, wenn ich zu ihr gehe. Sie freut sich dann immer tierisch. Naja, und oft fahre ich auch einfach nur so mit dem Fahrrad durch die Gegend oder zum Sport. Ich bin gegen den Autoverkehr und frage deshalb eigentlich nie meine Eltern, ob sie mich fahren können – außer, wenn es in Strömen regnet.

Exercise 5d page 37

All with accusative.

Exercise 6a page 37

With the help of the pictures on page 37, explain the mentioned localities before the students start with the exercise:

Die Alster	River in Hamburg. In two places, close to the centre of Hamburg, the Alster is shaped like a lake. These two 'lakes' are called Außenalster and Binnenalster. A footpath leads around the Außenalster and many Sunday ramblers like to walk there.
Der Jungfernstieg	Shopping street in Hamburg. It borders on the Binnenalster.
Die Elbe	River running through Hamburg. Its source is in the Czech Republic. From Hamburg it flows into the North Sea. Altogether, the Elbe is 1165 km long.

1 Bummel doch durch das Alster-Einkaufszentrum.
2 Lauf doch um die Alster.
3 Du kannst ja auch den Jungfernstieg entlanggehen.
4 Kauf doch ein Geschenk für einen Freund oder eine Freundin.
5 Geh doch zur Elbe und lauf gegen den Wind, so schnell du kannst.
6 Geh doch die Elbe entlang.

2 Zusammenwohnen als Chance? pages 38–39

Possessive adjectives and their endings

Exercise 2 page 38

a2, b1, c2, d2, e2

Exercise 3a page 39

Students may first mention the measures that are given after *Hilfe zur Selbsthilfe* in the text, the things Frau Hildebrandt and her husband do for the young people. Therefore, you may want to specify what *Hilfe zur Selbsthilfe* in the wider sense is: any measures that will help Paul and the other young people to live an independent and 'decent', non-criminal life. You could ask the students: *Wie ist es mit dem Schulabschluss? Ist er eine Möglichkeit zur Selbsthilfe?* From here, the students could look for other measures. You could debate in class why these measures are important. This would lead to exercise 3b.

Hilfe zur Selbsthilfe:
- Paul kann seinen Schulabschluss nachholen.
- Er kann dann eine Lehre machen.
- Paul und die anderen Jugendlichen haben „ihre" Wohnung selbst renoviert und eingerichtet.
- Die Jugendlichen kümmern sich um sich selbst: Sie kochen ihre Mahlzeiten, waschen ihre Wäsche und halten Ordnung im Haus.
- Die Jugendlichen lernen, mit Werkzeug umzugehen.

Exercise 3b page 39

Students will probably deviate from the *Wenn … dann* pattern to give answers. They should be encouraged to use the pattern, but where they find this too difficult, it is more important that they state their opinion.

Here some possible answers:

Wenn Paul einen Schulabschluss hat, dann kann er später eine Lehre machen.

Wenn er eine Lehre macht, dann kann er später eine Stelle bekommen und genug Geld verdienen. Er muss keine Straftaten begehen, um leben zu können.

Wenn Paul und die anderen jungen Leute ihre Wohnung renovieren, dann lernen sie viele Fähigkeiten/Dinge. Diese können ihnen später nützlich sein, z.B. in einer Ausbildung oder wenn Paul in seine eigene Wohnung zieht. Wenn man etwas gut kann, dann ist man vielleicht auch selbstbewusster.

Wenn Paul kochen lernt, dann kann er später auch für sich selbst kochen, wenn er einmal alleine wohnt.

Exercise 4 page 39

In order to complete the translation task, students will need this vocabulary:

der Schulabschluss – school-leaving qualification
den Schulabschluss machen – to work towards one's school leaving qualification

You can speed things up by simply asking students for the English meaning of the words printed in bold. Write them on the board. To introduce the remaining possessive adjectives: ask the students whether they remember the words for 'its' (*sein/ihr*) and 'your' (*dein, euer, Ihr*).

Depending on the level of your class, you may want to tackle the various translations for 'your' and 'its' in extra steps. Here two suggestions:

1 Ask the students for items that people often lose or that they have lost before and write them on the board. Use pictures of a child, two young people and a formally dressed person to clarify when students would have to use *dein, euer, Ihr*. Pin the pictures on the board. Then, the students would have to ask whether the items you wrote down before belong to these people: *Ist das Ihr/dein/euer Regenschirm?* etc.

2 To clarify/revise the meaning of 'its', you could give the students these sentences. They would have to write the possessive adjectives in the gaps:

a Das ist meine Katze (f.). Das ist _______ Futter.
b Das ist mein Hund (m.). Das ist _______ Futter.
c Dort drüben ist ein kleines Kind (n.). Hier ist _______ Mutter.
d Kennst du den Hund (m.) dort? Wer ist _______ Besitzer?
e Benutzt du diese Tasse (f.) oft? Ich habe _______ Henkel abgebrochen.
f Was für ein Buch (n.) ist das? Was ist _______ Titel?
g Siehst du den Sessel (m.) dort drüben? Ich finde _______ Farbe sehr schön.
h Mit diesem Rad (n.) fahre ich nicht! _______ Bremsen sind kaputt!

Worksheet 21 practises the usage of *mein*, with the appropriate endings, **Worksheet 22** practises the use of *unser* and *euer* with appropriate endings.

a In Seelow, Paul can work towards (get) **his** school-leaving qualification.
b Marie, a girl that lives in the same house as Paul, is also working towards **her** school-leaving qualification.
c The young people do **their** laundry themselves.
d Frau Hildebrandt is the neighour. Her husband lends **his** tools to the young people.
e The young people say: 'The Hildebrandts are **our** favourite neighbours!'
f Paul says about Seelow: 'Seelow is now **my** home.'

Exercise 5 page 39

Students should realise that possessive adjectives and the indefinite article carry identical endings.

1 Paul kann in Seelow einen Schulabschluss nachholen.
2 Dann kann er eine Ausbildung beginnen.
3 Dort drüben steht ein Haus.

3 Arbeiten, um zu wohnen? pages 40–41

Telephone/speaking skills; prepositions with dative

Exercise 1 page 40

Worksheet 27 provides support for a 'phone conversation' between the student and the pensioner. Students could practise their speaking skills.

Exercise 2 page 40

a preiswert
b die Erfahrung
c der Umgang
d der/die Hilfsbedürftige
e das Hüftleiden
f einsam
g die Gesellschaft
h der Vorort
i er putzt
k der Schlussstrich

Exercise 3a page 41

Vorteile für Niklas:
- Sein Zimmer ist groß, hell und außerdem preiswert.
- Niklas hat einen Balkon für sich.
- Er ist nahe an der Universität und in der Stadtmitte.
- Er spart Zeit, weil er nicht mit der U-Bahn zur Uni fahren muss.

Vorteile für Herrn Schmidt:
- Er hat Hilfe im Haushalt und beim Einkaufen.
- Er hat Gesellschaft und ist nicht mehr so einsam.

Exercise 4 page 41

Das stört Niklas:
- Die Möbel in seinem Zimmer gefallen ihm nicht.
- Er darf abends nach zehn Uhr keinen Besuch mehr haben.
- Es stört ihn, dass Herr Schmidt manchmal über sein Putzen meckert.

NIKLAS: Ja, also ich bin eigentlich ganz zufrieden mit meinem Zimmer hier. Ich habe ja einen schönen Balkon und im Sommer sitze ich dort gerne draußen. Aber die Möbel gefallen mir nicht so gut. Ich würde gerne meine eigenen Möbel in das Zimmer stellen; aber Herr Schmidt hat für diese Möbel hier keinen anderen Platz. Also geht das nicht. Einmal hatten wir auch Streit, weil ein Freund spät abends zu Besuch gekommen ist. Er kam so gegen zehn Uhr abends und Herr Schmidt liegt dann immer schon im Bett. Er will deshalb nicht, dass nach zehn Uhr abends noch jemand zu mir kommt. Das finde ich nicht so gut. Manchmal nervt es auch ein bisschen, wenn Herr Schmidt über mein Putzen meckert. Er findet, dass ich nicht genug putze und dass es nicht richtig sauber ist. Naja, aber meistens reden wir dann darüber und finden einen Kompromiss. Insgesamt verstehen wir uns ganz gut.

Exercise 5a page 41

1 seit – since, mit – with
2 seit – since
3 bei – with (= at someone's house)
4 von – from, mit – by
5 mit – by, aus – from, zur – to

Exercise 5b page 41

All of these prepositions are followed by the dative.

Exercise 6a page 41

1 Ich wohne noch bei meinen Eltern.
2 Ich fahre immer mit dem Fahrrad zur Schule.
3 Zu der Universität kommen Sie mit dem Bus Nr. 2.
4 Die Kirche ist gegenüber dem Marktplatz.
5 Niklas studiert schon seit drei Jahren.
6 Seit Januar wohnt Niklas bei Herrn Schmidt.
7 Nach zehn Uhr abends kann Niklas keinen Besuch mehr bekommen.
8 Von dem Bahnhof bis zu der Universität ist es sehr weit.
9 Im Vergleich mit den anderen Wohnungen in Darmstadt ist Niklas' Wohnung sehr preiswert.
10 Niklas ist nicht aus Darmstadt, er kommt aus Essen.

Exercise 6b page 41

zu der – zur, bei dem – beim, von dem – vom

Exercise 7 page 41

a zu
b nach
c zur
d zum
e nach
f nach

In **Worksheet 23**, students change pronouns and possessive adjectives in the reading text, because now a female student is looking for a room. The poem on **Worksheet 24** revises/reinforces dative prepositions.

4 Lustig ist das Studentenleben ... pages 42–43

Superlatives of adjectives, two-way prepositions

Exercise 1 page 42

Point out that if the adjective ends in *-t*, an extra *-e-* is added in the superlative: *interessant – am interessantesten, kalt – am kältesten* etc.

am hellsten, freundlichsten, modernsten, originellsten, interessantesten, schönsten

Exercise 2a page 42

1 Nadja zahlt am meisten, Holger am wenigsten Miete.
2 Detlef muss im Winter Kohlen aus dem Keller holen.
3 Holger muss Ordnung halten: Ein Zimmer für drei Leute wird sehr schnell chaotisch, wenn niemand aufräumt.
4 Nadjas Wohnung ist manchmal etwas laut, weil sie in der Nähe einer U-Bahn-Haltestelle ist.

DETLEF: Ich heiße Detlef Weise und wohne hier in einer Altbauwohnung in Ost-Berlin. Die Wohnung kostet nur 350 Mark pro Monat, das finde ich super. Ich wohne gerne hier, weil ich zwei Zimmer habe. Ich kann so auch mal Leute zu mir einladen. Ein Nachteil ist allerdings, dass ich im Winter mit dem Ofen heizen muss. Jeden Morgen muss ich erst mal in den Keller gehen und Kohlen raufholen. Das ist manchmal ganz schön anstrengend, vor allem, weil ich hier im fünften Stock wohne.

NADJA: Ja, also ich wohne hier in Hamburg, im Stadtteil Winterhude. Winterhude ist teuer, aber meine Eltern zahlen die 950 Mark Miete pro Monat. Meine Wohnung ist nicht weit von der Uni. Mit der U-Bahn bin ich in fünf Minuten da. Das finde ich toll. Außerdem liegt die Wohnung nach Süden, das heißt ich habe viel Licht in den Zimmern. Leider liegt sie in der Nähe der U-Bahn-Haltestelle und das ist manchmal etwas laut.

HOLGER: Also früher habe ich mir immer gesagt: Holger, du wohnst später auf keinen Fall im Studentenwohnheim! Aber jetzt gefällt es mir hier. Ich teile mein Zimmer mit zwei anderen Studenten und wir verstehen uns super. Ich finde es gut, dass immer jemand zum Quatschen da ist. Problematisch wird es, wenn keiner so richtig Ordnung hält. Dann wird das Zimmer nämlich ganz schnell ziemlich chaotisch – und das nervt. Naja, aber ich zahle auch nur 210 Mark Miete pro Monat – und da kann man sich eigentlich nicht beschweren.

Exercise 3a page 43

See the grammar box on page 43 for a translation of all two-way prepositions. Instead of using their dictionary, students could also consult the grammar box.

Exercise 3b page 43

1 a an, b am, c über, d in
2 e vor, an, g auf
3 h in, i an, j in, k an

Exercise 4a page 43

1 auf	3 über	5 in
2 auf	4 über	

Exercise 4b page 43

Prepositions are followed either by the accusative or the dative. By the dative, if no motion is described, by the accusative, if motion is involved.

Exercise 5 page 43

Students will need the verbs *hängen, stellen (gestellt), stehen (gestanden), legen (gelegt), liegen (gelegen)* to do the writing activity. Differences between *legen* and *liegen, stellen* and *stehen* should therefore be explained.

a die	d der	f der
b der	e die	g deinem
c die		

Worksheet 25 and **Worksheet 26** offer further reinforcement and extension with regard to two-way-prepositions.

Chapter 5 Freizeit

1 Freizeit – aber bitte mit Fernsehen? pages 44–45

Discussion and stating one's opinion; imperfect of *sein* and *haben*, impersonal expressions

Exercise 2 page 44

Possible answers:

a Franz – because he's old enough to have a driver's licence for a motorbike.
b Mutter Glotzi or Vater Glotzi – because the speaker is referring to her/his childhood, it is likely that this is the remark of an adult.
c Fritzchen – because he is six years old and most likely to look forward to *Sesame Street.*
d Emma
e Vater Glotzi or Mutter Glotzi
f Paul

Exercise 3 page 45

Worksheet 28 provides role cards for this speaking activity.

Exercise 4 page 45

Students may need support with (b) and (e). You could first work out the present-tense translations in class. (*Ich habe keine Lust zu kommen./Mir ist kalt.*) Students could then convert these into the imperfect tense.

a Wo warst du heute?
b Ich hatte keine Lust zu kommen.
c Wir hatten zu Hause nie einen Fernseher. OR: Wir hatten nie einen Fernseher zu Hause.
d War sie diese Woche in London?
e Mir war den ganzen Tag kalt.
f Es war kein guter Sommer.

2 Tanzen – im Einzel – oder im Doppel? pages 46–47

Comparative of adjectives, adjectives with indefinite article

Exercise 1 page 46

A fun addition to this question is an *Umfrage*:

Wie viele Schüler können diese Tänze tanzen?
(der) Walzer
(der) Cha-Cha-Cha
(der) Disco-Fox?
usw.

If you have some time to spare (and a music collection), you could also play some music to which you would dance these dances. Some music appropriate for ballroom dancing might also be a fun way to start the lesson.

Exercise 2 page 46

This is a good opportunity to teach the students how to repeat what others said (without using indirect speech). Phrases such as: *finden, dass …; seiner/ihrer Meinung nach …; X stellt fest (hat/haben festgestellt), dass …; X meint, dass …* are very helpful for this. To introduce these phrases, write on the board:

a Viktor Berger stellt fest, (dass) …
b Raphael findet, (dass) …
c Nicola: Ihrer Meinung nach …
d Eine Tanzlehrerin meint, …

Ask the students to make use of these phrases. Weaker students could also use these phrases without subordinate clauses.

a Viktor Berger stellt fest: Techno-Tanz hat sich totgelaufen, junge Leute interessieren sich wieder für den Paartanz.
b Raphael findet Paartanz viel romantischer und faszinierender als Technotanz.
c Nicola findet, dass Paartanz sozialer als Technotanz ist. Ihrer Meinung nach lernt man in einem Tanzkurs schneller Leute kennen als auf Techno-Partys.
d Eine Tanzlehrerin meint, dass man beim Paartanz gleichzeitig die Kommunikation mit anderen übt.

Exercise 3 page 46

interessanter, schöner, erotischer, kommunikativer, ekstatischer, harmonischer, entspannender, einfacher, langweiliger

Worksheet 29 and **Worksheet 30** practise comparative and superlative forms further.

Exercise 4a page 47

Students should recognise that the gender of a noun makes a difference to the ending of the adjective that accompanies it.

Exercise 4b page 47

Students should recognise that the case of the noun influences the adjective ending as well. More particularly: the endings of adjectives preceding masculine words in the accusative change.

Worksheets 32 and **33** practise adjective endings.

3 Schön ausdauernd pages 48–49

Imperfect of irregular verbs, adjectives with definite article

Exercise 1a page 48

Students may want to draw a table with two columns into their notebooks, then fill in disciplines and distances as they listen to the tape.

Colloquial expressions used in the listening text:

Damit kann ich leider nicht dienen …	I can't do that!
Stell dich nicht (so) an!	Don't make (such) a fuss!

1 Sportart:	**2 Distanz:**
Schwimmen	2,5 km
Radfahren	50 km
Kajakfahren	10 km
Laufen	10 km

A: Sag mal, kennst du dich aus im Sport?
B: Wieso?
A: Ach, ich habe eine Wette verloren und muss in sechs Monaten bei einem Quadrathlon-Wettbewerb mitmachen. Weißt du, was das ist?
B: Hmm, naja, also beim Triathlon gibt es drei Disziplinen, dann muss es hier wohl vier geben.
A: Sehr schlau – aber welche Disziplinen!?
B: Naja, also ich vermute mal, dass Radfahren dabei ist.
A: Und über welche Distanz?
B: Weiß ich doch auch nicht! Moment mal, ich hol mal mein Sportlexikon …
B: Aha, also hier stehts: Quadrathlon, eine Ausdauersportart mit vier Disziplinen. Die erste ist Schwimmen über … herrje …
A: Was denn …?
B: 2,5 Kilometer! Also, 2,5 Kilometer schwimmen.
A: Ach, das ist doch nicht so schlimm. Und was noch? Los sag schon!
B: Naja, das nächste ist Radfahren …
A: Wo ist denn das Problem? Ein bisschen schwimmen und Rad fahren – das kann doch jeder!
B: Ja, aber 50 Kilometer Rad fahren?
A: Hmm, naja. Was ist denn die nächste Disziplin?
B: Kajakfahren, 10 Kilometer.
A: Oje, na damit kann ich ja nicht dienen. Ich habe noch nie in einem Boot gesessen, geschweige denn in einem Kajak – und dann gleich 10 Kilometer? Was ist denn die letzte Disziplin?
B: Laufen – aber nur 10 Kilometer!
A: Was – auch noch 10 Kilometer laufen nach den ganzen anderen Strapazen? Das halt ich nicht durch! Wie soll ich denn da bloß mitmachen?
B: Komm, jetzt stell dich nicht so an! Sei froh, dass du nicht bei der Weltmeisterschaft mitmachen musst!
A: Wieso?
B: Da geht alles über die doppelte Distanz – also 5 km Schwimmen, 100 km Radfahren, 20 km Kajakfahren und 20 km Laufen. Da staunst du, was?
A: Ja, aber mir reicht auch schon die einfache Variante. Ich geh sofort trainieren … also tschüs …

Exercise 2 page 48

die Puste – puff, breath (colloquial)
jmdn. aus der Puste bringen – to make s.o. out of breath

a Nein, denn sie hatte keine Kondition. Schon ein paar Treppen brachten sie aus der Puste.
b Sie hatte schon immer Abenteuergeist und den braucht sie auch für den Quadrathlon.

Exercise 3a page 48

1 1991 und 1994 wurde Spitzer Quadrathlon Weltmeisterin.
2 Mit 17 Jahren durchquerte sie Island.
3 Mit 18 Jahren durchquerte sie per Motorrad die Wüste Gobi.
4 Nach dem Realschulabschluss wanderte sie allein von München nach Mailand aus, um Fotomodell zu werden.

Exercise 3b page 48

Draw students' attention to the grammar box on page 49 before they answer this question.

Werden changes its vowel in the past tense and does not add a *-t* in the imperfect tense.

Exercise 4 page 49

a lernte
b liebte
c hatte, war
d überredete
e startete
f überraschte
g verbesserte
h war
i machte
j wurde
k entdeckte, entführte

Exercise 5 page 49

Students should recognise that the nominative and accusative endings of adjectives preceded by a definite article are always *-e*, except for those adjectives that precede a masculine direct object.

a der sportliche Prinz – nominative case; die junge Frau – accusative case
b die junge Frau – nominative case; das schwere Sportturnier – accusative case
c das schwere Sportturnier – nominative case
d die junge Frau – nominative case; den verliebten Prinzen – accusative case

Exercise 7 page 49

Encourage the students to combine the given sentences using coordinating or subordinating conjunctions (e.g. those printed in bold below), since this will improve the style of their writing tremendously.

Die junge Frau trainierte sehr viel. Sie wurde immer stärker **und** gründete eine Vitamin- und Sportpräparatefirma. Leider arbeitete sie zu viel **und** konnte nicht an der Weltmeisterschaft teilnehmen. **Stattdessen** organisierte sie viele Wettbewerbe. **Aber** plötzlich hatte sie keine Lust mehr dazu **und** machte auch keinen Sport mehr. Sie lernte einen Tänzer kennen, hörte viel Musik **und** tanzte viel. Auch ohne Sport bereitete sie sich und anderen viel Freude **und** lebte glücklich bis an ihr Lebensende. Und wenn sie nicht gestorben ist, dann lebt sie auch noch heute.

4 Eishockey – nur Männersache?
pages 50–51

Imperfect tense of irregular verbs; listening skills

Exercise 1 page 50

1d, b; 2e; 3a; 4c

Exercise 3 page 50

a Der Vater
b Der Vater findet es gut, dass Simone beim Training viel Kondition bekommt und gleichzeitig Selbstbewusstsein lernt.
c 1 Es wird mir warm. 2 Es knirscht von den Schlittschuhen auf dem Eis.

MODERATOR: Liebe Hörerinnen und Hörer des *Sportjournals*, „Mädchen im Eishockey – ja gibt's denn das?" werden Sie sagen. Bei uns zu Gast sind heute Simone Krause, eine begeisterte Spielerin bei den Cologne Brownies und ihre Eltern.

MODERATOR: Simone, kannst du einmal kurz erklären, was dir am Eishockey so gefällt?

SIMONE: Ja, klar. Das sind eigentlich verschiedene Sachen. Eishockey ist superschnell und trotzdem elegant. Das finde ich toll. Das Training ist hart und es wird mir oft ganz schön warm in der dicken Ausrüstung! Aber man kriegt auch eine tolle Kondition. Und dann ist da natürlich die ganze Atmosphäre beim Training: Schon wenn ich in die Halle komme und es knirscht so von den Schlittschuhen auf dem Eis – da kriege ich sofort Lust, loszulaufen.

MODERATOR: Frau Krause, Sie sind vom Hobby Ihrer Tochter nicht allzu begeistert, oder?

FRAU KRAUSE: Nein, das kann ich nicht gerade sagen. Ich finde, das ist wirklich kein Sport für Mädchen. Es geht einfach zu hart zu auf dem Eis. Simone hat ständig irgendwelche Verletzungen an den Beinen und der Orthopäde hat auch schon geschimpft.

MODERATOR: Wie stehen Sie denn zu Simones Hobby, Herr Krause?

HERR KRAUSE: Also, ich bin wirklich ganz stolz auf meine Tochter. Ich gehe auch oft zu ihren Trainingsspielen. Ich finde es gut, dass sie so eine tolle Kondition hat und überhaupt keine Angst vor dem Puck! Ich bin mir sicher, dass sie beim Training auch eine gute Portion Selbstbewusstsein lernt – und das kann ja nie schaden, oder?

MODERATOR: Na, ganz bestimmt nicht. Vielen Dank für diese Auskünfte, liebe Familie Krause, und wir schalten jetzt zu meinem Kollegen Gerhard Ackermann, der sich bei einem Training der Cologne Brownies befindet …

Exercise 4 page 51

1d, 2b, 3e, 4a, 5c, 6f

Exercise 5a page 51

erfinden, springen, schneiden, laufen, heißen, bringen

The remaining verbs in 1–5 are regular and students should be able to work out their present tense.

Exercise 5b page 51

1 1875 **erfindet** der Jurastudent William Robertson bei einem Eishockeyspiel in Montreal den Puck. Er **springt** über die Bande und **schneidet** oben und unten eine Scheibe vom Ball ab.
2 Bis 1572 **laufen** die Schotten in ihren Winterschuhen dem Ball hinterher. Dann **entwickeln** sie spezielle Schlittschuhe.
3 1892 **spielt** im kanadischen Barrie das erste Damen-Eishockey-Team.
4 Schon im 14. Jahrhundert **spielen** die Schotten eine Art Feldhockey auf gefrorenen Seen. Damals **heißt** das Eishockey noch „Shinty".
5 1774 **bringen** kanadische Soldaten den Sport nach Kanada.

Exercise 6 page 51

Again, encourage students to use conjunctions to make their texts flow more smoothly, and to add any information they regard necessary.

Here is an example:

> Gestern nahm ich zum ersten Mal an einem Eishockey-Training teil. Ich kam um fünfzehn Uhr zur Eishalle und **zog** eine Ausrüstung und Schlittschuhe **an**. Zusammen mit den anderen Mädchen im Team **lief** ich über das Eis. Ich **hatte** ein tolles Gefühl, aber leider **schrie** der Trainer ziemlich viel rum. Ich **wurde** unsicher und **machte** Fehler, weil das Geschrei mich ganz nervös machte. Schließlich **übersah** ich eine andere Spielerin und **fiel hin**. Zum Glück **tat** mir nichts weh! Nach einer Weile **traf** aber der Puck mein Bein und es tat sehr weh. Ich **musste** zum Arzt und danach nach Hause **fahren**. Auf meinem Bein entwickelte sich ein riesiger blauer Fleck. Zu Hause **trank** ich erst mal eine Tasse Tee und **ging** ins Bett. Nächste Woche gehe ich aber wieder zum Training!

See **Worksheet 34** for more practice of regular and irregular verbs in the imperfect tense.

5 Überdosis Sport pages 52–53

Adjectives without articles

Exercise 1 page 52

1b, 2c, 3a, 4d

Exercise 3a page 53

To answer these questions, students only need to read the first two paragraphs. Students should read through the text paragraph by paragraph and search for the information that is required in 3a, b, c. This skill is often required in exams.

1 ein Leistungstief (a low in one's performance)
2 Verletzungen (injuries)
3 psychische Erschöpfung (psychological/mental exhaustion)

Exercise 3b page 53

The information asked for here is contained in the third paragraph.

1 mit schweren Konzentrationsstörungen
2 mit falscher Technik
3 mit häufigem Umknicken
4 mit unpräzisen Bewegungen

Exercise 3c page 53

Man soll im Wechsel von Be- und Entlastung trainieren, d.h. mal mehr und mal weniger hart.

Exercise 4a page 53

To speed things up, ask students for the case of *mit schweren Konzentrationsstörungen* first and let them explain why this has to be the dative case. They should then quickly see that other nouns appear in the dative as well.

1 mit schweren Konzentrationsstörungen – dative
2 mit falscher Technik – dative
3 mit häufigem Umknicken – dative
4 mit unpräzisen Bewegungen – dative

Exercise 4b page 53

Students need to check the adjective endings to answer this question. Further differentiation for gender in the plural is not asked for, because the dative plural ending is *-en* regardless of the gender of the following noun.

1 plural
2 feminine, singular
3 neuter, singular
4 plural

Exercise 5a page 53

1 schnelle
2 verschlechterte
3 zunehmende
4 erhöhter
5 hohe
6 schlechter
7 unkontrollierter

Exercise 5b page 53

As for adjectives preceded by the indefinite article, only those adjectives that precede a masculine noun change their ending in the accusative case.

1 schnelle
2 hohe
3 schlechten
4 unkontrollierten

Exercise 6 page 53

You may want to let the students know that Dr. Herzog is not using exactly the same words as in 5a, but that he describes the symptons in slightly different words. Students may want to write key words in 5a down and then tick off the list as they listen to the text.

erhöhter Herzzschlag/Puls im Ruhezustand, schlechter Appetit, Gewichtsverlust, schnelle Ermüdung, Konzentrationsschwäche

MODERATOR: Herr Dr. Herzog, viele Hörer des *Sportjournals* sind aktive Sportler. Natürlich stellen sie sich oft die Frage: Trainiere ich vielleicht zu viel?
HERZOG: Ja, das kann ich mir denken. In meiner Praxis habe ich auch immer wieder mit dieser Frage zu tun. Fast jeden Tag kommen Sportler zu mir, die deutliche Signale für ein Übertraining nicht ernst genug nehmen.
MODERATOR: Was sind denn diese Signale?
HERZOG: Ja, also, natürlich sollte man unbedingt auf seinen Herzschlag achten. Er sollte im Ruhezustand nicht erhöht sein.
MODERATOR: Ah ja. Und gibt es noch andere Warnsignale?
HERZOG: Ja, natürlich. Sie sehen aber so harmlos aus, dass manche sie lange Zeit gar nicht ernst nehmen. Ein Sportler hat zum Beispiel keinen Appetit mehr und verliert mehr und mehr an Gewicht. Das könnte ein Zeichen für Übertraining sein.
MODERATOR: Gibt es noch weitere, auf den ersten Blick harmlose Symptome?
HERZOG: Ja, zum Beispiel sollte man auch aufhorchen, wenn man beim Training zu schnell müde wird oder sich nur schwer konzentrieren kann.
MODERATOR: Dr. Herzog, unsere Sendezeit geht leider zu Ende. Wir danken Ihnen für Ihre Information.
HERZOG: Bitte schön.

6 Freizeit – in Zukunft nur noch vor dem Bildschirm? pages 54–55

Coordinating conjunctions, future tense

Exercise 2 page 54

The word order in the future tense (present tense of *werden* in second position, infinitive at end of sentence) should be clearly presented and stressed. This way, students will find it relatively easy to add the modal verb to the already known word order (see exercise 3)

Exercise 3a page 55

Das Modalverb steht am Ende des Satzes:

MICHAEL: Die Leute werden gar nicht mehr ... aufstehen **müssen**.
Man wird vor dem Bildschirm sitzen und alles mögliche ... erledigen **können**.

RAMONA: Sie werden entscheiden **können**, ...
Bloß Fußballspiele werden sie nicht beeinflussen **können**.

USCHI: Man wird sogar per Computer reisen **können**.

JAN: Irgendwann wird jeder über das Internet Kontakt mit Leuten ... aufnehmen und sie per Videolink sogar „besuchen" können.

Exercise 3b page 55

1 Inline-Hockey wird man in jeder größeren Stadt spielen können.
2 Niemand wird mehr Fußball spielen wollen.
3 Die Mehrheit der Kids wird nur noch Eishockey spielen wollen.
4 Die Städte werden immer mehr Eishallen bauen müssen.
5 Es wird zu viele krumme Rücken geben – die Schüler werden mehr Sport treiben müssen!

Exercise 4 page 55

Students should listen and find out (a) whether the speakers believe that leisure will be dominated by television and (b) why they think that leisure time will (not) be dominated by electronic media.

STEFAN: Leute werden nicht nur vor dem Fernseher sitzen.
Neue Sportarten (Inline-Skating, Beach-Volleyball etc.) werden viele Leute anziehen.

SABINE: Leute werden auch in Zukunft gerne lesen, Musik machen, wandern etc.
Glaubt nicht, dass alle nur permanent fernsehen werden.

SANDRA: Freunde vor Ort werden auch in Zukunft wichtiger sein als Freunde im Internet.

STEFAN: Ich glaube nicht, dass die Leute in Zukunft nur vor dem Fernseher sitzen werden. Im Gegenteil, es wird ganz neue Fun-Sportarten geben. Irgendwie muss man die Leute ja vom Bildschirm weglocken, oder? Also wird es immer tollere und attraktivere Sportarten geben. Inline-Skating und Beach-Volleyball sind ja schon nicht schlecht, aber es wird bestimmt noch besser werden!

SABINE: Ja, und wer sagt denn, dass die Leute z.B. nicht mehr lesen werden? Ich lese für mein Leben gern, und wenn ich ein gutes Buch habe, dann kann ich die ganze Welt um mich vergessen. Und ich glaube, das wird auch in Zukunft noch so sein. Oder Musik machen – warum soll man das im Jahr 2015 denn nicht mehr? Oder wandern gehen oder segeln – also ich glaube ganz bestimmt nicht, dass alle nur noch passiv vor der Glotze hängen werden.

SANDRA: Auch Freunde wird man im Jahr 2015 sicher noch haben – und zwar nicht nur in Tokio oder Peking. Ich wohne doch schließlich hier und da will ich auch hier meine Freunde haben. Was nützt es mir denn, dass ich per Videolink nach Japan gehen kann, wenn es mir mal schlecht geht? Nein danke, die Schulter zum Ausweinen, die habe ich doch lieber gleich um die Ecke – obwohl ich die Vorstellung von internationalen Freunden faszinierend finde.

Exercise 5 page 55

Occasionally, more than one solution is possible. Please note: according to the new orthographical rules, main clauses that are connected by *und, oder, weder ... noch, sowohl ... als auch, entweder ... oder, sowie, wie* are no longer separated by a comma. Clauses starting with *aber, sondern* etc. are separated by a comma.

a Meine Freunde werden morgen kommen und dann werden wir nach Spanien fahren.
b Ich werde ein bisschen Zeit vor dem Computer verbringen, aber (und) ich werde auch wandern gehen.
c Ich werde nicht viel mit dem Computer spielen, denn ich hasse Computer.
d Meine Freundin wird nach Berlin ziehen, aber ich werde sie trotzdem oft besuchen.
e Ich werde nicht viel fernsehen, sondern (und) ich werde viel segeln gehen.
f Mein Bruder hat keine guten Noten, aber (und) trotzdem darf er abends lange ausgehen.
g Ich fahre gerne nach Frankreich, denn ich spreche fließend Französisch.
g Ich spiele nicht Klavier, sondern (aber) ich spiele Geige.
i In den Ferien reise ich mit Freunden nach Spanien oder (und) ich besuche meine Kusinen in Texas.

AS overview

	TOPICS	GRAMMAR	MAIN SKILLS	OUTCOME
1 Reisen				
1 Eine Reise nach England *p. 56* *[W/S 40]* TN p. 26	A trip to England	Word order with modals, word order in the perfect, *als, wann* and *wenn [W/S 36, 37, 38]*	Extracting main points from a reading text for an English speaker	Writing a letter to a pen friend
2 Globetrotter *p. 58* *[W/S 40]* TN p. 26	Globetrotters	The imperfect subjunctive with modal verbs	Listening for specific information, group discussion	Role-play
3 Studienfahrt *p. 60* TN p. 27	Educational travel	*Würde*, the infinitive with and without *zu*, reflexive verbs		Writing a letter about a stay in a language school
4 Die Deutschen im Urlaub *p. 62* TN p. 28	Germans on holiday	Demonstrative pronouns, the imperfect tense		Writing a report on events in a hotel
5 Schlaflos nach Sankt Petersburg *p. 64* TN p. 30	Train journey to St Petersburg	The genitive (1), place names as adjectives	Gap text, looking for word families in the dictionary	Writing an essay on the dangers of travelling
6 Interaktive Flugreise *p. 66* TN p. 31	In-flight entertainment	Superlatives	Group discussion, learning strategies for vocabulary and irregular verbs *[W/S 49]*	Writing an essay on travelling using superlatives
2 Leute und Liebe				
1 Können Sie selbstlos lieben? *p. 68* TN p. 31	Can love be unselfish?	Verbs with the dative *[W/S 41]*	Listening for specific information, oral presentation *[W/S 60]*	Describing your ideal partner *[W/S 43]*
2 Auf einmal ist der Zauber vorbei *p. 70* TN p. 32	When the magic is gone	Relative pronouns *[W/S 42]*	Listening for detail	Creative writing
3 Liebeskummer *p. 72* TN p. 33	Heartache	Prepositions of time	How to note numbers during a listening, writing an informal letter, reading for gist and scanning for specific information *[W/S 45]*	Responding to a problem page
4 Eifersucht *p. 74* TN p. 33	Jealousy	Conjunctions	Role-play	Creative writing
5 Sind die Väter heute besser? *p. 76* TN p. 34	Fatherhood	More about pronouns	Group discussion, taking notes in English, listening for gist and for detail *[W/S 45]*	Describing your ideal father/mother
6 Familien *p. 78* TN p. 35	Families		How to do a gap-fill text, identifying main points	Writing an essay on the importance of the family
3 Essen und Gesundheit				
1 Guten Appetit! *p. 80* TN p. 35	Picnicking	Prepositions, *weil*	Listening for detail	Writing a diary entry
2 Essen Sie sich gesund? *p. 82* TN p. 36	Healthy eating	The genitive (2)	How to approach a reading text, translating into English	
3 Appetit auf Chemie? – nein danke! *p. 84* TN p. 36	Chemistry in our diets	The present passive	Listening and reading for gist, matching sentence beginnings and endings	Writing a letter to the editor of a magazine
4 Ich will abnehmen! *p. 86* TN p. 37	Dieting	The pluperfect tense *[W/S 48]*	Class discussion, gap text, answering questions in English, dictionary skills *[W/S 39, 44, 58]*	
5 Bulimie: Heißhunger nach Anerkennung *p. 88* *[W/S 50]* TN p. 37	Bulimia	Infinitive constructions	Class discussion, listening with gapped text	Writing a letter to a magazine or to a friend
6 „Ich will keine Tiere ausbeuten" *p. 90* *[W/S 50]* TN p. 38	Animal exploitation	*Hätte/wäre*	How to approach a listening exercise, matching sentence beginnings and endings	Writing a letter to a newspaper
4 Medien				
1 Fernsehen *p. 92* TN p. 38	Television	*indem [W/S 51]*	Class discussion, then writing a report, phrases to express your opinion, listening for gist and for detail *[W/S 54]*	Letter about violence on TV
2 Seifenoper *p. 94* TN p. 39	The soaps		Finding the right synonyms	Creative writing
3 Die deutschsprachige Presse *p. 96* TN p. 40	The German-speaking press	Indirect speech *[W/S 53]*	Debating	Writing a news story in tabloid style
4 Nachrichten *p. 98* TN p. 40	The news	Subordinate clauses in the perfect	Listening to German TV and reading German newspapers and magazines	Group project: planning a news broadcast
5 Werbung *p. 100* TN p. 40	Advertising	Imperatives *[W/S 52]*	Analysing adverts, how to translate into English	Translating a text into English
6 Immer mehr neue Medien *p. 102* TN p. 41	New media	The future tense	Role-play	Designing your own advert, translating into English

continued on page 25

	TOPICS	GRAMMAR	MAIN SKILLS	OUTCOME
continued from page 24...				
5 Rechte				
1 Rechte und Verantwortungen *p. 104* TN p. 41	Rights and responsibilities	*Nicht müssen* and *nicht dürfen* *[W/S 55]*	Matching sentence beginnings and endings, translating into English	Writing a *Grundgesetz* for the new millennium
2 Die Demokratie *p. 106* *[W/S 59]* TN p. 42	Democracy	The impersonal passive *[W/S 56]*, the imperfect subjunctive (with indirect speech)	Class discussion	Commenting on a reading text using the passive *[W/S 47]*
3 Warum verlassen Menschen ihre Heimat? *p. 108* *[W/S 59]* TN p. 42	Taking refuge in a foreign country	The perfect passive	Gap text, group discussions	Writing the diary entry of a refugee
4 Fremd in Deutschland (1) *p. 110* TN p. 42	Asylum in Germany (1)	Weak nouns and adjectival nouns *[W/S 57]*	Translating into English, analysing data	Writing a summary in English
5 Fremd in Deutschland (2) *p. 112* TN p. 43	Asylum in Germany (2)		Listening with gapped text, role play, phrases to express your opinion	Writing and recording your own version of a scene from a play
6 Tiere haben auch Rechte *p. 114* TN p. 43	Animal rights	The imperfect subjunctive with *wenn*, comparatives and superlatives	Writing a summary, class discussion, giving your opinion and arguing it through	Writing an essay about animal rights
6 Arbeit				
1 Das deutsche Schulsystem *p. 116* TN p. 44	The German school system		Gap text, how to approach longer texts	Writing a report on the differences between German and English schools
2 Prüfungsangst *p. 118* *[W/S 62]* TN p. 44	School exams	*Wann, wenn* and *als*	Listening: taking notes	Group project: designing a poster with exam tips
3 Arbeitspraktikum *p. 120* *[W/S 62]* TN p. 45	Work experience		Checking your work	Writing an account of work experience you have done
4 Bewerbungen *p. 122* *[W/S 62, 63]* TN p. 45	Job applications			Writing a job application letter
5 Fit für die Bewerbung *p. 124* *[W/S 63]* TN p. 46	Job interviews		Giving advice on job interviews, taking notes under categories	Role-play of a job interview
6 Teleworking *p. 126* TN p. 46	Working from home		Planning an essay	Writing an essay about 'teleworking'
7 Literatur				
1 Einführung *p. 128* TN p. 47	Introduction to literature			Researching German authors
2 Gedichte *p. 130* TN p. 47	Poetry	The imperfect subjunctive with irregular verbs	How to approach literature	Writing a poem
3 Märchen *p. 132* TN p. 47	Fairy tales		Class discussion	Writing an essay about *Rumpelstilzchen*
4 Kafka und Brecht *p. 134* TN p. 47	Kafka and Brecht		Class discussion	Writing a newspaper report
5 Heinrich Böll *p. 136* TN p. 48	Heinrich Böll	Future II: the future perfect	Text comprehension	
6 Dürrenmatt und Grass *p. 138* TN p. 48	Dürrenmatt und Grass		Text comprehension	Writing a poem of protest

AS notes

Chapter 1
Reisen

1 Eine Reise nach England pages 56–57

Talking about an itinerary; revision of word order with modal verbs and perfect tense, words for 'when'

As an introduction to this spread and the theme of travel in general:

1 Put up a map of Britain. Ask the students which places in Britain they have been to. Students could come forward and write these places on the board. (You could set up a table with a plus-sign and a minus-sign, so that students could express whether they liked or disliked the place.) Students may not have travelled widely in Britain, in which case you could ask about their favourite local places for outings (see below).

2 Students should then imagine that two German friends will come to see them this summer. The students should make some travel suggestions for their friends. Write the following on the board:
Sie könnten nach ... fahren.
Dort könnten sie ... besuchen.
Sie könnten in ... übernachten.
Students could discuss their suggestions in pairs or small groups for about five minutes. You could then collect their suggestions on the board. You could allow for personal favourite places of students, e.g.:
Sie könnten nach London fahren.
Dort könnten sie das Hard Rock Café besuchen.

3 If you can organise the activity in advance, and have sufficient time, divide the students into three groups, send them to travel agents and have them collect brochures for destinations in the UK. Students should imagine that they have to recommend some destinations to two friends from Germany. They should work through the brochures before the lesson, pick three destinations, present these destinations in class and give reasons why they would recommend these places to their friends.

Exercise 1b page 56

A: Jetzt ist die Schule vorbei und wir können endlich nach England fahren, oder?
B: Klar. Super Idee. Wir könnten zuerst eine Reise nach England machen und vielleicht auch nach Schottland oder so?
A: Wäre nicht schlecht, dann könnten wir das Englisch, das wir in der Schule gelernt haben, endlich anwenden.
B: Ja, hoffentlich versteht man uns überhaupt.
A: Bestimmt. Wir könnten erstmal nach London fliegen.
B: Und dann könnten wir die ganzen Sachen aus dem Englischbuch besichtigen, zum Beispiel Westminster Abbey ...
A: Ja und den Piccadilly Circus ...
B: Trafalgar Square ...
A: Buckingham Palace. Das machen wir.
B: Weißt du, wir haben auch ganz nette Freunde, die wohnen im New Forest. Wir könnten sie bestimmt besuchen.
A: Das wäre ganz toll. Von dort aus könnten wir nach Oxford fahren.
B: Ja, und uns Winchester anschauen. Danach könnten wir vielleicht mit dem Bus nach Edinburgh fahren.
A: Ach ja. Da wollten wir ja auch mal hin.
B: Wir könnten ein paar Tage dort verbringen und uns die Umgebung anschauen.
A: Dann könnten wir wieder Richtung Süden fahren.
B: In Cambridge wohnt eine Freundin von mir. Wir können mal fragen, ob wir dort ein paar Tage übernachten können.
A: Das wäre toll. Und von dort aus könnten wir wieder nach London fahren und nach Deutschland fliegen.
B: Ja, genau. Wollen wir gleich ins Reisebüro gehen und uns erkundigen?
A: Klasse Idee.

Exercise 1c page 56

Written practice of the use of the infinitive with modal verbs, which are then used in exercise 2b. The use of modal verbs is developed further in the next spread.

1 fliegen
2 anwenden
3 besichtigen
4 besuchen
5 fahren
6 verbringen
7 übernachten
8 zurückfliegen

Exercise 3 page 57

This exercise revises writing in the perfect tense, which is further practised in exercise 4.

1 Sie sind zuerst nach London geflogen.
2 Sie haben ihr Englisch endlich angewandt.
3 Sie haben Westminster Abbey, Piccadilly Circus, Trafalgar Square und Buckingham Palace besichtigt.
4 Sie haben ihre Freunde im New Forest besucht.
5 Sie sind von dort nach Oxford gefahren.
6 Sie sind dann mit dem Bus nach Edinburgh gefahren und haben dort ein paar Tage verbracht.
7 Sie sind dann wieder Richtung Süden gefahren und haben bei einer Freundin in Cambridge übernachtet.
8 Von dort aus sind sie wieder nach London gefahren und nach Deutschland zurückgeflogen.

Exercise 5a page 57

1 Wann
2 Als
3 Wenn
4 Als
5 Wann
6 Wenn
7 Wenn
8 Wann

2 Globetrotter pages 58–59

Planning long-haul trips; *würde*, modal verbs in imperfect subjunctive

As an introduction to the theme of the spread, ask students where they would most like to go to if they had three months off and enough money to travel around the world. You could also hand out Post-it® notes and ask the students to write down those places they would really like to go to. The students then stick their notes on the board and state where they would like to go: *Ich würde am liebsten mit* ... (whom?) *nach ... reisen/fahren.*

Exercise 1 page 58

Students should read through the questions and ask for unknown vocabulary. They should also read through the vocabulary box on page 58 before listening to the tape.

Christian c, Susanne b, Sandra a

CHRISTIAN: Interessante Leute, exotisches Essen, fremde Kulturen, aber auch gefährliche Ecken. In Thailand sind wir im Bus eingeschlafen und erst aufgewacht, als sich ein paar Typen an unseren Taschen zu schaffen machten.
SUSANNE: Am besten hat es mir in Palästina gefallen. Es ist schon eine Erfahrung, als blonde Frau allein unter Muslimen zu leben.
SANDRA: Ich habe auf einer Rinderfarm in Australien gearbeitet, wo ich auch eigenhändig Kälber auf die Welt geholt habe. Als Krankenschwester war das aber für mich kein Problem.

Exercise 2 page 58

This links in with the introductory activity above. Why would students would like to go to the places they mentioned? Ask them: *Was würden Sie dort tun? Was wollen Sie dort sehen?* After giving an example for the usage of *würde* (e.g. *In Italien würde ich viel Eis und Pizza essen.*), write students' arguments next to the notes that they put on the board before, e.g. *Spanien/Italien: Dort würde ich Paella essen/Florenz ansehen.* Students could then state which places they would definitely not like to go to, and why not.

Exercise 3b page 59

This exercise draws attention to modal verb usage.

1 Sie sollten Ihnen eine Genehmigung schreiben.
2 Mit einem kleinen Zelt könnten Sie fast immer einen Stellplatz finden.
3 Sie dürften in Jugendherbergen übernachten.
4 Sie sollten eine zusätzliche Krankenversicherung kaufen.
5 Sie könnten jede Menge Vergünstigungen bekommen.
6 Sie könnten trampen, wenn Sie wollten.
7 Als Mädchen sollten Sie aufs Trampen völlig verzichten.
8 Wenn Sie mit Bus oder Bahn zum Ferienziel fahren wollten.
9 Sie könnten aus einer ganzen Reihe von Sondertarifen für Jugendliche wählen.
10 Dafür müssten Sie nur eine geringe Vermittlungsgebühr zahlen.

Exercise 4a page 59

This gives further practice of modal verbs before the role play, which should make extensive use of them.

1 könnten/sollten
2 sollten/müssten
3 sollten
4 sollten
5 müssten/sollten, dürfte

Exercise 4b page 59

1 You could/should stay on campsites if you wanted to save money.
2 In the really popular youth hostels you should / would have to book before starting your journey.
3 You should take out luggage insurance, as luggage is easily stolen.
4 You should avoid hitchhiking because it is too dangerous.
5 Your parents should give written permission, so that you don't have any problems on the way. With their permission nothing should go wrong at the borders!

Exercise 5 page 59

1 To help with the role play, write the following questions (jumbled up, if you want further practice on sentence structure) on an OHP-transparency or a worksheet:

Was sollte ich vor der Reise machen?
Müssen meine Eltern meine Reise genehmigen?
Wo könnte ich übernachten?
Was für eine Versicherung sollte ich abschließen?
Sollte ich einen internationalen Schülerausweis mitnehmen?
Könnte ich auch trampen?
Welche anderen Verkehrsmittel könnte ich benutzen?

2 Then start the role play. Students work in pairs. One student acts as the customer (he/she can use the questions given above), the other as the travel agent. The travel agent can draw on the vocabulary and structures given in the reading text and in exercise 3b. After three to five minutes, depending on how far the students have progressed, they swap roles. This way, both partners have to play the more difficult part of the travel agent. Students should be free to ask any other questions and make any other suggestions they can think of.

3 Studienfahrt pages 60–61

Discussing exchange visits; *würde*, infinitive constructions, reflexive verbs

Exercise 1 page 60

The spoken and written activities not only use *würde*, but also revise the *um ... zu* construction and subordinate clause word order with *weil*. Part of the vocabulary will reappear in the reading text on page 61. Students should therefore ask for any unknown vocabulary and write new expressions down.

In exercise 1c, distinguish clearly between statements that refer to the past and those that refer to the present or future. For those statements that refer to the past, students will have to use the imperfect tense of the modal verbs: *Ich habe an keinem Austausch teilgenommen, weil ich meine Freunde nicht im Stich lassen **wollte**,* etc.

Exercise 2a page 60

Written practice of infinitive constructions with or without *zu*.

1 Ich lasse meine Haare schneiden.
2 Er muss nach Hause gehen.
3 Sie fährt in die Stadt, um ihre Oma zu besuchen.
4 Er hört die Kinder singen.
5 Er nimmt die Sachen, ohne für sie zu bezahlen.
6 Ich lasse ihn mein Gepäck tragen.
7 Ich möchte heute Abend im Restaurant essen.
8 Sie fahren nach London, um die Sehenswürdigkeiten zu besichtigen.

Exercise 2b page 60

1 I have my hair cut.
2 He must go home.

3 She goes into town to visit her granny.
4 He hears the children sing.
5 He takes the things without paying for them.
6 I have him carry my luggage.
7 I would like to eat in a restaurant this evening.
8 They travel to London to see the sights.

Exercise 3a page 61

Before reading the text, you may want to give some extra support vocabulary. Alternatively, you could ask the students to use their dictionaries to find the appropriate English for these German expressions.

die Gelegenheit ergab sich – the opportunity arose
unterkommen – to find accommodation
was auf mich zukommen würde – what I would be in for
sich einleben – to settle in
die Versammlung – assembly
die Aula – assembly hall
verkündigen – to announce

1 falsch
2 richtig
3 richtig
4 falsch
5 richtig

Exercise 4a page 61

INTERVIEWER: Christian. Sie verbringen im Moment einen Monat in einer Sprachschule hier in Brighton. Könnten Sie bitte für uns einen typischen Tag beschreiben?
CHRISTIAN: Ja gerne. Normalerweise stehe ich gegen halb acht auf. Ich dusche mich und ziehe mich an, bevor ich nach unten zum Frühstück gehe. Ich frühstücke nämlich zusammen mit der ganzen Familie. Alle setzen sich an den großen Tisch in der Küche und reden miteinander. Das finde ich echt toll. Bei uns zu Hause essen wir meistens allein und zu verschiedenen Zeiten.
Um zwanzig vor neun verlasse ich das Haus und gehe zu Fuß zum Unterrichtsgebäude. Ich freue mich sehr auf meine Freunde – bevor die Stunde beginnt, unterhalten wir uns noch ein wenig. Einige davon sind mit ihren Gastfamilien nicht ganz so zufrieden wie ich …
INTERVIEWER: Wieso nicht?
CHRISTIAN: Na ja, manche sind nicht so gut in ihrer Gastfamilie integriert wie ich und fühlen sich manchmal allein. Dann kriegen sie Heimweh.
INTERVIEWER: Ja, das kann ich mir vorstellen … Noch eine andere Frage – wie läuft der Unterricht ab?
CHRISTIAN: Meistens haben wir morgens drei bis vier Stunden Unterricht. Du kannst aber auch Intensivkurse belegen, dann kommen nachmittags noch zwei Stunden dazu. Die Wochenenden sind frei.
INTERVIEWER: Und wie sieht's in der Freizeit aus?
CHRISTIAN: Man kann sich hier ziemlich gut amüsieren, besonders wenn man ein großer Sportfan ist. Es gibt alle möglichen Mannschaftssportarten wie Volleyball, Baseball, Basketball, die im Preis enthalten sind. Surfen, Segeln, Tennis, Tauchen oder Klettern kosten extra. Es werden Discobesuche und Partys organisiert. Und du kannst Ausflüge in verschiedene Städte oder zu Sehenswürdigkeiten in der Umgebung machen.
INTERVIEWER: Christian, ich danke Ihnen.

Exercise 4b page 61

This is a reminder of common reflexive verbs ready for the descriptive letter in exercise 5.

ich dusche mich, ich ziehe mich an, alle setzen sich, ich freue mich, wir unterhalten uns, einige fühlen sich, sich amüsieren

4 Die Deutschen im Urlaub pages 62–63

Discussing national character; demonstrative pronouns, imperfect

Exercise 1 page 62

Students may need to revise vocabulary of character to talk about how people behave.

Exercise 2 page 62

In 1983 an article in the Austrian magazine *Wochenpresse* asked 'Wer braucht die Piefkes?' In the same year, the German showmaster Joachim Fuchsberger asked in a quiz show he hosted in Austria, what a *Piefke* is and why the Austrians call the Germans by this name. The article as well as the TV-show caused many German tourists to write angry letters of complaint to the local Austrian tourist offices (*Fremdenverkehrsämter*). Their anger was fuelled by the fact that a majority of tourists in Austria come from Germany. The following extract is from a comedy based on these incidents: *Die Piefke-Saga* by Felix Mitterer. The comedy follows a German family on its trips to Austria and shows how the Austrians deal with the often difficult and arrogant Germans.

During the show, Fuchsberger also explains the origins of the expression *Piefke*. Before WWI the German emperor Wilhelm visited Austria, accompanied by a military band. The bandleader was so dashing, military and martial (*zackig, militärisch und martialisch*) in appearance that the Austrians started laughing about him. This man was called August Piefke. Henceforth, the Austrians referred to the Germans as *Piefkes*. (It might be interesting to discuss whether the students share this opinion. You could bring the expression back into the discussion when working on pages 62–63, discussing *'Gibt es eigentlich einen Nationalcharakter?'*)

Before students listen to the tape, explain to them how the quiz works. A group of competitors has to guess how many members of a panel (*die Geschworenen*) hold a certain opinion on a specific question. They have to push a button to indicate their answer. Then, panellists push a button to answer the question. The results are then compared with the competitors' guesses. Here, the question is: how many of the panellists call the Germans *Piefke*? One of the competitors (Christian) guesses the correct answer: six out of nine.

You may want to play the tape once all the way through, then play again, pausing after the parts that contain the answers to the questions in exercise 2.

a They are asked how many of the panel call the Germans 'Piefke'. Six of them do.
b Two participants add that the Germans on holiday in Austria boast and throw their money around, because they think the deutschmark is worth more than the Austrian schilling.
c They speak in Austrian dialect.

FUCHSBERGER: (*im TV*) Die erste Frage heute, ich weiß nicht, ob sie heikel ist, mit Sicherheit ist sie heiter, das hoffe ich wenigstens. Sie wissen ja, wie das läuft. Ich frage, wieviele der neun Geschworenen erfüllen diese oder jene Bedingung, Sie (*zu den Kandidaten*) denken zehn Sekunden nach, schauen sich die Herrschaften hier an und dann wählen Sie die Nummer in Ihrem Fächer. Zum Beispiel: Wieviele der neun Geschworenen nennen die Deutschen prinzipiell „Piefke"?

Gelächter im Publikum. Die Geschworenen und Fuchsberger lachen ebenfalls.

...

FUCHSBERGER: (*im TV*) Die Drei, die Acht, meinen Sie? –, die Vier und die Sechs! Also relativ hochgegriffen! Meine Damen und Herren Geschworenen – wieviele von Ihnen nennen die Deutschen (*räuspert sich*), Entschuldigung, ich muß das Wort klar und deutlich herausbringen – Piefke? Drücken Sie bitte jetzt! – 5, 6, bleiben Sie drauf mit dem Finger! 6, sechs sind es, (*zu den Kandidaten:*) haltet bitte hoch! – Das ist ein Volltreffer! Der Christian hat die Sechs und er bekommt diesen Punkt! (*Applaus.*) Aber! So einfach lasse ich die Damen und Herren jetzt nicht davonkommen! (*Geht zu den „Geschworenen".*) Wer hat denn gedrückt? (*Die sechs halten die Hände hoch.*) Sie haben nicht gedrückt?

GESCHWORENER: (*im TV*) Nein ...

FUCHSBERGER: (*im TV*) Aha! (*Zu Frau:*) Sie haben gedrückt. Ich wüßte von Ihnen gern, was ist denn ein Piefke. Was heißt das überhaupt?

GESCHWORENE: (*im TV*) In meinen Augen sind die Piefke, wie Sie so schön sagen, irgendwie die Eingebildeten, die aus Deutschland kommen! Die fahren oamoi im Jahr, fahren s'nach Österreich auf Urlaub und dann ... (*Sie stockt, Gelächter, tosender Applaus im Wiener Publikum.*)

FUCHSBERGER: (*im TV*) Und dann ... Also, Sie meinen, sollen die zwamal, zwamol im Jahr nach Österreich kommen?

GESCHWORENE: (*im TV*) Nein, aber wenn sie nach Österreich kommen, müssen sie ja nicht so angeben, net?

FUCHSBERGER: (*im TV*) Ah, weil sie so angeben?

GESCHWORENE: (*im TV*) Ja!!! (*Gelächter, tosender Applaus.*)

[...]

FUCHSBERGER: (*im TV*) Also, dann möchte ich (*zum nächsten "Geschworenen"*) von Ihnen auch wissen: ...

[...]

FUCHSBERGER: (*im TV*) Wie sehen Sie denn einen Piefke?

GESCHWORENER: (*im TV*) Des is verschieden. Es gibt solche und solche. (*Gelächter.*)

FUCHSBERGER: Solche ... Ja ... ich möchte jetzt wissen, wie ist der solche, der erste solche?

GESCHWORENE: Wienerisch gesagt: mit seiner Mark schmeißt er um, weil der Schilling weniger wert ist!

[...]

FUCHSBERGER: (*im TV*) Im Ausland viel angeben ... (*zur Kamera:*) Also, liebe Landsleute, jetzt wissen wir Bescheid!

[...]

FUCHSBERGER: (*im TV*) Ich wollt aber jetzt doch noch fragen, weiß denn jemand von den neun Geschworenen, was der „Piefke" wirklich bedeutet, wie der entstanden ist?

GESCHWORENE: (*im TV*) Das ist in den Kriegsjahren gekommen ...

FUCHSBERGER: (*im TV*) In welchen Kriegsjahren?

GESCHWORENE: (*im TV*) Im 2. Weltkrieg!

FUCHSBERGER: (*im TV*) Nein!

Exercise 3 page 62

Practice of demonstrative pronouns.

a die
b Derjenige
c die
d dessen
e den
f dem

Exercise 4 page 63

a richtig
b falsch
c falsch
d falsch
e richtig

Exercise 5 page 63

Revision of the imperfect tense. Students can use their dictionaries or lists of irregular verbs in order to find those infinitives they couldn't work out.

bewies sich	sich beweisen	to prove oneself
rissen	reißen	to tear, pull, rip
sich wickelten	sich wickeln	to wrap oneself
weigerten sich	sich weigern	to refuse
sich erklärte	sich erklären	to declare oneself
gab	geben	to give
stahl	stehlen	to steal
verteilte	verteilen	to share out
waren	sein	to be
lehnten ab	ablehnen	to decline
machten	machen	to make, do
tranken	trinken	to drink
bewiesen	beweisen	to show

Exercise 6 page 63

Active practice of the imperfect tense before writing a description in the imperfect in exercise 7.

a Er fand den richtigen Weg.
b Ich kaufte ein Geschenk für meine Mutter.
c Sie ging in die Stadt.
d Du fuhrst mit der Straßenbahn.
e Ihr spieltet gern Tischtennis.
f Wir liefen über die Wiesen.
g Du schriebst mir einen schönen Brief.
h Sie sagten „Auf Wiedersehen".
i Sie schwammen im neuen Hallenbad.
j Wir sahen jeden Abend fern.

5 Schlaflos nach Sankt Petersburg
pages 64–65

Describing travel; genitive, place names as adjectives, building word families

Exercise 1 page 64

Students may experience difficulty with this text. It might be a good idea to let students do exercise 1 and possibly exercise 2 as homework. You may want to encourage them to look at the text as a real challenge, but they shouldn't get depressed if they find it hard to read. Beforehand, you should make sure that students understand all the vocabulary used in the box under the text and in exercise 2. Students could either look up any unknown words that are not given in the vocabulary box or you could supply the unknown words to them. You may also want to point out to students that the paragraphs are in reverse chronological sequence.

a dieses
b Kuppeln
c reißt
d sieben
e bereit
f nach
g Mord
h unter
i uns

Exercise 2a page 64

Practice of the genitive.

1 des Himmels
2 des Nordens
3 der Waggons
4 des Schmuddelzuges
5 der Fahrgäste
6 der Abteile
7 des Zugbegleiters
8 der Grenze

Exercise 2b page 64

1 the flaming turquoise of the sky
2 the clear light of the north
3 the filthy windows of the carriages
4 the name of the scruffy train
5 the horror stories of the passengers
6 the doors of the compartments
7 the experiences of the guard
8 near the border

Exercise 3 page 65

Practice of place names as adjectives.

a der Berliner Zoo
b das Wiener Schnitzel
c die Pariser Konferenz
d das Bonner Rathaus
e das Heidelberger Schloss

Exercise 4 page 65

The students could listen to the tape once and try to answer as many questions as possible. You may then want to give the following vocabulary to the students before they listen again.

das Schaukeln – swaying
sich auf die Suche machen – to start looking
die Tischdecke (-n) – tablecloth
der Nippes – (cheap) ornament
die Russlanddeutsche (adjectival noun) – woman of German origin, living in Russia
strahlend blau – gloriously blue

a The swaying has stopped.
b It is one a.m.
c Backache from lying so much, and no hot food.
d Very 'seventies', with orange tablecloths, bright red plastic seats and silvery ornaments on polyester blinds.
e 36 hours.
f The sky is blue, and everything is white with snow.

JOURNALIST: Nacht. Das Fehlen des Schaukelns hat uns geweckt. Der Zug steht auf irgendeinem Bahnhof. Es ist ein Uhr früh. Der Rücken schmerzt vom vielen Liegen. Seit einem Tag haben wir nichts Warmes gegessen. Deshalb machen wir uns auf die Suche nach einem Zug-Restaurant.

Über ein Eisentrittbrett geht es in den Speisewagen und mitten hinein in die siebziger Jahre mit orangefarbenen Tischdecken, knallroten Plastikbänken und silbrigem Nippes an Polyestergardinen. Aus einem Kassettenrekorder dröhnt „Scat Mans World", der Hit des vorvorletzten Sommers.

Am nächsten Morgen liegt Lettland weit hinter uns. Seit 34 Stunden sind wir unterwegs, in zwei Stunden endlich am Ziel.

Im Abteil neben uns sitzt eine ältere Dame. Sie blickt wehmütig in die weiße Weite. Als sie hört, dass wir Deutsch sprechen, bittet sie uns, ihr einen Augenblick Gesellschaft zu leisten.

Else Erfurt ist Russlanddeutsche und kommt aus Berlin.

„Ich besuche meine Kinder in St. Petersburg", sagt sie und weint dabei vor Freude. Dann steht Leo auch schon im Abteil. Wir sind in St. Petersburg. Er umklammert seine Mutter, weint wie sie. „Sehen Sie, das ist er", schluchzt Else Erfurt. „Mein Sohn." Pünktlich auf die Minute war der Zug auf dem Warschauer Bahnhof in St. Petersburg eingelaufen. Nach über 2 000 Kilometern, vier Ländern und 36 Stunden sind wir am Ziel.

Draußen ist alles weiß. Wir schauen nach unserem Wintermärchen. Der Himmel über St. Petersburg leuchtet mittags zwar nicht türkis, aber dafür strahlend blau.

Exercise 5 page 65

This writing activity needs some preparation in class. You could do this via a class discussion and some group work to follow:

1 You could start a discussion on the dangers of travelling by showing some mock-up headlines (on an OHP transparency). Ask the students whether these headlines would deter them from travelling:

Sie wollen im Sommer gerne eine Fernreise machen, dann lesen Sie diese Schlagzeilen. Fahren Sie trotzdem?

Flugzeugabsturz über Indien
Swiss-Air- Maschine abgestürzt: mehr als 200 Tote
Reiseverkehr fordert 5 Tote und viele Verletzte
Auto- und Taschendiebstähle im Urlaub nehmen zu – Polizei warnt Reisende
Campen gefährlich? Jugendliche überfallen Campingplatz, sechs Camper verletzt

Hopefully, the students themselves will find some arguments against travel being dangerous, but if they don't, you could uncover these headlines:

Touristen lieben die Bahn: Immer mehr wollen „sicher und entspannt" ans Ziel kommen
Reisen '99: Hunderttausende gingen wieder per Flugzeug auf Reisen
Tony Blair: Italien – mein Traum. Premier und viele andere britische Touristen genießen sonniges Italien
Gruppenfahrten – sicher und beliebt!

While talking about the headlines, you could collect students' arguments in favour of and against the 'travel is too dangerous' hypothesis on the board.

2 Alternatively, if you have more time: after a short discussion in class; divide the students into two groups. Group A tries to find arguments for travel being dangerous (the text on St. Petersburg as an example for a dangerous trip; air crashes; car accidents; robbery etc.). Group B tries to show why travel is not really dangerous and what can be done to reduce the risks (few accidents relative to the number of travellers; millions have very positive experiences each year; risks can be reduced by travelling in a group; not all countries are equally dangerous etc.). Group B could also draw on the vocabulary and structures on pages 60–61, and support their arguments further by referring to the positive experiences that (may) outweigh the dangers of travel. The students could write their arguments on large posters that can be put up once the group discussion is finished. This way, you can directly compare the points for and against.

3 Finally, using the arguments thus collected, form some example sentences that use the expressions in the box on page 65 and write them on the board.

e.g. Viele Zeitungen lassen das Reisen sehr gefährlich erscheinen. Glaubt man ihnen blind, dann sollte man am besten zu Hause bleiben. Aber **tatsächlich** machen viele Reisende sehr positive Erfahrungen ... **Zweifellos** kann Reisen auch gefährlich sein, aber ...

6 Interaktive Flugreise pages 66–67

Discussing air travel; superlatives

Exercise 1 page 66

Again, this text is not an easy read. Depending on the level of your class, you may want to give some support to your students:

You could divide the class into two groups. Group A looks at paragraph 1 and lists all the entertainment options that you may have on a flight. Group B looks at paragraph 2 and works out what a typical flight is like. You could (a) allow the students to use their dictionaries, (b) give them some support vocabulary or (c) ask them to match the following English and German expressions:

die Meldung (-en) – news, announcement
die Nachrichtenagentur (-en) – news agency
das Spielcasino (-s) – casino
sich die Zeit vertreiben – to pass the time
die Allgemeinbildung – general education
das Unterhaltungsangebot – range of entertainment
der Langstreckenflug – long-haul flight
einem einen Schauer über den Rücken jagen – to send a shiver down one's spine
schnarchend (schnarchen) – snoring (to snore)
der Vordermann (¨-er) – person in front
klappen – to tilt

a der
b neuesten
c hinten
d Einkäufe
e einen
f Bei
g Flugzeug
h denn
i lang
j der
k den
l der

Exercise 2 page 66

Practice of superlative adjectives.

a Der eleganteste Mann im Zimmer war Herr Brown.
b Österreich hat die schönste Landschaft in Europa.
c Er fuhr mit dem ältesten Bus nach Nepal. OR: Er ist mit dem ältesten Bus nach Nepal gefahren.
d Sie erzählte die interessantesten Geschichten.
e Du hast die traurigsten Augen.

Exercise 3 page 66

This prepares vocabulary for a class discussion of air travel and written work on means of transport.

GESCHÄFTSMANN: Ich fliege sehr gern und auch sehr oft. Wissen Sie, ich bin Geschäftsmann und mit dem Flugzeug komme ich am schnellsten zu meinem Termin.
JUNGER MANN: Fliegen? – Nur wenn es keine andere Alternative gibt. Wenn ich in so einer Maschine sitze, habe ich immer dunkle Gedanken – von einem Absturz oder einem Feuer an Bord. Man behauptet, das Flugzeug sei das sicherste Verkehrsmittel – aber ich persönlich kann das nur schwer akzeptieren.
MÄDCHEN: Wie ich Flugzeuge finde? Super! Fliegen ist das Beste! Du kannst aus dem Fenster sehen und wunderschöne Wolken anschauen. Und die Häuser und Städte und Dörfer sind alle so klein, ganz niedlich ...
JUNGE: Na, klar. Das Flugzeug ist eine der wichtigsten Erfindungen dieses Jahrhunderts. Es ist ohne Zweifel die schnellste, sicherste und schönste Art, von A nach B zu reisen ...

Chapter 2
Leute und Liebe

1 Können Sie selbstlos lieben? pages 68–69

Personal descriptions; verbs with the dative

Exercise 1 page 68

If you want to give the students the opportunity to talk a little more about love in a non-threatening and non-intrusive way, you could show them pictures of couples in various contexts (e.g. an old black-and-white photo of a couple with their children, the husband clearly being the *pater familias*; a young couple playing sport together; a couple fighting, etc.). Ask them which of these pictures in their opinion express love. Lead into a dicussion of what a loving relationship comprises (e.g. having fun together, doing things together, romance and sex, having children together and sharing their upbringing, caring about each other etc.) On a more lighthearted side, you may be able to retrieve some 'Liebe ist ....' cartoons (run for a long time by the *Bild-Zeitung*) or other cartoons that deal with love (more critical: 'Die Paar Probleme' by Peter Gayman in the magazine *Brigitte*). Copy some of them on an OHP transparency and use them to start a discussion with the students.

Exercise 2 page 68

This practises verbs that take the dative.

a Kann ich Ihnen helfen?
b Ich gratuliere dir!
c Der Fuß tut mir weh!
d Das Bild gefällt ihm nicht.
e Es ist ihr gelungen, eine E-Mail zu senden.
f Schmeckt euch das Essen?
g Unser Hund fehlt uns.
h Ich gab ihnen die Geschenke.

Exercise 3 page 69

This prepares the topic of describing people, for the class discussion and written work.

1: Meine Freundin ist zwanzig und ausgesprochen hübsch. Ihre mittellangen blonden Haare sind total glatt und passen besonders gut zu ihren blauen Augen. Sie ist beneidenswert groß und schlank. Meine Freundin kommt mit allen gut aus und ist sehr tolerant.
2: Meinen Freund erkennt man an seinen blauen Augen und an dem blonden Pferdeschwanz. Er ist mittelgroß und hatte vor kurzem seinen siebzehnten Geburtstag. Manchmal hat er ein bisschen verrückte Ideen, aber er hat einen unheimlich gutmütigen und freundlichen Charakter.
3: Ich habe einen Freund, der ist zwanzig. Seine braunen Haare trägt er in einem kurzen Igelschnitt. Er ist ziemlich groß, hat blaue Augen und ich mag seine supermoderne Brille. Mein Freund spielt gerne Rugby, aber er ist kein Draufgänger, sondern eher schüchtern.
4: Meine Freundin ist siebzehn Jahre alt und hat mittellange, glatte braune Haare. Ihre blauen Augen haben oft einen verträumten Blick, sie ist nämlich sehr romantisch. Sie mag die Natur und geht unheimlich gern spazieren.
5: Mein Freund ist schon sechsundzwanzig. Er ist ziemlich groß und hat kurze braune Haare mit blonden Strähnchen. Das sieht sehr modisch aus! Mir gefallen besonders seine braunen Augen. Mein Freund ist aufgeschlossen und kontaktfreudig und er läuft unheimlich gern in seiner Jeansjacke herum.

Exercise 5 page 69

Students should draw on the vocabulary introduced in exercises 3 and 4 to describe their ideal friend/partner. However, they should feel free not only to talk about external things such as looks, but also things they like to do together.

2 Auf einmal ist der Zauber vorbei
pages 70–71

Discussing problems in relationships; relative pronouns

Exercise 1b page 70

1 Roland	4 Frank	7 Thomas
2 Lorenz	5 Stefan	8 Kai
3 Michael	6 Marek	

1 ROLAND: Alles lief so toll bei uns und dann plötzlich, nach dem ersten Kuss, war sie weg! Ich hatte nicht geahnt, dass sie so schüchtern war.
2 LORENZ: Meine Mutter kocht super! Vielleicht war sie neidisch darauf.
3 MICHAEL: Ich musste tierisch hart arbeiten, aber sie hatte dafür kein Verständnis. Sie meinte sogar, dass ich keine Zeit für sie hätte.
4 FRANK: Im Restaurant war sie immer so ungeduldig, wenn ich mich mit der Rechnung beschäftigte. Und wieso sollte ich immer Trinkgeld geben – sie verdienen auch so gut im Restaurant.
5 STEFAN: Wir hatten einen tollen Abend in einem Jazz-Club – ich habe sogar ein Lied für sie gesungen – und plötzlich war sie verschwunden!
6 MAREK: Sie hat immer übers Geld gemeckert. Zwischen Job und Studium blieb uns praktisch keine Zeit, zusammen etwas zu unternehmen.
7 THOMAS: Ein nettes Mädchen ... wusste aber nicht, wie man sich zum Besuchen anständig anzieht.
8 KAI: Ich wollte alles für sie tun, aber ich war nicht genug für sie. Sie drehte sich immer nach einem anderen um.

Exercise 2a page 70

1 Das ist Marek. Er ist finanziell von seinen Eltern völlig abhängig.
2 Das ist Roland. Er kann nur langweilig küssen.
3 Das ist Stefan. Er wirkt übertrieben aufmerksam.
4 Das ist Thomas. Er schämt sich bei seinen Eltern für seine Freundin.
5 Das ist Lorenz. Er ist ein Muttersöhnchen.
6 Das ist Michael. Er interessiert sich nur für seine Karriere.
7 Das ist Kai. Er ist sehr eifersüchtig.
8 Das ist Frank. Er gibt nicht gern sein Geld aus.

Exercise 2b page 70

In this exercise students form relative clauses. If necessary refer them to the grammar panel and let them do exercise 4 first.

1 Marek ist der Freund, der finanziell von seinen Eltern völlig abhängig ist.
2 Roland ist der Freund, der nur langweilig küssen kann.
3 Stefan ist der Freund, der übertrieben aufmerksam wirkt.
4 Thomas ist der Freund, der sich bei seinen Eltern für seine Freundin schämt.
5 Lorenz ist der Freund, der ein Muttersöhnchen ist.
6 Michael ist der Freund, der sich nur für seine Karriere interessiert.
7 Kai ist der Freund, der sehr eifersüchtig ist.
8 Frank ist der Freund, der nicht gern sein Geld ausgibt.

Exercise 3 page 70

Depending on how imaginative your students are, you may want to prepare the writing activity in class. Pick two of the women or two of the men and let the students see the relevant listening transcript. The students could then brainstorm in class or in small groups what the disappointed partners could say during the phone conversation. They could also act out the roleplay in class. To show where/when relative pronouns could be used, you could then start writing a dialogue on the board (e.g. *Wer ist denn Andrea? Na das ist die Frau,* ***die*** *... ; Dann hat sie mir den Ring zurückgegeben,* ***den*** *...*). For homework the students could pick two of the remaining partners in the book or make up their own dialogue.

Exercise 4 page 71

Practice with relative pronouns.

a dessen
b den
c die
d dem
e deren
f der

3 Liebeskummer pages 72–73

Expressions of time; writing informal letters, tackling numbers in listening exercises

Exercise 1 page 72

This text features both numbers and expressions of time.

a2, b3, c1, d3, e2

„Es ist nie zu spät." Wie wahr, was die 82-jährige Naomi Thornton sagt! Gerade hat sie den Mann, mit dem sie sich vor 60 Jahren verlobt hatte, geheiratet. Travis Cochran ist auch 82.

Sie waren Kollegen. In einer Puffmais-Fabrik in Seattle (USA) lernten sie sich kennen. Das war 1935. „Wir verlobten uns, und ich wäre gern Travis' Frau geworden", sagt Naomi. Doch das Schicksal wollte es anders. Travis wurde nach Minneapolis versetzt. Er sollte dort eine neue Fabrik aufbauen. Naomi erinnert sich: „Ich wollte ihm eigentlich nachfolgen. Doch dann schrieb er mir, dass er eine andere Frau hätte. Ich habe viel geweint." Die Jahre vergingen. Naomi heiratete, Travis auch. Es gab keinen Kontakt mehr. Bis vor einem Jahr. Naomis Mann war gestorben. Sie erinnerte sich an die alte Liebe – und fand tatsächlich Travis' Adresse. Wie das Leben so spielt – auch er war inzwischen verwitwet. Travis besuchte Naomi. Alte Liebe rostet nicht – nach drei Tagen beschlossen die beiden: Jetzt wird aber geheiratet. Happy-End nach 60 Jahren.

Exercise 2 page 72

Practice of time expressions.

a Ich habe ihn vor zwei Tagen gesehen.
OR: Ich sah ihn vor zwei Tagen.
b Der Brief ist vor fünf Tagen angekommen.
OR: Der Brief kam vor fünf Tagen an.
c Sie haben sich nach dreißig Jahren wieder getroffen.
OR: Sie trafen sich nach dreißig Jahren wieder.
d Nach vier Wochen haben die Auseinandersetzungen begonnen.
OR: Nach vier Wochen begannen die Auseinandersetzungen.
e Wir sind seit fünfzig Jahren Nachbarn.
f Sie haben vor einer Woche geheiratet.
OR: Sie heirateten vor einer Woche.
g Nach einer Woche haben sie erkannt/erkannten sie, dass sie verliebt waren.
h Sie kannten einander seit zwanzig Jahren.

Exercise 3b page 73

A Ich darf meinen Freund nur heimlich treffen
B Silvester-Flirt kommt Pfingsten
C Ein Junge belästigt mich ständig
D Sie spricht immer von ihrem Ex

Exercise 3d page 73

Please note: in line with the spelling reform, capital letters for *deinen, dir, dich* etc. are no longer required.

This might also be a good opportunity to tackle the difference between the informal *du* and *ihr* and their cases. You could present these letters to the students and ask them to fill in the appropriate forms of the pronoun:

Hallo Christiane,

wie geht es _______? Ich wollte _______ gerne zu meiner Geburtstagsparty am 24.11. um 20 Uhr einladen. Hast _______ da Zeit? Ich würde mich sehr freuen, wenn _______ kommen könntest! Ich habe _______ jetzt schon seit ein paar Monaten nicht mehr gesehen. Ruf mich doch mal an!

Dein Stefan

Liebe Ilona, lieber Frank,

wie geht es _______? Ich wollte _______ gerne zu meiner Geburtstagsparty am 24.11. um 20 Uhr einladen. Habt _______ da Zeit? Ich würde mich sehr freuen, wenn _______ kommen könntet! Ich habe _______ jetzt schon seit ein paar Monaten nicht mehr gesehen. Ruft mich doch mal an!

Euer Stefan

4 Eifersucht pages 74–75

Conjunctions; role play, writing continuation of a story

Exercise 1 page 74

E, G, C, A, D, F, B

Exercise 2a page 75

Practice of conjunctions.

1 Ich gehe jeden Tag schwimmen oder (ich) spiele Tennis.
2 Als ich mit der Straßenbahn nach Hause fuhr, las ich die Zeitung.
3 Ich mag Katzen, aber ich kann Hunde nicht leiden.
4 Ich hatte keinen Hunger, denn ich hatte schon gegessen.
5 Je mehr wir zusammen waren, desto mehr liebte ich sie.
6 Er ging in die Stadt und (er) kaufte sich ein neues Hemd.
7 Sie hatte keine Ahnung, dass sie heiraten wollten.
8 Die Frau wollte wissen, ob ich Peter Schmidt kannte.

Exercise 2b page 75

1 I go swimming every day or play tennis.
2 When I was going home by tram, I read the newspaper.
3 I like cats, but I can't stand dogs.
4 I wasn't hungry, as I had already eaten.
5 The more we were together, the more I loved her.
6 He went into town and bought himself a new shirt.
7 She had no idea that they wanted to marry.
8 The woman wanted to know whether I knew Peter Schmidt.

5 Sind die Väter heute besser? pages 76–77

Discussing character; demonstrative adjectives and pronouns

Exercise 1 page 76

To prepare for exercise 6, you could ask the students to compile a list of the characteristics a father should have. Some may find it easier to start with those characteristics a father definitely shouldn't have, and may only then be able to think about what he should be like instead. The students should have a limited amount of time available and find as many characteristics as possible. They can then compare results with a partner and add those characteristics they like to their list.

Exercise 2 page 76

a Bei Lauras erstem Freund werde ich eifersüchtig sein.
b Sie spielt gut Klavier, zieht sich geschickt an.
c Ich bin leichter aufzuweichen als ihre Mutter.
d Er war ein sportlicher Mann, hat nie geraucht, nie getrunken.
e Er hatte nur Interesse daran, dass wir das Abitur machen, studieren.
f Wenn wir Leistungen erbrachten, ließ er uns in Ruhe.
g Solange sie ihren Weg machen, lasse ich sie in Ruhe.
h Alles läuft leicht und unkompliziert.

Exercise 3 page 76

To help the students with the listening and with the writing task in exercise 6, you could also erase the percentages and give the following transcript to the students. You could then ask them to add to the list they started in exercise 1.

Die Väter heutzutage sind davon überzeugt, ziemlich cool bzw. gut zu sein, jedenfalls besser als ihre eigenen Väter. Einer *Newsweek*-Umfrage zufolge sagen sie, dass sie liebevoller und sorgsamer seien und sich mehr Mühe gäben.

– Fünfundfünfzig Prozent der befragten Väter glauben, dass sie die Vaterrolle wichtiger nehmen als ihre eigenen Väter.

– Besseres Verständnis für ihre eigenen Kinder glauben einundsechzig Prozent der Väter zu haben, wobei sich neunundvierzig Prozent selber als bessere Väter einschätzen.

– Siebzig Prozent der Väter geben an, wesentlich mehr Zeit mit ihren Kindern zu verbringen als ihre eigenen Väter damals mit ihnen.

– Zweiundfünfzig Prozent sagen, sie würden ihre Kinder weniger hart bestrafen.

– Sechsundachtzig Prozent der befragten Mütter sind der Meinung, dass ihre Männer die Kindererziehung entweder sehr gut (zweiundfünfzig Prozent) – oder gut (vierunddreißig Prozent) – bewältigen würden.

Exercise 4 page 77

To help the students a little more with the writing activity in exercise 6, you could ask them whether they would like to have a mother like Ute Lemper. Why would they like to have a busy, famous mother like her? Why wouldn't they like to have her as a mother? If they find it difficult to think of anything else than glamour and travel, you could ask them to think about this from the perspective of Ute Lemper's young children. The students could first discuss these questions with a partner or in a small 'buzz group' before all students present their arguments to the class. Collect the arguments on the board. Students should write them in their notebooks so that they will have some arguments to draw on for the writing activity.

Alternatively, write a list with stereotypical characteristics of a 'good mother' on the board. This list can be quite provocative, e.g. *liebevoll, nachgiebig, selbstlos und opferbereit, bleibt zu Hause und kümmert sich um die Kinder, unterstützt den Vater der Kinder in seiner Karriere, kümmert sich um den Haushalt und die Gesundheit der Familie*. Then ask the students to read the text and see whether Ute Lemper fulfills these 'requirements'. If not, what is she like instead? For example: *selbstbewusst; geht arbeiten; verdient viel Geld; verfolgt ihre eigene Karriere; versucht, Familie und Karriere zu vereinbaren*. You could then go on to discuss whether she is a 'bad mother' because she doesn't seem to have most of the characteristics you wrote on the board, or whether she might be able to offer other things to her children. A lot of this will have to be speculative, since it cannot be directly retrieved from the text.

1c, 2g, 3f, 4a, 5d, 6h, 7k, 8b, 9i, 10j, 11e

INTERVIEWER: Frau Lemper, Sie waren lange nicht mehr in Deutschland.

Ihre Kinder sind jetzt zweieinhalb Jahre und vier Monate alt. Wie bekommen Sie Familie und Karriere unter einen Hut?

Gehen die Kinder mit auf Tournee?

Ihr Mann David ist ebenfalls Künstler. Kommt in einer solchen Ehe nicht ein Partner auf Dauer zu kurz?

Sie reden Englisch mit Ihrem Mann, wohnen in Paris. In welcher Sprache werden Ihre Kinder erzogen?

Ist es nicht ein bisschen traurig, dass die eigenen Kinder gerade ihre Muttersprache nicht erlernen?

Wer bringt Sie mehr zum Lachen – die Kinder oder Ihr Mann?

Was hat sich zwischen Ihnen und Ihrem Mann verändert, seit die Familie komplett ist?

Freundschaft?

Was ist denn Romantik für Sie?

Warum die Heirat?

Exercise 5 page 77

Practice of the pronouns in the grammar panel.

a Jeden
b diesen
c Welche
d keiner
e diesen
f Alle
g jede
h Diesen
i deine
j welchem

6 Familien pages 78–79

Discussing family life; approaching gap fill texts, essay writing

Exercise 1 page 78

As an introduction to the theme of the spread, you could either start by discussing families in general, or you could focus on living in 'family clans' (three generation households), see below. You could then transfer the discussion about families and the advantages/disadvantages of family life in general to exercise 6.

Exercise 2a page 78

You could focus on living in family clans instead of a general discussion about families. Listen to the tape first, then go on to the suggestion for exercise 2b.

1 falsch
2 richtig
3 richtig
4 richtig
5 falsch

Die Zahl der Drei-Generationen-Haushalte wächst. In 4,9 Prozent aller deutschen Familien der alten Bundesrepublik leben Großeltern, Kinder und Enkel in einer Wohnung. Bei weiteren 7,2 Prozent wohnen sie im selben Haus. Gegenüber 1988 stieg die Zahl der Familienclans um knapp 10 Prozent. Das Deutsche Jugendinstitut fand bei einer Befragung unter 11 000 Bundesbürgern heraus, dass bei insgesamt einem Drittel aller Familien die Großeltern im selben Wohnviertel leben. Walter Blen, der Leiter der Untersuchung, meint, dass außerhalb der Großstädte die Familienverbände wesentlich stabiler seien, als bislang vermutet wurde.

Exercise 2b page 78

You could use a spider diagram (see page 79 for an example) to let the students brainstorm the disvantages and advantages of living in family clans. In the middle write the question: *Welche Vorteile und Nachteile bietet das Leben im Familienclan?* Hand out incomplete spider diagrams to the students. On one side of the sheet they could fill in advantages, on the other side disadvantages. Talking about the advantages and disadvantages of family clans probably will also lead to a discussion about the advantages and disadvantages of living in a family in general. Students should keep their spider diagrams for the writing activity in exercise 6.

Exercise 3a page 78

The tip box gives some ideas on completing a gap-fill exercise.

a fehlt
b kümmert
c Geschwister
d ihre
e im
f die
g Kindern
h jetzt
i Verein
j sich
k fast
l Umwelt
m groß
n später
o vierte
p Entwicklung
q sagt
r Armut

Chapter 3
Essen und Gesundheit

1 Guten Appetit! pages 80–81

Discussing eating habits; prepositions, *weil*; negotation

Exercise 1 page 80

Markus A, Karin E, Thomas C, Daniela D, Stefan B

INTERVIEWER: Markus. Wo essen Sie am liebsten?
MARKUS: Ich esse am liebsten zu Hause mit meiner Familie. Das mache ich viel lieber als ins Restaurant zu gehen. Ich finde das Essen dort normalerweise unheimlich teuer und es schmeckt mir oft auch nicht so gut. Zu Hause kann man genau das essen, was man will.
INTERVIEWER: Sind Sie der gleichen Meinung, Karin?
KARIN: Absolut nicht! Zu Hause essen – das finde ich so langweilig! Und auch ziemlich viel Arbeit, wenn man das Essen selber vorbereiten und nachher auch noch abwaschen muss! Wenn ich die Wahl hätte, würde ich jederzeit viel lieber im Restaurant essen.
INTERVIEWER: Was meinen Sie, Thomas?
THOMAS: Ich gehe auch gerne aus – aber am liebsten esse ich im Freien bei frischer Luft! Ich habe zwar die Möglichkeit, jeden Tag in der Kantine zu essen, aber dort finde ich es so laut und hektisch. In meiner Mittagspause suche ich immer etwas Ruhe!
INTERVIEWER: Daniela. Wo essen Sie am liebsten?
DANIELA: *Wo* ist nicht das Wichtigste, sondern *mit wem* ich esse. Ich esse zum Beispiel viel lieber bei Freunden als mit meiner Familie. Meine zwei Brüder meckern die ganze Zeit und machen ziemlich viel Unsinn. Das nervt mich total – und meine Eltern auch!
INTERVIEWER: Und schließlich Stefan! Was meinen Sie?
STEFAN: Zu Hause habe ich glücklicherweise nicht solche Probleme wie Daniela. Bei uns wird beim Essen immer viel geredet. Ich finde es schade, wenn eine Familie beim Essen immer vor dem Fernseher sitzt. Dann hat man keine Chance, sich richtig miteinander zu unterhalten.
INTERVIEWER: Ich danke Ihnen für dieses Interview.

Exercises 2 and 3 provide a chance to practise sentence structure with *weil*-clauses.

Exercise 4a page 81

In this exercise case sometimes provides a clue as to which preposition is the correct one.

a für
b mit
c in
d Seit
e im
f von
g in
h auf
i mit
j zu
k in

Exercise 4b page 81

1 falsch
2 falsch
3 falsch
4 falsch
5 richtig

2 Essen Sie sich gesund? pages 82–83

Discussing healthy eating; genitive after prepositions; approaching a reading text

Exercise 1 continues with the spoken practice of *weil* clauses.

Exercise 2a page 82

This exercise provides vocabulary about food in preparation for the written work in exercise 3.

MARKUS: Hallo. Ich heiße Markus. Ich esse meistens typische deutsche Gerichte – Fleisch mit Reis oder Nudeln und viel Salat. Als Nachtisch esse ich Joghurt oder frisches Obst. Was ich nicht gern esse – das sind Tomaten und auch Bananen.

KARIN: Mein Name ist Karin. Ich esse gerne Gerichte aus der ganzen Welt, aber meine Lieblingsspeisen kommen aus Italien – Spaghetti und Pizza mit Salat und ein italienisches Eis als Nachtisch. Perfekt! Das Einzige, was ich nicht essen kann, sind Eier – ich habe eine Allergie dagegen!

THOMAS: Ich bin der Thomas. Ich esse am liebsten etwas ganz Einfaches wie ein Butterbrot oder vielleicht einen Cheeseburger – mit Pommes frites natürlich! Ich esse nicht gern Salat und auch keinen Fisch. Fisch kann ich überhaupt nicht leiden!

DANIELA: Hallo. Mein Name ist Daniela. Ich bin Vegetarierin und esse viel Obst, Gemüse, Reis und Brot. Ich mag auch Nüsse aller Sorten, am liebsten aber Erdnüsse. Als Vegetarierin esse ich natürlich kein Fleisch, aber Fisch esse ich ab und zu.

STEFAN: Servus. Ich heiße Stefan und ich esse sehr gern Süßes! Meine Mutter bäckt wunderschöne Kuchen und Torten – ihre Schokoladentorte ist eine meiner Lieblingsspeisen. Ich esse auch gern Süßigkeiten und besonders Schokolade. Ansonsten esse ich fast alles – aber nichts so gern wie Schokolade.

Exercise 4a page 82

1 falsch
2 falsch
3 richtig
4 richtig
5 falsch
6 richtig
7 falsch
8 falsch
9 richtig
10 richtig

Exercise 4b page 83

1 Amerikaner verzehren ausschließlich
2 auch wenn das vielen Amerikanern selbst noch gar nicht so recht bewusst ist
3 verbringt weniger Zeit mit Kochen
4 weniger traditionsbewusst als die vorangehende Generation
5 das Konsumverhalten der Amerikaner
6 Die Kunden wollen ausgefallenere Waren
7 die Belastung durch den Job
8 ist wohl nicht mehr umzukehren

Exercise 5 page 83

This exercise practises some prepositions that take the genitive.

a Innerhalb der letzten fünfzig Jahre haben sich die Essgewohnheiten viel geändert.
b Trotz seiner ungesunden Essgewohnheiten lebte er bis zum Alter von neunundneunzig.
c Sie wollte wegen ihrer Liebe zu Tieren kein Fleisch essen.
d Außerhalb der Vereinten Staaten sind Hamburger und Pommes auch sehr beliebt geworden.
e Während des Krieges gab es weniger ausgefallene Zutaten.
f Schüler sollten in der Pause frisches Obst statt Süßigkeiten essen.

Exercise 6b page 83

Before going on to do the translation, students should make sure they know how to translate all the key words they write down. They could then go on to do the translation. You may want to point out to them that sentences that require the perfect tense in German will be translated with the imperfect in English.

3 Appetit auf Chemie? – nein danke! pages 84–85

Present passive; writing a letter to a newspaper

Exercise 1 page 84

To lead the students into the theme, you could find food labels with chemical additives (the reading text on page 85 will give you some ideas) and ask them how they feel about these additives. Do they pick their food in order to avoid them? Which tips for healthy eating do they have? Then listen to the doctors on tape.

A3, B1, C4, D2

ARZT 1: Wer viele Vitamine und dabei möglichst wenig Chemie, Genmanipulationen oder Strahlen mitessen will, der sollte lieber heimische Produkte kaufen, die möglichst biologisch angebaut wurden. Auslands-Obst und -Gemüse wird unreif geerntet und hat lange Transportwege. Deshalb wird es mit verschiedensten Chemikalien behandelt und bestrahlt.

ARZT 2: Zwei bis dreimal in der Woche sollte man frische Eier essen. Aber nur, wenn der eigene Cholesterinwert nicht über 250 liegt. Das muss man beim Arzt messen lassen. Dabei ist wichtig: Bio-Eier von freilaufenden Hühnern kaufen.

ÄRZTIN 3: Fleisch gibt uns wichtiges Eisen. Ich erwarte gerade mein fünftes Kind und kaufe auch Rindfleisch direkt vom Bauernhof. Vorsichtig bin ich bei Wurst ohne Herkunftsangabe. Kaninchen, Pute und Hühnchen sind gesunde Fleischsorten.

ARZT 4: Umweltgifte stecken in jeder Nahrung. Aber es ist ganz leicht, sich zu entgiften. Man sollte einmal in der Woche fasten. Das heißt, bis Mittag nichts zu essen und nur Tee trinken. Die im Körperfett eingelagerten Umweltgifte wie zum Beispiel Blei, Cadmium, DDT, die chronisch müde machen können, werden so über die Nieren, Leber, Lunge und Haut ausgeschleust.

Exercise 2 allows students to build their own sentences in the present passive. Exercises 3c and 3d return to the passive.

Exercise 3a page 84

A6, B1, C5, D3, E4, F2

Exercise 3b page 85

1i, 2j, 3d, 4a, 5c, 6h, 7e

Exercise 3c page 85

1i, 7e

Exercise 3d page 85

1 Haribo jelly bears are only coloured naturally.
2 E 160 (carotin) and E 162 (beetroot juice) are both natural colouring agents.
3 With numbers E 200 to E 203 you need have no worries.
4 E 210 to 213 can trigger allergies.
5 With packaged groceries all the chemical additives have to be printed.
6 Irradiation of fruit destroys protein and vitamins A, E, K, C and B.
7 Cola and bread are coloured dark with the colouring E 150.

Exercise 4 page 85

The purpose of the letter could be to ask for advice on how to avoid all the additives mentioned. Additional useful phrases you may want to give to the students:

Mit Erschrecken habe ich Ihren Artikel … gelesen.
Ich war entsetzt zu erfahren, dass …
Bisher habe ich immer ohne Bedenken …
Meine Bitte ist nun folgende …
Ich habe nun folgende Frage an Sie: …
Ich danke Ihnen im Voraus für Ihre Hilfe und verbleibe mit freundlichem Gruß …
Mit freundlichem Gruß … Ihr/Ihre …

4 Ich will abnehmen! pages 86–87

Discussing weight loss; pluperfect; dictionary skills

If the theme of weight loss/obesity is an obviously touchy one in your class, you could also go on straight to exercise 3 and then work on the grammatical problem of the pluperfect.

Exercise 2a page 86

A passive introduction to the pluperfect.

JASMIN	MONA
a ausgenutzt hatten	a hatte eingenistet
b gerungen hatte	b hatte gefunden
c hatte abgenommen	c hatte angefangen
d war geschehen/passiert	d hatte gemacht
e war passiert/geschehen	
f hatte eingelassen	

Exercise 3a page 87

a They block messages to the brain so you don't feel hungry.
b He read something in the newspaper.
c He decided against them and threw them away.

MARCUS: Ich habe schon alle möglichen Diäten versucht. Zähl-, Trennkost und viele andere mehr. Dann erzählte mir eine Freundin, dass es in Amerika eine Wunderpille gibt: Sie heißt Redux. „Super Sache", meinte sie: „Die Tabletten blockieren die Gehirnrezeptoren und man bekommt keine Hungergefühle." Für mich klang das nach Erlösung.
Drei Wochen später las ich zufällig in einer Zeitung etwas über die Gefahren von Abnehmpillen. In dem Artikel wurde auch Redux genannt. Die endlose Liste von Nebenwirkungen nannte unter anderem Lungenüberdruck, Atemnot und Herzflimmern. Außerdem sei das Mittel nicht richtig getestet worden. Ich hatte zwar nie angenommen, dass Appetitblocker gesund sind, aber mit solchen Nebenwirkungen hatte ich nicht gerechnet. Plötzlich fand ich es nicht mehr cool, das Zeug zu nehmen. Ich wollte schließlich nicht krank werden oder meinen Körper auf Dauer schädigen. Deshalb schmiss ich die Packung in den Müll.

Exercise 4 page 87

Active practice of the pluperfect.

a hatte … versucht
b hatte … erzählt
c hatte … geklungen
d hatte … gelesen
e hatte … getestet
f hatte … angenommen; hatte … gerechnet
g hatte … gefunden; hatte … geschmissen

5 Bulimie: Heißhunger nach Anerkennung pages 88–89

Discussing eating disorders; infinitive constructions

Exercise 2 page 88

a Probleme	f Festtagsessen
b Diät	g Rachen
c abgenommen	h reingeschlittert
d Schlag	i Magen
e erbrechen	j Abführtabletten

INTERVIEWER: Petra. Wie alt waren Sie, als alles begann?
PETRA: Ich war fünfzehn. Ich hatte mit einer Diät gerade siebeneinhalb Kilo abgenommen, aber dann blieb mein Gewicht stehen.
INTERVIEWER: Hatten Sie ein Ziel?
PETRA: Ja. Damals wog ich 88 Kilo und ich bin 1,63 Meter groß. Mein Ziel war es, weitere 28 Kilo abzunehmen.
INTERVIEWER: Und Sie waren fest entschlossen, dieses Traumgewicht zu erreichen?
PETRA: Ja, unbedingt. Ich war damals fest überzeugt, ich werde mit einem Schlag meine Probleme los. Die Jungen würden auf mich fliegen, im Sport würde ich nicht mehr hinterherhinken und meine Eltern würden mich mehr lieben. Kurz – ich würde mich einfach super fühlen.
INTERVIEWER: Und woher kam die Idee, das Essen einfach wieder zu erbrechen?
PETRA: Eine Freundin hat mir den Tipp gegeben, nach Festtagsessen oder dem Sonntagsbraten einfach den Finger in den Rachen zu stecken.

INTERVIEWER:	Das war also der Anfang?
PETRA:	Ja. Aber es blieb natürlich nicht bei ein- oder zweimal pro Woche. Ich bin bald so in die Sache reingeschlittert, dass ich schließlich überhaupt kein Essen mehr bei mir behalten habe.
INTERVIEWER:	Und Pillen nahmen Sie auch?
PETRA:	Ja. Abführtabletten. Ich wollte einfach sichergehen, dass nichts mehr im Magen ist.

Exercise 3 page 89

You may want to point out to the students that they should scan the text for the German of the key words that appear in these phrases. They can then have a look at the phrase in which the key word appears and check whether it translates as the English version.

a ein unglaubliches Gefühl von Ekel
b Das Ganze lief einfach ab.
c Es war eine richtige Sucht.
d aber das war ein Irrtum
e Das Gewicht schwankte seitdem ständig.
f Ich quälte mich umso mehr
g Das hat manchmal bis zu sechs Stunden gedauert
h es wäre aufgefallen, wenn solche Mengen gefehlt hatten
i führten ihre Eltern auf die Diäten zurück
j diese Erkenntnis nutzte mir nichts

Exercise 5 page 89

This exercise works on infinitives with and without *zu*.

a zu ersticken
b reden
c zu helfen
d ziehen
e zu sagen
f machen
g bestimmen
h essen

Exercise 6a page 89

More work with infinitive constructions.

1c, 2e, 3b, 4f, 5d, 6a

Exercise 6b page 89

1 We see him swim.
2 I would like to go swimming tomorrow.
3 He is going swimming tomorrow.
4 I would rather visit my friends, instead of going swimming.
5 She has decided to go swimming tomorrow.
6 Mum, please let me go swimming tomorrow!

6 „Ich will keine Tiere ausbeuten" pages 90–91

Discussing vegetarianism; *wäre, hätte*; approaching a listening exercise

Exercise 2a page 90

2 moralische Gründe, Tiere als Mitlebewesen; Fleisch im Supermarkt mit Hormonen behandelt, also ungesund
3 die wichtigsten Vitamine in Obst und Gemüse; genugend Milchprodukte
4 Eltern und Bruder essen Fleisch – aber keine Probleme, sie akzeptieren ihre Lebensweise; ihr schmeckt alles außer toten Tieren und Fisch

A: Ich habe gehört, dass du dich vegetarisch ernährst. Seit wann bist du Vegetarierin?
B: Seit vier Jahren.
A: Und warum hast du dich damals entschlossen, Vegetarierin zu werden?
B: Ich hatte dafür hauptsächlich moralische Gründe. Ich sehe Tiere als meine Mitlebewesen an und finde es ungerecht, mich auf deren Kosten zu ernähren. Außerdem glaube ich, dass das Fleisch, das wir in Supermärkten kaufen, ungesund ist, weil es mit Hormonen behandelt wurde.
A: Wie ernährst du dich? Musst du bei deiner Ernährung auf irgendetwas Besonderes Acht geben?
B: Die wichtigsten Vitamine findet man eigentlich in Obst und Gemüse. Aber ich achte darauf, dass ich genügend Milchprodukte zu mir nehme, wie Joghurt und Käse oder auch Quark.
A: Ernährt sich deine Familie ebenfalls vegetarisch?
B: Nein, ich bin die einzige Vegetarierin in unserer Familie. Meine Eltern und mein Bruder essen Fleisch.
A: Entstehen dadurch Probleme?
B: Zum Glück können mich meine Eltern gut verstehen. Sie akzeptieren meine andere Lebensweise. Mit dem Kochen gibt es dabei keine Probleme, weil mir wirklich alles schmeckt, außer eben toten Tieren und Fisch.

Exercise 3 page 90

a Zwiebel
b Olivenöl
c Knoblauch
d Tomaten
e Salz
f Pfeffer
g Oregano
h Spaghetti
i Parmesan
j Kopfsalat
k Salatdressing

Exercise 4 page 91

a Vegan zu sein heißt, keine Tierprodukte zu essen oder zu tragen.
c Beim Einkaufen kann Lena alles ganz normal im Supermarkt kaufen bis auf die Sojaprodukte, die sie im Ökoladen kauft.
e Für Veganer ist es nicht verboten, zusammen mit Fleischessern zu wohnen.

Exercise 5 page 91

Practice with the conditional.

a wäre
b Hätten
c wäre
d würde
e würde
f wäre

Chapter 4 Medien

1 Fernsehen pages 92–93

Discussing television; writing a letter to a newspaper

Exercise 3a page 93

1 Die ARD und das ZDF.
2 Von der Öffentlichkeit finanziert.
3 Sendungen, die informieren, unterhalten und den Zuschauer weiterbilden.

4 Sie dürfen nur vor 20 Uhr kommen und keinen Film unterbrechen. Es gibt keine Werbung im Kinderkanal.
5 Ein sogenannter Rundfunkrat kontrolliert sie. ARD: Vertreter wichtiger Gruppen, ZDF: Vertreter der Bundesländer.

Exercise 4 page 93

a Weil sie den Unterschied zwischen Fernsehen und Realität nicht völlig verstehen und versuchen, was sie sehen, nachzuahmen.
b Kinder und Jugendliche werden wöchentlich mit 14 000 Gewaltdarstellungen konfrontiert.
c Ein 14-jähriger Junge hat ein 7-jähriges Kind ermordet.
d Sie müssen ihren Kindern den Unterschied zwischen Fernsehen und Realität früh beibringen.

MODERATORIN: Herzlich willkommen, liebe Zuschauer. Gewalt hat viele Gesichter. Manche Leute werden täglich mit Gewalt konfrontiert, während andere fast nie damit in Kontakt kommen. Aber kann man sagen, dass jeder, der Fernsehen schaut, auch oft Gewalt sieht? Wir haben heute einen Experten zu dieser Frage eingeladen. Was meinen Sie, Herr Doktor Stachorra?

STACHORRA: Ich bin fest davon überzeugt, dass man heutzutage Gewalt am häufigsten im Fernsehen sieht. Bis zu 4000 Menschen werden jede Woche auf den Fersehkanälen erwürgt, erschossen, in die Luft gesprengt oder sonstwie gemeuchelt. Für Erwachsene ist diese Tatsache nicht so schlimm, weil sie den Unterschied zwischen Fernsehen und Realität kennen. Aber Kinder und Jugendliche verstehen diesen Unterschied nicht völlig. Sie versuchen oftmals nachzuahmen, was sie im Fernsehen sehen und lernen.

MODERATORIN: Und wie groß ist das Problem?

STACHORRA: Untersuchungen haben ergeben, dass Kinder und Jugendliche wöchentlich mit 14 000 Gewaltdarstellungen konfrontiert werden. Das passiert in Vorabendserien, in Comicfilmen und Actionstreifen, aber auch in den Nachrichten und in Dokumentarsendungen.

MODERATORIN: Und haben Sie Beispiele, die zeigen, wohin diese Gewalt führt?

STACHORRA: Vor zwei Jahren gab es einen besonders widerlichen Fall in Amerika. Ein 14-jähriger Junge, Sandy Charles, hat ein 7-jähriges Kind ermordet. Charles wurde wegen dieses brutalen Angriffs verurteilt. Während des Prozesses fand man heraus, dass Charles ein Ritual aus dem Film *Warlock* nachgeahmt hatte.

MODERATORIN: Was können wir denn machen, um dieses Problem zu lösen?

STACHORRA: Ich finde es richtig und auch nützlich, dass Eltern ihren Kindern so früh wie möglich den Unterschied zwischen Fernsehen und Realität beibringen. Kinder sind für Werte, die vom Fernsehen vermittelt wurden, sehr empfänglich und übernehmen dieses Weltbild schnell. Es gibt gewisse Regeln, die jeder Mensch im Leben befolgen muss, egal ob er mit diesen Regeln einverstanden ist oder nicht. Je schneller Kinder diese Regeln lernen, desto besser sind sie darauf vorbereitet, wenn sie mit Gewalt konfrontiert werden. Erst wenn sie die Grundregeln des Lebens kennen, können sie ihr eigenes Weltbild entwerfen.

MODERATORIN: Danke, Herr Doktor Stachorra.

Exercise 5 page 93

This might be a good opportunity to revise the usage of the formal *Sie* and its various cases.

2 Seifenoper pages 94–95

Talking and writing about soap operas; revision of relative pronouns

If your students have access to satellite TV, they may enjoy watching German TV series at home. In a lighthearted way, this could help them to extend their everyday/colloquial vocabulary.

Exercise 1 page 94

Instead of leading into the theme by discussion, you could record some scenes of a German soap opera (ideally *Forsthaus Falkenau*), play it to the students and ask them what kind of programme this is: a detective story, a love story, a soap opera? Why did they recognise it as a soap opera?

Exercise 3 page 94

This provides the sentences on which exercise 4a is based. It will make writing a continuation of the soap opera (exercise 6) easier if students establish the network of relationships between the various protagonists first. They could read the text, fill in the gaps in a–l and work out in which relation the persons mentioned stand to each other.

e.g. Martin Rombach ist Förster im Forsthaus Falkenau, er ist der Vater von Andrea Rombach. Markus ist Martin Rombachs Sohn. Toni Lederer ist Waldarbeiter und arbeitet für Martin Rombach. Baron Bernried ist Martin Rombachs Gegenspieler …

a Martin Rombach
b die Schwiegermutter Herta
c Andrea Rombach
d Baron von Bernried
e Baron von Bernried
f Markus
g Toni Lederer
h Markus
i Martin Rombach
j Andrea Rombach
k die Schwiegermutter Herta
l Toni Lederer

Exercise 4a page 94

This exercise gives further practice in linking sentences using nominative relative pronouns, leading into more open practice with the other cases in exercise 4b.

Martin Rombach, der nach dem Tod seiner Frau nach Küblach zurückzieht, um das Revier Falkenau zu übernehmen, wohnt zusammen mit seinen drei Kindern und seiner Schwiegermutter. Die Schwiegermutter Herta, die eine Reise in den Süden mit Beiler machen will, wird als Geisel genommen. Baron von Bernried, der Besitzer des benachbarten Privatforsts ist, will sein Schloss wegen finanziellen Ruins anzünden. Markus, der sich in die Tochter seines Chefs verliebt, ist Schreinerlehrling. Toni

Lederer, der Waldarbeiter von Beruf ist, will seinen Verwandten über die tschechische Grenze helfen.

Exercise 5a page 94

1 beschließt
2 einst
3 Anfang
4 erschwert
5 klappt nicht
6 zwischenzeitlich
7 unliebsame
8 Lehrling, Praktikant
9 ausgebrochen
10 ausrichten

Exercise 5b page 94

1 Silva macht dem Förster schöne Augen.
2 Hanna verliebt sich in den Apotheker.
3 Andrea hat ihr Herz an Jonas verloren.
4 Baron von Bernried hat sich in die Oma Inge verguckt.

3 Die deutschsprachige Presse pages 96–97

Stylistic analysis of newspaper report, debate on press freedom; present subjunctive in reported speech

Exercise 1 page 96

You may want to help the students by bringing in examples of the various types of newspapers. *Boulevardpresse: Bild; Sonntagszeitung: Welt am Sonntag, Bild am Sonntag* (also an example of *Boulevardpresse*); *Brigitte* or any other *Frauenmagazin*; *Bravo, Mädchen* or any other *Jugendmagazin*. An example of a *Zeitschrift* could be *Stern*, although *Brigitte* is a *Frauenzeitschrift* as well. *Frankfurter Rundschau/Frankfurter Allgemeine, Süddeutsche Zeitung, Die Welt* could be examples of *überregionale Zeitungen* as well as *seriöse Presse*.

Exercise 2a page 96

You could repeat this type of exercise with other examples, if you have two recent newspapers from the same day.

Bildzeitung: sehr große Schlagzeile; 80+ Wörter; einige Wörter sind lang; Foto; Stil kurz und emotionell, kurze Sätze.

FAZ: ziemlich kleine Schlagzeile; 140+ Wörter, mehr lange Wörter; kein Foto; Stil nüchtern, längere Sätze.

Exercise 4 page 97

First practice of the present subjunctive. Other pronouns can be chosen. The important thing is to recognise the forms of the present subjunctive. Those who cope well will be able to use the present subjunctive in exercise 5. To introduce the present subjunctive, you may want to bring in some examples from newspaper clippings or literary pieces. You could indicate the examples of indirect speech and ask what these examples have in common, or whether anything in the sentence strikes the students as odd.

a Er sagte, er sei krank.
b Sie behauptete, er habe nichts zu sagen.
c Er sagte, er spiele nicht mehr für Bayern-München.
d Er behauptete, er kenne diese Frau doch nicht.
e Die Männer behaupteten, sie seien unschuldig.
f Sie dachten, sie seien verloren.
g Sie rief, sie lese diese Lügen nicht!
h Er erklärte, so eine Situation könne er sich nicht vorstellen.
i Er wollte wissen, was hier los sei.
j Er schrie, er beantworte ihre Fragen nicht!

4 Nachrichten pages 98–99

Talking about the news, writing a news report, use of German media; word order in perfect tense subordinate clauses

Exercise 1 page 98

You could bring in photos of more recent events instead of/in addition to the ones provided here.

A 20. Juli 1969: Apollo 11 landet auf dem Mond.
B 9. November 1989: Öffnung der Grenze zwischen Ost- und Westberlin.
C 1998 wird die französische Fußballmannschaft Weltmeister.
D Flüchtlinge 1998 in Kosovo.

Exercise 3 page 98

Please note that you will have to record the news in advance. You could compare ZDF's *heute* or ARD's *tagesschau* with the news of one of the private stations (SAT 1, RTL etc.).

Exercise 4b page 99

The translations can be found in the text.

1 Die großen Fernsehsender schicken ihre eigenen Korrespondenten an wichtige Orte im Ausland.
2 Parteien geben eigene Schriften heraus, die zur Information und Meinungsbildung dienen.
3 Es gibt auch Agenturen, die sich auf bestimmte Lebensbereiche spezialisiert haben.
4 Ohne sie wäre ein umfassender Nachrichtendienst nicht möglich.
5 Nachrichtenagenturen sind Organisationen, die alles Wichtige über Ereignisse und Geschehnisse sammeln.

A note on the grammar point, page 99:

This would also be a good opportunity to practise the usage of subordinate clauses with other compound tenses, modals etc., to reinforce the point that the main verb goes right to the end. Please see **Worksheet 36** for further reinforcement.

5 Werbung pages 100–101

Analysing advertising, designing an advertisement; imperatives; translation into English

Exercise 2 page 100

You may want to look for your own favourite examples of good/interesting advertisements. Alternatively, you could ask the students to bring in further examples (if they have access to German magazines or newspapers). Ask the students to vote for their favourite advertisement out of the given examples and talk about why they like this advertisement in particular. You could also try to find advertisements that represent examples of different advertising strategies (see exercise 1: *Humor, berühmte Persönlichkeiten* etc.). The students could first vote for their favourite, then try to sort the advertisements according to the categories given in exercise 1. This way, they would have concrete examples of various strategies.

Exercise 3 page 101

Before the students write their own advertisements, you may want to practise the various imperative forms further. For an amusing oral practice, you could play a version of the game 'Simon says': One student gives the others orders to do certain things, such as *Heben Sie Ihren linken Arm, Heben Sie Ihren rechten Arm, Setzen Sie sich, Beugen Sie Ihr rechtes Knie, Gehen Sie zur Wand* etc. At some point, the person that is giving commands tries to fool the others and makes a movement contrary to what he/she is saying, e.g. he/she lifts right arm even though he/she asked the others to lift the left one. If he/she manages to fool at least one person, another person takes over giving orders. Students could use the formal or informal imperative in the plural.

Exercise 4 page 101

This text is fairly long. You could divide it into various parts and ask different students to translate them. Also, before letting the students work on their own translation, run through the tips on page 101 and work on the first paragraph of the text in class. You could type the first paragraph (sentence) double spaced on a worksheet and then hand it to the students. This way, the students can underline the verbs, direct objects and subjects on the sheet, translate key words and then attempt to translate the whole sentence.

6 Immer mehr neue Medien pages 102–103

Role play; revision of the future tense

Exercise 2 page 102

a Telefon, Fax, Computer, Kabelfernsehen, Satelliten
b Die Kinder, weil die Eltern oft Angst haben.

Vielen Erwachsenen macht die Kommunikations- und Mediendichte, von der ihre Kinder umgeben sind, Angst. Telefon und Fax, Computernetze, Kabel- und Satellitenfernsehen bringen die Kinder heute jeden Tag potenziell mit mehr Menschen in Kontakt, als ihre Urgroßeltern im ganzen Leben treffen konnten. Erwachsene reagieren auf diese Flut oft mit Informationsdiät, sie verbannen Fernseher, Computer oder andere Medienquellen aus ihrem direkten Umfeld. Im Gegenteil dazu scheinen Kinder damit keine Probleme zu haben.

Exercise 4 page 103

a Die Bund-Länder-Kommission für Bildungsplanung und Forschungsförderung erstellte einen Orientierungsrahmen für Medienerziehung in der Schule.
b Medienexperte.
c Sie muss sein, aber die Versuche, sie zu institutionalisieren, sind absolut schwach entwickelt.
d Die Schüler sollen nicht nur Medien kennen lernen und Medienaussagen inhaltlich analysieren können, sondern auch selbst kreativ Medien gestalten und für sich nutzen.
e Schüler arbeiten mit lokalen Radiostationen zusammen, produzieren eigene Sendungen und Hörkassetten. Einige Schulen bekamen Video-Schnittplätze, Kameras und Fotoapparate zur Verfügung gestellt.
f Die Lehrer sind unzureichend qualifiziert.
g Den Unterschied zwischen Fiktion und Wirklichkeit.

Exercise 5 page 103

This exercise practises the future tense.

a Jedes Haus wird einen Computer neben dem Fernseher haben.
b Wir werden nicht mehr Briefe auf Papier schreiben.
c Ein Besuch der Geschäfte wird nicht mehr nötig sein.
d Wir werden alles von unseren Sesseln aus kaufen.
e Der Lehrer wird Hausaufgaben an dem Computerbildschirm korrigieren.
f Benutzerfreundlichkeit wird sehr wichtig sein.
g Unsere Großeltern werden über die neue Technologie lernen müssen.
h In den nächsten Jahren wird das Internet alle Formen der Kommunikation vereinen.
i Ich werde gegen diese neuen Entwicklungen kämpfen.
j Aber ich fürchte, dass es mir nicht gelingen wird.

Chapter 5 Rechte

1 Rechte und Verantwortungen pages 104–105

Discussion of legal rights; negation

Exercise 1 page 104

Here is some background information on the rights of young people in Germany:

16-Jährige:
- In einigen Städten können 16-Jährige in Kommunalwahlen wählen.
- 16-Jährige müssen einen Personalausweis bei sich tragen.
- Sie können ein Moped fahren.
- In Ausnahmefällen können 16-Jährige heiraten.
- Sie können alkoholische Getränke kaufen und trinken, mit der Ausnahme von Branntwein.
- 16-Jährige dürfen rauchen.
- Sie können bis Mitternacht ausgehen.
- 16-Jährige, die ein Verbrechen begehen, müssen sich eventuell vor Gericht verantworten und können zu Haftstrafe in einer Jugendstrafanstalt verurteilt werden.

18-Jährige:
- 18-Jährige haben das aktive und passive Wahlrecht, d.h. sie können wählen gehen, können aber auch für politische Posten kandidieren. Theoretisch könnte es einen 18-jährigen Bundeskanzler geben!
- 18-jährige Männer sind wehrpflichtig, d.h. ab 18 Jahren müssen sie für den Wehrdienst bei der Bundeswehr zur Verfügung stehen – oder den Wehrdienst verweigern. Im Verweigerungsfall müssen sie einen Zivildienst absolvieren.
- Mit 18 darf man einen Führerschein erwerben und Auto oder Motorrad fahren.
- Man kann selbstständig Verträge (z.B. Kaufverträge, Eheverträge) abschließen und heiraten.
- Man darf Branntwein trinken.
- 18-Jährige können ausgehen, solange sie wollen.
- Sie können auch in Spielhallen gehen.
- 18-Jährige sind für alle Verbrechen, die sie begehen, voll verantwortlich. Bis zum 21. Lebensjahr kann man aber entweder zu Jugendstrafe (in einer Jugendstrafanstalt)

oder zu einer (oft härteren) Strafe als Erwachsener verurteilt werden. Das hängt davon ab, wie reif man ist.

Exercise 2a page 104

The answers to the exercise are on cassette.

Die Bürger müssen gut politisch informiert sein.
Die Privatsphäre des Einzelnen muss geschützt werden.
Die Regierung wird von dem Volk gewählt.
Es muss eine Opposition im Parlament geben.
Ich darf an einer Demonstration teilnehmen.
Ich darf in eine Gewerkschaft eintreten.
Ich habe ein Recht auf eine Stelle und eine Wohnung.
Jeder darf seine Meinungen frei äußern können.
Jeder muss frei reisen können.
Jeder muss seinen Beruf frei wählen können.
Jeder muss vor dem Gesetz gleich sein.
Niemand darf Not oder Armut leiden.
Regelmäßige und geheime Wahlen müssen stattfinden.

In exercise 3, the main purpose is to practise the negative. Students could use the sentences in exercise 2a and negate them. The definition of dictatorship would be a good one to learn by heart.

Exercise 6 page 105

Articles 1 and 3 are referred to in the first two pictures, but all the points in the cartoon come from the *Grundgesetz*.

2 Die Demokratie pages 106–107

Impersonal passive, imperfect subjunctive

Exercise 2 page 106

This exercise and exercise 3 practise the passive, both personal and impersonal.

a Es wird an politischen Veranstaltungen teilgenommen.
b Es wird für Benachteiligte eingetreten.
c Schwächere werden geschützt.
d Die Verantwortung wird übernommen.
e Ausländische Mitschüler und Mitschülerinnen werden unterstützt.
f Alte Menschen werden betreut.
g Flugblätter werden verteilt.
h Der Abgeordnete wird in die Schule eingeladen.

3 Warum verlassen Menschen ihre Heimat? pages 108–109

Perfect tense passive

Exercise 1 page 108

You may want to bring in a map to let students show where their (great)grandparents came from. If it is a map that's not too precious, students could stick pins into the places of their origin.

Exercise 2 page 108

a Menschen	e gehören	i Kriegszeiten
b Heimat	f politische	j Jugoslawien
c sicher	g Religion	k gezwungen
d fühlten	h Herrschenden	

Exercise 4a page 108

Encourage students to tackle exercise 4a without reference to the captions.

You may want to take the opportunity to find out how much students know about the peaceful revolution in and reunification of Germany. Some basic understanding of the GDR system will be helpful for the reading text in exercise 6.

1 Deutsche Auswanderer auf der Seereise nach Amerika.
2 Bürgerkrieg in Bosnien.
3 DDR-Bürger versuchen in den Westen zu fliehen.
4 Hutus und Tutsis fliehen ihr Land.
5 Juden verlassen in den 30er Jahren das Vaterland.

Exercise 5 page 109

a Aus dem ehemaligen Jugoslawien.
b Sie wohnt in einem Containerdorf. Ihre Familie hat zwei Zimmer und eine Miniküche – 24 Quadratmeter Wohnraum.
c In anderen Flüchtlingsfamilien müssen sich sechs Personen den gleichen Platz und acht Parteien drei Küchenherde teilen.
d Weil eine Granate in unmittelbarer Nähe ihrer Wohnung einschlug.

Sonja ist 14 Jahre alt und schon Flüchtling. Mit ihren Eltern und ihrem jüngeren Bruder lebt sie jetzt in Deutschland in einem Containerdorf für Flüchtlinge aus dem ehemaligen Jugoslawien. Über zwei Zimmer und eine Miniküche können sie verfügen. Mit insgesamt 24 Quadratmetern Wohnraum ist ihre Familie noch gut bedient. In anderen Flüchtlingsfamilien müssen sich sechs Personen den gleichen Platz und acht Parteien drei Küchenherde teilen.

Sonja kommt aus Sarajewo, der Hauptstadt Bosniens. Ihr Vater hatte dort als Metallfacharbeiter gut verdient. Sonja hatte eine schöne Jugend – bis der Krieg begann. Granaten schlugen in der Stadt ein, Scharfschützen schossen auf Fußgänger. Nahrungsmittel wurden immer wieder knapp, weil die Zufahrtswege blockiert waren. Auch der Flughafen lag als letzte Verbindung zur Außenwelt zeitweilig unter Beschuss. Als in unmittelbarer Nähe ihrer Wohnung eine Granate auf einem Spielplatz einschlug und zwei Kinder tötete, stand für Sonjas Vater fest: Hier bleiben wir nicht länger! Unter dem Schutz von Truppen der Vereinten Nationen verließ Sonjas Familie mit vielen anderen die zerstörte Stadt. Sie konnten nur mitnehmen, was sie tragen konnten. Nach einem halben Jahr im Lager geht Sonja jetzt auf eine deutsche Schule.

Exercise 6 involves retelling the story in the perfect tense, and may well include the perfect passive. Students could do exercise 7 first as preparation for this.

Exercise 7 page 109

a Die Mauer ist gebaut worden.
b Die DDR ist von der BRD abgeriegelt worden.
c Eine Belegschaftsversammlung ist einberufen worden.
d Er ist vor die Wahl gestellt worden.
e Sein Sohn ist schikaniert worden.

4 Fremd in Deutschland (1) pages 110–111

Analysing and discussing statistics; weak and adjectival nouns, nationalities

The *nützliche Ausdrücke* given in exercise 2 will be useful for discussing any map or statistical information.

Exercise 3 page 111

You could point out here that the feminine forms of the masculine weak nouns have the *-in* suffix, which is a way of telling that they are weak rather than adjectival nouns.

DEUTSCHLAND:	der Deutsche, die Deutsche, Deutsch
ENGLAND:	der Engländer, die Engländerin, Englisch
FRANKREICH:	der Franzose, die Französin, Französisch
POLEN:	der Pole, die Polin, Polnisch
SPANIEN:	der Spanier, die Spanierin, Spanisch
GRIECHENLAND:	der Grieche, die Griechin, Griechisch
IRLAND:	der Ire (Irländer), die Irin (Irländerin), Irisch/Englisch
NORWEGEN:	der Norweger, die Norwegerin, Norwegisch
BELGIEN:	der Belgier, die Belgierin, Französisch/Flämisch
SCHOTTLAND:	der Schotte, die Schottin, Schottisch/Englisch
HOLLAND:	der Holländer, die Holländerin, Holländisch
WALES:	der Waliser, die Waliserin, Walisisch/Englisch
JUGOSLAWIEN:	der Jugoslawe, die Jugoslawin, Serbokroatisch
SÜDAFRIKA:	der Südafrikaner, die Südafrikanerin, Afrikaans/Englisch

Exercise 4 page 111

a Ein Jugendlicher hat nicht alle Rechte eines Erwachsenen.
b Beamte in Deutschland haben viel mehr Rechte als andere Angestellte.
c Unser Vorsitzender hat heute den deutschen Kandidaten interviewt.
d Wir müssen alle zusammen mit unseren Nachbarn in Europa arbeiten – die Franzosen mit den Deutschen, die Italiener mit den Griechen, die Schotten mit den Engländern.
e Ich muss einen Brief an meinen Abgeordneten schreiben.

5 Fremd in Deutschland (2) pages 112–113

Offering opinions

Exercise 1a page 112

1 1997
2 7 365 800
3 9
4 3
5 die Türken
6 die Jugoslawen
7 die Italiener
8 die Griechen
9 Viertel
10 der Europäischen Union
11 jünger
12 21,7

Es gab Ende 1997 rund 7 365 800 Ausländer in Deutschland. Das ist ungefähr neun Prozent der Gesamtbevölkerung. Die vier größten Gruppen sind die Türken, die Jugoslawen, die Italiener und die Griechen. Ein Viertel aller Ausländer kommt aus der Europäischen Union. Die ausländische Bevölkerung in Deutschland ist deutlich jünger als die deutsche Bevölkerung. Rund 21,7 Prozent von Deutschlands ausländischer Bevölkerung ist in Deutschland geboren.

Exercise 1b page 112

1 richtig
2 richtig
3 richtig
4 falsch
5 falsch

Exercise 2 page 112

The tip box provides useful phrases for any discussion of opinions.

6 Tiere haben auch Rechte pages 114–115

Conditional clauses, comparatives and superlatives

Notes on the grammar point, page 114:

1 A favourite to practise the usage of *würde* plus infinitive are 'What if …' games. You could pick different versions, e.g.: *Wenn ich Premierminister/in wäre, dann würde ich …*. You could divide the students into two (or more) groups. Each group could then brainstorm what they would do as prime minister and phrase their ideas as *würde*-sentences. Another example: *Wenn ich reich wäre/im Lotto gewänne, dann würde ich …*. The group that phrases most sentences within the time allowed wins.

2 Here are some example sentences with which you could practise forming the conditional. To begin with, you could give the students the English equivalents of the German conditional sentences. Then, they could try to work out the sentences for themselves.

a Das Kalb bekommt keine Muttermilch. Das Kalbfleisch bleibt so schön weiß.
Wenn das Kalb Muttermilch bekäme, dann wäre das Kalbfleisch nicht so schön weiß.
(If the calf got its mother's milk, the calf's flesh wouldn't be so nice and white.)
b Du bist immer so gemein. Ich verlasse dich.
Wenn du nicht immer so gemein wärest, dann würde ich dich nicht verlassen.
(If you weren't always so mean, I wouldn't leave you.)
c Herr Meier ist so groß. Er passt nicht durch die Tür.
Wenn Herr Meier nicht so groß wäre, dann würde er durch die Tür passen.
(If Mr Meier weren't so tall, he would fit through the door.)
d Es gibt so viele Kriege. Viele Menschen verlassen ihre Heimat.
Wenn es nicht so viele Kriege gäbe, dann würden viele Menschen ihre Heimat nicht verlassen.
(If there weren't so many wars, many people wouldn't leave their home countries.)
e Herr Emil kommt immer zu spät. Die Chefs kündigen ihm.
Wenn Herr Emil nicht immer zu spät käme, dann würden die Chefs ihm nicht kündigen.
(If Mr Emil didn't always come so late, his bosses wouldn't sack him.)
f Das Licht ist aus. Es ist so dunkel.
Wenn das Licht nicht aus wäre, dann wäre es nicht so dunkel.
(If the light weren't out, it wouldn't be so dark.)
g Die Sonne scheint. Es ist so hell.
Wenn die Sonne nicht schiene, dann wäre es nicht so hell.
(If the sun weren't shining, it wouldn't be so bright.)
h Wir haben keinen Strom. Ich sehe jetzt nicht fern.
Wenn wir Strom hätten, dann würde ich jetzt fernsehen.
(If we had electricity, I would be watching TV now.)
i Wir gehen wandern. Wir fahren heute nicht zu Stefan.
Wenn wir heute nicht wandern gingen, dann würden wir zu Stefan fahren.
(If we weren't going hiking today, we'd go to see Stefan.)
j Ich bin müde. Ich gehe heute Abend nicht aus.
Wenn ich nicht müde wäre, dann würde ich heute Abend ausgehen.
(If I weren't tired, I would go out tonight.)

Exercise 3a page 115

1: Ich finde, mit Klonen missachten wir die Würde der Tiere. Wenn wir sie nur als Versuchsobjekte benutzen, wird ihre natürliche Identität verletzt.
2: Es ist heute noch nicht möglich, die Folgen des Klonens zu verstehen oder vorherzusehen. Aus diesem Grunde kann es sehr gefährlich sein, auf gut Glück zu experimentieren.
3: Man weiß nicht, wo das alles hinführen könnte – zuerst Versuche an Tieren und dann vielleicht sogar an Menschen? Das widerspricht doch jeglicher Ethik und Moral!
4: Klonen ist weder mit religiösen noch mit evolutionären Weltvorstellungen vereinbar. Wir sollten als Menschen nicht so rigoros in die Naturprozesse eingreifen!
5: Das Klonen von Säugetieren gewinnt wahrscheinlich eines Tages für die medizinische Forschung an Bedeutung. Jede innovative Forschungsrichtung stößt am Anfang auf Widerstand. Die Zeit wird die Wichtigkeit des Klonens für uns Menschen zeigen.
6: Der Artikel 5 des Grundgesetzes sagt eindeutig, dass Kunst und Wissenschaft, Forschung und Lehre frei sind.
7: Seit Jahren schon wird mit Pflanzen experimentiert – warum gibt es jetzt diese Aufregung bei Tieren? Warum sollten sie anders sein?

Exercise 4 page 115

This exercise practises the comparative and superlative.

a bequemer, teurer
b besser
c weißere, feiner
d brutalsten
e billigste
f länger, mehr
g neueste
h genauer
i teuersten
j mehr, besser

Chapter 6 Arbeit

1 Das deutsche Schulsystem pages 116–117

Reading a longer technical text, comparing British and German education systems

Exercise 1 page 116

SCHÜLERIN A: O Mann, ich bin total erledigt. Die Schule regt mich zur Zeit voll auf.
SCHÜLERIN B: Ja, immer dieses frühe Aufstehen und um acht Uhr schon da sein. Und dann bis um eins Schule!
SCHÜLERIN A: Genau. Von Montag bis Freitag das Gleiche – nur zwei freie Tage. Ich freue mich immer schon auf Samstag und Sonntag.
SCHÜLERIN B: Und ich freue mich immer auf die Pausen.
SCHÜLERIN A: Zum Glück haben wir jeden Tag zwei davon – nach der zweiten Stunde die große Pause und nach der vierten Stunde die kleine Pause.
SCHÜLERIN B: Ja, und was mich am allermeisten aufregt ist dieser Nachmittagsunterricht. Da hat man Schule bis halb vier oder sogar Viertel nach fünf und dazu muss man Hausaufgaben machen und lernen.
SCHÜLERIN A: Und je älter man wird, desto öfter hat man Nachmittagsunterricht. Meine Schwester ist in der zwölften Klasse und hat dreimal in der Woche Nachmittagsunterricht.
SCHÜLERIN B: Aber alles wird eines Tages enden. Und dann werden wir doch denken, dass die Schulzeit eigentlich ganz schön war.

Exercise 2a page 116

a Kindergarten
b Grundschule
c Orientierungsstufe
d Hauptschule
e Realschule
f Gymnasium
g Gesamtschule
h zweite Bildungsweg

Exercise 2b page 117

1 falsch
2 richtig
3 richtig
4 falsch
5 richtig
6 falsch
7 falsch
8 falsch
9 richtig
10 richtig

Exercise 2c page 117

1 Der Besuch im Kindergarten ist freiwillig.
2 Mit sechs Jahren kommen die Kinder in die Grundschule.
3 Nach den vier gemeinsamen Jahren in der Grundschule wechseln die Schüler in eine andere Schulform – die Orientierungsstufe.
4 Die Schüler besuchen zunächst entweder eine Hauptschule, eine Realschule oder ein Gymnasium.
5 In einigen Gegenden besuchen alle Schüler eine Gesamtschule.
6 Schüler in Hauptschulen und Realschulen verlassen die Schule nach der zehnten Klasse.
7 Schüler in Gymnasien, die an einer Universität studieren wollen, gehen in die Oberstufe.
8 Die Oberstufe dauert drei Jahre.

2 Prüfungsangst pages 118–119

Study and exam revision skills; words for 'when'

You may want to use this spread as an opportunity to pass on study and revision techniques, and to prepare students mentally for the exams.

Exercise 2 page 118

a4, b6, c5, d1, e3, f2

Exercise 3 page 118

SCHÜLER A: O je, nur noch zwanzig Minuten bis zur Matheprüfung, Dani.
SCHÜLERIN B: Ja, ich bin schon so aufgeregt … Ich habe Angst, dass mir nichts einfällt.
SCHÜLER A: Hoffentlich wird sie nicht so schwer. Manchmal sitzt man so davor und weiß überhaupt nichts mehr.
SCHÜLERIN B: Ja genau, dann hat man die totale Denkblockade.
SCHÜLER A: Ich weiß noch, wie es in der letzten Prüfung war. Da habe ich so sehr gezittert, dass ich gar nicht mehr mit Bleistift und Lineal umgehen konnte.
SCHÜLERIN B: Das habe ich auch schon mal erlebt. Da ist man so aufgeregt, dass man sich verrechnet. Und dann reicht die Zeit am Schluss nicht mehr.

SCHÜLER A:	Die einzige Lösung wäre, etwas gegen die Aufregung zu tun. Ich habe mal gehört, dass da autogenes Training hilft.
SCHÜLERIN B:	Dann ist also alles eine Sache der Einstellung.
SCHÜLER A:	Komm, Dani. Auf geht's. Wir packen das schon.
SCHÜLERIN B:	Ja, viel Glück. Mach's gut.

Exercise 4 page 118

✓ Sie benutzte einen exakten Zeitplan.
Sie machte in den letzten fünf Tagen die letzte Wiederholungsrunde.
Sie bastelte ein beruhigendes Programm für den Tag vor der Prüfung.
Sie hat am Prüfungsmorgen nicht mehr reingeguckt.
✗ Sie flippte fast aus.
Sie hat sich in der WG aufgeregt.

Exercise 5a page 119

1c, 2a, 3b, 4e, 5d

Exercise 5b page 119

1 Ich habe Angst, dass ich mir mit schlechten Noten meine Zukunft verbaue.
2 Ich denke, dass ich die Erwartung meiner Eltern nicht erfülle.
3 Wenn ich schlecht abschneide, werde ich mich vor meinen Freunden blamieren.
4 Die Prüfungssituation jagt mir den Angstschweiß auf die Stirn.
5 Ich fürchte mich vor dem hinterhältigen Prüfer, dem gemeinen Lehrer.

Exercise 5c page 119

1B, 2E, 3A, 4C, 5D

Exercise 6 page 119

This exercise provides a reminder of *wenn*, *als* and *wann* at the same time as giving the students a chance to support each other through the exam situation.

3 Arbeitspraktikum pages 120–121

Describing work experience; checking work

Exercise 2 page 121

Was am wichtigsten für Jobsuchende ist: das Arbeitspraktikum.

Die Studenten, die den Wert eines Arbeitspraktikums am wenigsten verstehen: Philologen und Kunstgeschichtler.

Die kürzeste empfohlene Zeit eines vernünftigen Arbeitspraktikums: zwei Monate.

Wie sich Arbeitspraktika in Deutschland von denen in anderen Ländern unterscheiden: Praktikanten werden bezahlt.

Was besser ist: ein Arbeitspraktikum in Deutschland oder im Ausland: eins in Deutschland.

Eine gute Alternative zu einem Arbeitspraktikum: die Zeitarbeit.

Exercise 3 page 121

The tip box here shows the kind of things students need to look at when checking their work. Some will have particular weaknesses and could be encouraged to check on those especially.

4 Bewerbungen pages 122–123

Writing a letter of application

Exercise 1a page 122

SCHÜLERIN A:	He, Verena, was hast du eigentlich nach der Schule vor?
SCHÜLERIN B:	Eigentlich würde ich total gern für ein Jahr ins Ausland gehen. Aber es ist gar nicht so einfach, dahin zu kommen. Vielleicht beginne ich doch sofort zu studieren.
SCHÜLERIN A:	Ich werde ein Jahr in einem Krankenhaus arbeiten, um Erfahrungen zu sammeln und die Berufswelt ein bisschen näher kennen zu lernen. Danach weiß ich noch nicht genau, was ich machen werde. Was willst du denn studieren?
SCHÜLERIN B:	Ich würde gern Grundschullehrerin werden. Dabei hätte ich am liebsten als Hauptfach Musik. Ich muss aber zuerst eine Aufnahmeprüfung an der Universität machen.
SCHÜLERIN A:	Aber wenigstens können wir machen, was wir wollen. Die Jungs müssen zuerst noch zum Wehrdienst.
SCHÜLERIN B:	Oder zum Zivildienst. Ein Jahr lang oder sogar noch länger.

Exercise 2 page 122

1 TV Producer
2 Krankenhausmanager
3 Heilpraktiker
4 Szene-Scout
5 Öko-Ranger

Exercise 3 page 122

RUDI:	Heilpraktiker
ELLEN:	Szene-Scout
HANNES:	TV Producer
OLAF:	Öko-Ranger
INGE:	Krankenhausmanagerin

RUDI:	Weil ich schon als Kind Asthma hatte, habe ich mich immer für alternative Behandlungsmethoden interessiert. Hier in Dresden ist das Interesse an solchen Sachen besonders groß.
ELLEN:	Alles, was neu ist, interessiert mich wahnsinnig – die neuesten Trends in den Clubs und in den Bars. Leider ist die Schule nicht so interessant und meine Eltern sagen, dass ich nie eine Stelle bekommen werde, weil ich nie früh aufstehen kann.
HANNES:	Ich habe schon viel mit der Theater-AG in der Schule gemacht und ich würde so etwas sehr gerne nach der Schule weitermachen. Ich möchte gern etwas mit Filmen an der Uni studieren und vielleicht sogar mal meine eigenen Filme machen.
OLAF:	Ich hatte schon immer Tiere zu Hause und ich möchte Biologie oder ein ähnliches Fach studieren. Eigentlich wollte ich immer Biolehrer werden, aber jetzt bin ich mir nicht mehr ganz so sicher. Auf jeden Fall will ich nicht in einem Büro arbeiten.

INGE: Ich bin seit drei Jahren Krankenschwester in einem Krankenhaus hier in Dortmund. Ich arbeite sehr gern mit Menschen, aber ich weiß nicht, ob ich das für ewig machen will. Ich glaube, ich habe noch etwas anzubieten.

5 Fit für die Bewerbung pages 124–125

Interview skills, CVs

Exercise 2a page 124

2 5 6 1 3 4

INTERVIEWERIN: Anke, Sie haben gerade eine Stelle bekommen. Möchten Sie mit uns Ihre Erfahrungen teilen?

ANKE: Also, ich musste rund 80 Bewerbungen verschicken und alle mit der gleichen Sorgfalt. Das brauchte natürlich eine Menge Zeit.

INTERVIEWERIN: Und haben Sie einen heißen Tipp für uns?

ANKE: Ja, es ist ganz klar: Wer sich mit schlechten Unterlagen bewirbt, hat von vornherein schlechte Chancen!

INTERVIEWERIN: Was sollte man also machen?

ANKE: Wenn in der Anzeige nicht ausdrücklich handgeschriebene Unterlagen angefordert werden, sollte man unbedingt den Computer benutzen! Und ganz wichtig ist das Passbild. Schwarzweißfotos reichen aus, aber auf keinen Fall diese schrecklichen Bilder aus einem von diesen Fotoautomaten benutzen. Das Geld für einen Fotografen lohnt sich, denn der erste Eindruck ist am wichtigsten. Die Bewerbungsformulare sollten nicht gefaltet oder zusammengeheftet werden. Dabei auf ausreichendes Porto achten. Bewerbungen sind nicht billig: Wer rund 80 Bewerbungen verschicken will, wird mit ungefähr 150 Mark rechnen müssen.

INTERVIEWERIN: Danke, Anke – und alles Gute für Ihre neue Stelle.

Exercise 3 page 125

a (Born 27.11.43)
b Dreijährige Ausbildung zur Textilingenieurin in Krefeld
c Zweijähriges Studium in US-Geschichte, Englisch und Formgebung
d Moderedakteurin, Leitung der Promotionabteilung, Eröffnung der ersten Boutique
e Sie hat ihre eigene Kollektion entwickelt.
f Sehr – in den 80er und 90er Jahren hat sich die Marke erweitert und internationalisiert.

Exercise 4b page 125

1 Interesse an der Musik und gute Kenntnisse der internationalen Musikszene und -branche.
2 Sicheres Auftreten, Kontakt- und Kommunikationsfähigkeit, Eigenständigkeit und Teamfähigkeit, „gesunder" Ehrgeiz und Engagement.
3 Weil jede Stelle nur einmal besetzt werden kann.
4 Vor allem in Englisch, aber auch in Italienisch.
5 Nur zwei Seiten lang.

Exercise 5 page 125

As an alternative to exercise 5 and/or in preparation for the roleplay, you could ask the students to write their own CV.

To apply for a job with MTV, they should draft their CV in such a way that it matches the job they want to apply for, as well as the requirements outlined in the text (by MTV) on page 125. They could make up internships/voluntary work that prove their flexibility etc. Before starting the role play, interviewer and applicant should decide which position (DJ, Journalist etc.) they are dealing with. The interviewer should understand that he/she wants to make sure whether the applicant has the right personality for the job as well as the necessary qualifications. You could prepare his/her role in class by brainstorming some questions the interviewer should ask. Students could then take turns and be interviewer as well as applicant.

You could also help the students by drafting CVs with only minor differences for them. This would leave them free to concentrate on the actual interview. You could have two interviewers interview two job applicants (individually). This way, the two interviewers could briefly discuss which applicant they would give the job to and why. In the group of four, students could discuss what made a difference during the interview. Did the applicants think they could have done better? Do their feelings/impressions coincide with those of the interviewers? This way, students may be able to benefit for a future interview situation.

6 Teleworking pages 126–127

Essay plans

Exercise 1 page 126

A: Ich wohne etwas außerhalb der Stadt und die Staus sind furchtbar. Ich brauche mindestens 40 Minuten in jeder Richtung für nur 10 Kilometer.

B: Es gibt bestimmte Arbeitskollegen, die mir wirklich auf die Nerven gehen. Sie wollen immer über andere Kollegen schwatzen oder darüber, was sie gestern Abend gemacht haben. Das macht mich total fertig.

C: Meine Zwillinge sind jetzt schulreif und beginnen im September mit der Grundschule. Die ist schon um ein Uhr aus und jemand muss sie abholen. Leider arbeite ich hier im Geschäft ganztags und kenne niemanden, der das machen könnte.

D: Ich muss immer viel zu früh aufstehen – gerade zu der Zeit, wenn ich noch nicht in Form bin. Am effektivsten kann ich am späten Nachmittag arbeiten – gerade zu einer Zeit, wenn das Büro zumacht!

E: Es klopft laufend an meine Tür. Ich habe nie Ruhe, um meine eigene Arbeit zu machen. Ich muss mich ständig mit den Problemen anderer beschäftigen.

F: Ich arbeite ganz gern bei offenem Fenster. Meine Kollegen beklagen sich immer darüber. Sie meinen, es sei zu kalt und dass es zieht.

G: Die Fahrpreise werden immer teurer, wissen Sie. Je mehr sie steigen, desto schlimmer wird die Pünktlichkeit und Sauberkeit der Züge.

H: Ich arbeite sehr gern selbstständig – im Büro habe ich immer das Gefühl, man überwacht mich.

Chapter 7 Literatur

1 Einführung pages 128–129

Background to German literature

Exercise 1 page 128

1749 wurde Goethe geboren.
1765 begann Goethe sein Studium.
1832 starb Goethe.
1898 wurde Brecht geboren.
1924 starb Kafka.
1928 erschien die *Dreigroschenoper* von Brecht.
1933 floh Brecht vor den Nazis.
1972 erhielt Böll den Nobelpreis für Literatur.

Exercise 2a page 128

1c, 2e, 3g, 4a, 5d, 6b, 7f

Exercise 3 page 129

Der/Die Schriftsteller(in) ist jemand, der literarische Werke schreibt.
Der/Die Dichter(in) schreibt Gedichte.
Der/Die Autor(in) eines Werks ist der Mensch, der das Werk geschrieben hat.
Der/Die Dramatiker(in) schreibt Theaterstücke.

2 Gedichte pages 130–131

Middle High German, Goethe, poetry, reasons for reading literature; imperfect subjunctive; creative writing

Exercise 2b page 130

mîn, dîn, gewis, beslozzen, slüzzelîn, muost

Exercise 2c page 130

Du bist mein, ich bin dein:
Dessen sollst du gewiss sein.
Du bist eingeschlossen
in meinem Herzen;
verloren ist das Schlüssellein:
du musst immer drinnen sein.

Exercise 4a page 130

HEIDENRÖSLEIN

Sah ein Knab ein Röslein stehn,
Röslein auf der Heiden,
War so jung und morgenschön,
Lief er schnell, es nah zu sehn,
Sahs mit vielen Freuden.
Röslein, Röslein, Röslein rot,
Röslein auf der Heiden.

Knabe sprach: Ich breche dich,
Röslein auf der Heiden!
Röslein sprach: Ich steche dich,
Daß du ewig denkst an mich,
Und ich wills nicht leiden.
Röslein, Röslein, Röslein rot,
Röslein auf der Heiden.

Und der wilde Knabe brach
'S Röslein auf der Heiden;
Röslein wehrte sich und stach,
Half ihm doch kein Weh und Ach,
Mußt es eben leiden.
Röslein, Röslein, Röslein rot,
Röslein auf der Heiden.

Exercise 5 page 131

ANLIEGEN

O schönes Mädchen du,
Du mit dem schwarzen Haar,
Die du ans Fenster trittst,
Auf dem Balkone stehst!
Und stehst du wohl umsonst?
O stündest du für mich
Und zögst die Klinke los,
Wie glücklich wär ich da!
Wie schnell spräng ich hinauf!

Exercise 6 page 131

zögst, wär, spräng

Tip box, page 131:

In addition to the poems given here, students could choose their own favourite Goethe poem (or poems by other German writers). They could introduce their poem in class by writing/pinning it on a board. All students should have the opportunity to read the poems the other students have chosen. Then each student should explain why he/she chose this poem. At the end, the students could vote on the favourite poem of the class as a whole. If students don't have access to a collection of German poems, you may want to provide a selection on photocopies.

3 Märchen pages 132–133

Analysis of fairy tales; essay writing

Exercise 1 page 132

Having chosen their vocabulary, students could then get together in groups and make up their own fairy tale. They should note their ideas in key words and then tell the class their fairy tale.

4 Kafka und Brecht pages 134–135

Discussion of symbolism and of literary themes; literary translation

Exercise 4 page 135

NB: Verses 2, 3 and 7 (see page 135 in Student's Book) are not included in the sung version on tape.

DIE MORITAT VON MACKIE MESSER

UND der Haifisch, der hat Zähne
Und die trägt er im Gesicht
Und Macheath, der hat ein Messer
Doch das Messer sieht man nicht.

An 'nem schönen blauen Sonntag
Liegt ein toter Mann am Strand
Und ein Mensch geht um die Ecke
Den man Mackie Messer nennt.

Und Schmul Meier bleibt verschwunden
Und so mancher reiche Mann
Und sein Geld hat Mackie Messer
Dem man nichts beweisen kann.

Jenny Towler ward gefunden
Mit 'nem Messer in der Brust
Und am Kai geht Mackie Messer
Der von allem nichts gewußt.

Und das große Feuer in Soho
Sieben Kinder und ein Greis –
In der Menge Mackie Messer, den
Man nicht fragt und der nichts weiß.

Und die minderjährige Witwe
Deren Namen jeder weiß
Wachte auf und war geschändet
Mackie, welches war dein Preis?

5 Heinrich Böll pages 136–137

Textual comprehension; future perfect

The future perfect is explained to aid understanding of the text. No practice is required at this stage.

Exercise 2 page 137

a An der Brücke.
b Er muss die Leute zählen, die über die Brücke gehen.
c Er zählt keine Leute, während er seine Geliebte sehen kann.
d Sie hat lange braune Haare und zarte Füße.
e In einer Eisdiele.
f Weil er seine Geliebte nicht gezählt hat.
g Zuverlässig und treu.
h Er wird Pferdewagen zählen.

6 Dürrenmatt und Grass pages 138–139

Textual comprehension and creative writing

Exercise 1 page 138

a Rauchen.
b Weil er über die Gravitation nachdenken sollte, nicht eine Frau lieben, und wegen des Alterunterschieds.
c Er ist nicht Newton, sondern Einstein.
d Weil Ernesti sich einbildet, Albert Einstein zu sein.

Exercise 4 page 139

Before students get ready to write their own poem, you may want to discuss possible topics.

A2 overview

	TOPICS	GRAMMAR	MAIN SKILLS	OUTCOME
1 Umwelt				
1 Unsere Welt: Stunde Null? *p. 140* TN p. 51	Environmental crisis?	Indirect speech (1)	How to express agreement and disagreement, sentence openings for a formal letter	Writing a letter to Greenpeace
2 Klimakatastrophe? *p. 142* TN p. 51	The greenhouse effect	The passive with modal verbs (1)	How to approach translation into English	Writing a newspaper article
3 Einweg ist ein Irrweg *p. 144* TN p. 52	Rubbish and recycling	Participles used as adjectives	How to guide a discussion onto known topic areas	Role-play
4 Lebensfaktor Energiè *p. 146* TN p. 53	Energy conservation	The impersonal passive	Gap text, how to write a summary in English from a listening text in German *[W/S 66]*	Writing a summary
5 Alles verkehrt? *p. 148* TN p. 54	Noise and traffic pollution	The passive with modal verbs (2) *[W/S 68]*	Reading for detail, taking notes under categories	Role-play *[W/S66]*
6 Kraftausdruck Kernkraft? *p. 150* TN p. 54	Nuclear power		How to structure an essay *[W/S 82]*	Writing an essay on nuclear power
2 Soziale Themen				
1 Einstiegsdroge Nummer Eins? *p. 152* TN p. 55	Alcohol	*da* + preposition *[W/S 88]*	How to match sentence beginnings and endings	Correcting the summary of a listening text
2 Zufriedene Zecher! *p. 154* TN p. 56	Alcoholism	*hätte/ wäre* + past participle	Finding the equivalent in German to sentences in English, matching sentence beginning and endings, giving definitions	Role-play
3 Im Rausch *p. 156* TN p. 57	Drug addiction	Adjectives used as nouns	Identifying key vocabulary for essays	Compiling a vocabulary list for a topic
4 Ein Recht auf Rausch? *p. 158* TN p. 58	Legalising cannabis		Listening with gapped text, useful essay phrases	Writing an essay on the legalisation of drugs
5 Jung und ohne Zukunft *p. 160* TN p. 58	Unemployment among young people	*wenn* sentences without *wenn*	Finding synonyms, gap text	Role-play *[W/S 87]*
6 Weg von zu Hause *p. 162* TN p. 59	Running away from home	Suppositions with *müssen*	Role-play, song gap-fill	
7 Vom Opfer zum Täter ... *p. 164* TN p. 59	Right-wing extremist violence	Indirect speech (2) *[W/S 64]*	Reading for detail, song gap-fill	Writing a summary
8 „Kein Mensch ist illegal" *p. 166* TN p. 60	Illegal immigration in Germany	Conditional sentences *[W/S 70, 77, 80]*	Checking your work	Listening and summarising an argument
3 Zukunft				
1 Zukunftsorientiert! *p. 168* TN p. 60	A look into the future	Word order *[W/S 90]*	How to find the right synonyms *[W/S 78]*	Writing a summary
2 Ein Paradies auf Erden *p. 170* TN p. 61	Tourism in the future	*dieser/ jener*	Reading for detail, doing a presentation	Writing a summary
3 Lossurfen! *p. 172* TN p. 62	The Internet	Prepositions with the genitive	Looking up words in the dictionary	Writing a letter to a computer magazine
4 Jukebox im Internet *p. 174* TN p. 63	Music from the Internet	*lassen*	Improving writing style and language range *[W/S 72]*, reading and noting specialist vocabulary *[W/S 69]*, answering questions in English	Presenting your point of view and arguing it through
5 Virtuelles Leben *p. 176* TN p. 63	Virtual reality		Phrases to use in essays	Writing an essay on the future
6 Einkaufen vom Fernsehsessel aus *p. 178* TN p. 64	Tele-shopping		Doing a presentation with notes, identifying key words for understanding	Recording a commercial

continued on page 50

	TOPICS	GRAMMAR	MAIN SKILLS	OUTCOME
continued from page 49...				
4 Ethik				
1 Wie sag ich's meinen Eltern? *p. 180* TN p. 64	Homosexuality	*wenn* sentences without *wenn* (2)	Role-play	
2 Der Kampf ums Kind *p. 182* TN p. 65	Divorce	Indirect speech (3)	Registers, translating into German	Designing your own poster
3 Rollenwechsel *p. 184* TN p. 66	Living with a handicap	Verb + preposition *[W/S 89]*	Taking notes under categories, how to do gap texts *[W/S 76]*	Planning an advertisement for the handicapped
4 Furcht vor Frankenstein *p. 186* TN p. 67	Cloning human beings	Relative pronouns *[W/S 75]*	Answering questions in English, phrases to express your opinion and disagreement	Discussion in pairs
5 „Qualm gefälligst draußen" *p. 188* TN p. 67	Smoking	Word order with *sich*	Finding the correct sentence endings *[W/S 85]*, phrases to express agreement/ disagreement	Writing a letter to an employer
6 Abtreibung: die richtige Entscheidung? *p. 190* TN p. 68	Abortion	*hätte/ wäre* + modal verb	Reading and listening for detail	Discussion in pairs *[W/S 74]*
5 Wir wollen doch anders sein!				
1 Die Verwandlung *p. 192* TN p. 68	Kafka's *Metamorphosis*		Identifying parts of a long sentence, creative writing	Translating into German
2 Der Profi-Pirat *p. 194* TN p. 69	Radio pirate	The imperfect subjunctive instead of *würde*	Translating into English	Creative writing
3 Handy-Manie *p. 196* TN p. 70	Mobile phones	The passive	Gap text in English	Writing a report
4 Bühne für Paradiesvögel *p. 198* TN p. 70	Holiday in Ibiza		Listening for specific information	Writing a letter of complaint
5 Nein, ich will nicht! *p. 200* TN p. 71	Marriage	Future II: the future perfect *[W/S 79]*	Gap text, reading for detail	Writing an essay on marriage Debate on marriage *[W/S 83]*
6 Guildo hat euch lieb! *p. 202* TN p. 72	Celebrities	Order of direct and indirect objects	Essays: organising paragraphs	Researching
7 Verloren in der Zeit oder ... *p. 204* TN p. 73	Inequality in society	Miscellaneous	Checking your work *[W/S 71]*	Writing a diary entry
8 ... getrieben von der Zeit? *p. 206* TN p. 73	Life in the rat race		Phrases to use in essays, structuring an essay	Role-play
6 Politik und Geschichte				
1 Politik betrifft jeden *p. 208* TN p. 73	Political attitudes		Reading and listening for detail	Writing a survey on political attitudes
2 Sind Sie Partei? *p. 210* TN p. 73	Political parties in Germany		Finding the correct definitions, showing a range of language in the exam	
3 Europa! Europa! *p. 212* TN p. 74	Europe	Modal verbs in the perfect	Reading and listening for detail	Writing an essay on Europe
4 Die Jugend in der Hitlerzeit *p. 214* TN p. 75	The Hitler Youth movement		Gap text, timing in examinations	Writing a piece on Hitler and young people
5 Hitler und die Juden *p. 216* TN p. 75	Hitler and the Jews	*als ob* ('as if')	Reading and listening for detail, preparing your topic for the oral	Diary entry from Hitler's time
6 Schandmauer *p. 218* TN p. 76	The Berlin Wall		Manipulating questions	Writing a letter to a relative in East Germany
7 Die Mauer fällt *p. 220* TN p. 77	The collapse of The Wall		Sentence manipulation *[W/S 84]*	Composing a radio report
8 Jugendkultur *p. 222* TN p. 77	Youth culture		Extracting main points	Writing a short article on youth culture

A2 notes

Chapter 1 Umwelt

Unsere Welt: Stunde Null? pages 140–141

Discussing environmental problems and the individual; indirect speech; letter writing

A brainstorming exercise could be used at the beginning of this topic, with students describing problems even if they do not know the relevant terminology. Students can subsequently be encouraged to collect and describe pictures illustrating environmental problems, using the vocabulary in this exercise.

Exercise 1a page 140

1jD, 2gH, 3dB, 4eG, 5bJ, 6hC, 7iA, 8cE, 9aI, 10fF

Exercise 1c/d page 140

Encourage students to give reasons when discussing. Start as pairwork and once the pairs agree, join two pairs to make fours. As a final result, the whole group must agree, giving reasons for their choice and persuading others to agree with them.

Exercise 2a page 140

1 Er hat sich eine Energiesolarlampe gekauft, er radelt, er isst nicht zu viele Fertiggerichte, sein Computer schaltet sich von selbst ab.
2 Er benutzt viel Energie, heizt mit Strom, kocht zu lange, badet oft und verbraucht viel Papier.
3 Er verbraucht sehr viel Papier.
4 von alleine; verheerend

Exercise 2b page 141

Encourage students to consider all areas of their life, not just daily routine. Get them to include their actions at school/college, holidays and how they could influence the actions of others.

Exercise 3 page 141

a habe
b wisse
c mache
d habe
e sei

Exercise 4 page 141

a 10 000 Kilowattstunden.
b Der Fernseher im Standby-Modus.
c 60 Sklaven, die jeweils 10 Stunden am Tag arbeiten.
d Wenn der ganz persönliche Lebensstil jedes Einzelnen sich verändert.

Im Haushalt fressen elektrische Heizungen den meisten Strom. Sie machen's selten unter 10 000 Kilowattstunden im Jahr. Mit dieser Energie ließen sich 30 Tonnen Wäsche in einer sparsamen Waschmaschine reinigen. Selbst das kleine rote Lämpchen am Fernseher ist nicht ganz so unschuldig, wie es aussieht. Das Gerät verbraucht übers Jahr im Standby-Modus fast so viel Energie wie eingeschaltet: 120 Kilowattstunden. Insgesamt gehen jedes Jahr 200 000 Tonnen CO_2 auf das Konto der wartenden Fernsehzuschauer.

Jeder Bundesbürger pustet so Tag für Tag gute dreißig Kilogramm Kohlendioxid in die Luft, 1990 waren es insgesamt 11,5 Tonnen. Dabei hat er rund 50 000 Kilowattstunden Energie verbraucht. Sollte menschliche Arbeitskraft diese Leistung ersetzen, so hat der Münchner Physiker und Umweltschützer Hans-Peter Dürr errechnet, müsste jeder Bundesbürger an die 60 Sklaven beschäftigen. Diese müssten jeweils zehn Stunden am Tag arbeiten. Ein Bewohner eines durchschnittlichen Entwicklungslandes müsste sich mit zwei Sklaven zufrieden geben. Ein Amerikaner, Weltmeister im Energieverbrauch, müsste 110 Sklaven engagieren.

Die Industrie bemüht sich, verbrauchsärmere und leistungsstärkere Produkte zu entwickeln. Allein mit verbesserter Technik wird sich jedoch das Klima nicht retten lassen, es geht um den ganz persönlichen Lebensstil jedes Einzelnen.

Exercise 5 page 141

Use this activity to emphasise the importance of collecting information for coursework and oral topics. Encourage them to use this letter as a model for writing to similar organisations.

2 Klimakatastrophe? pages 142–143

Predicting environmental problems; modal verbs in the passive; saying what needs to be done

Before reading this text, you could write the word *Treibhauseffekt* and use it for a 'spider diagram' vocabulary brainstorming exercise. Ask students in pairs to list as many words under this heading as possible.

Exercise 1a page 142

alarmierende Prognose, Dürren, Sturmfluten, verschlingen, Missernten (in the text: Miß-), Hunger, fiebernde Erde, versinken

Exercise 1b page 142

1 weitgehend geeinigt haben sie sich
2 eine alarmierende Prognose
3 Schuld ... sind in erster Linie die Industriegesellschaften
4 Erwärmen wir das „Zelt der Erde“

Exercise 1c page 142

Aus den Auspufftöpfen der Autos und aus Kohlekraftwerken und Erdölraffinerien.

Exercise 1d page 142

Die Durchschnittstemperatur wird bis zum Jahr 2030 weltweit um 1,5–4,5°C steigen und das Eis an den Polen wird schmelzen.

Exercise 2 page 142

Ask students to give you the gist of the passage in as few words as possible before starting on a full translation. This will help orientate students.

First and foremost, the industrialised countries are to blame for the greenhouse effect. They envelop the planet in a grey cloak of gases, both natural and those caused by society, and this makes the world into a ball of heat. Let's look at the world from a bird's-eye view: zillions of cars process in mile-long convoys over motorways, highways, 'A' roads, from Japan to Canada, from the Alpine passes to the Amazon.

Exercise 3 page 143

This exercise can be used as a useful revision of newspaper styles. Students could collect headlines from different newspapers. For this activity, encourage students to be as sensationalist as possible.

Exercise 4 page 143

a Flaschen sollten recycelt werden.
b Luftverschmutzung muss reduziert werden.
c Afrikanische Elefanten sollten geschützt werden.
d Mehr Energie könnte gespart werden.
e Öffentliche Verkehrsmittel müssen benutzt werden.

Exercise 5 page 143

JENS
Aktuelle Lage: Die Umwelt ist zerbrechlich. Wir sollten auf die Umwelt achten, mit dem Rad fahren und Flaschen recyceln.
Für die Zukunft: Der Einzelne kann nichts ändern. Nur Politiker können etwas machen, aber das kostet zu viel.

HELGA
Aktuelle Lage: Die wichtigste Frage; ohne Umwelt gibt es keine Zukunft.
Für die Zukunft: Die Gesellschaft muss gemeinsam handeln, an Umweltaktionen teilnehmen und auf den Abgeordneten Einfluss nehmen. Wir sollten nicht nur selbstsüchtig handeln.

RALF
Aktuelle Lage: Die Umwelt ist nicht in Gefahr; die Lage ist nicht besonders schlimm; die Medien wollen nur Angst erregen.
Für die Zukunft: Die Panikmacherei ignorieren.

SUSANNE
Aktuelle Lage: Es ändert sich nichts.
Für die Zukunft: Wir brauchen radikale Lösungen: Fahrverbot in Großstädten; keine Verpackungen für Nahrungsmittel; Energie- und Benzinsteuer.

JÜRGEN
Aktuelle Lage: Er fühlt sich hilflos, engagiert sich trotzdem für die Umwelt.
Für die Zukunft: Bildung ist wichtig.

JENS: Die Umwelt interessiert mich, weil sie so zerbrechlich ist. Wir sollten auf die Umwelt achten, auch wenn es vielleicht manchmal umständlich ist. Zum Beispiel mit dem Rad fahren, wenn das Wetter schön ist, und Flaschen recyceln.
Für die Zukunft bin ich überzeugt, dass der Einzelne nichts ändern kann. Wir täuschen uns, wenn wir glauben, die Welt retten zu können. Das liegt an den Politikern und die haben nur wenig Interesse an Veränderungen, weil wirksame Maßnahmen für die Umwelt zu teuer sind.

HELGA: Für mich ist die Umwelt die wichtigste Frage, die es gibt. Wenn wir nichts zum Schutz unserer Welt machen, haben wir alle keine Zukunft. Die Gesellschaft muss gemeinsam handeln und an Umweltaktionen teilnehmen und jeder muss versuchen, auf seinen Abgeordneten Einfluss zu nehmen. Wenn wir mit dem Auto fahren wollen oder Energie missbrauchen, sollten wir das Gemeinwohl in Betracht ziehen und nicht nur selbstsüchtig handeln.

RALF: Es ist gar nicht nötig, die Umwelt zu retten, da sie nicht in Gefahr ist. Das größte Problem sind die Medien, die ständig von der Umwelt reden und von den Schäden, die wir ihr zufügen. Ich glaube, sie wollen uns nur Angst machen. Die Lage ist gar nicht so schlimm, wie man glaubt. Am besten, wir ignorieren diese Panikmacherei.

SUSANNE: Alle reden über die Umwelt, aber es ändert sich nichts. Ich bin für radikale Lösungen der dringendsten Umweltprobleme. Zum Beispiel Fahrverbot in den Großstädten, keine unnötigen Verpackungen für Nahrungsmittel, Energiesteuer und Benzinsteuer. Wir werden unser Verhalten nur dann ändern, wenn wir dazu gezwungen werden, d.h. wenn wir tief in die Tasche greifen müssen.

JÜRGEN: Ich fühle mich diesen großen Umweltproblemen gegenüber so hilflos, aber ich tue immerhin mein Bestes. Ich bin Mitglied von Greenpeace und engagiere mich für die Umwelt. Bildung ist der Schlüssel zum Erfolg. Wenn wir die Leute auf die Folgen ihrer Taten aufmerksam machen, werden sie hoffentlich mehr auf die Umwelt achten.

3 Einweg ist ein Irrweg pages 144–145

Discussing recycling; participles; presenting arguments and steering a discussion

Students who have been to Germany could be asked about their experiences of recycling in Germany and could compare them with what happens in the UK. Students could discuss which items could be packaged differently and bring in examples from home.

Exercise 1a page 144

1d, 2f, 3a, 4b, 5c, 6g, 7e

Exercise 2a page 145

1 Sie wollen keine Plastikbecher mehr für Schulmilch benutzen.
2 Sie haben den Schulmilch-Verkauf boykottiert und eine Kette von 8000 Plastikbechern durch die Wolfsburger Innenstadt gezogen.
3 Man könnte die Chinesische Mauer jedes Jahr nachbauen.
4 Sie werden aus krebserregenden Stoffen produziert, benutzen wertwolle Rohstoffe und für sie verbraucht man viel mehr Energie als für Glasflaschen. Bei der Verbrennung entsteht CO_2 und für den Müll braucht man immer größere Flächen.

Exercise 2b page 145

Es kostet mehr Geld, die Flaschen zu transportieren, zu lagern und sauber zu machen.

Exercise 2c page 145

1 Wenn man Sachen nach dem Gebrauch wegwirft.
2 Produktion, die umweltfreundlich ist.

Exercise 3 page 145

Students should reuse and adapt vocabulary and structures from the text, although stronger students will be able to use their own words more. Encourage students not to be put off by a counter-argument but to continue with their case as they have prepared it.

Exercise 4a page 145

1 The book my friend bought …
2 The workers who come from Turkey …
3 The shop pulled down because of its bad state of repair …
4 The soldier who died in the war …
5 The milk beakers boycotted by the students …

Exercise 4b page 145

1 Das vor dem Haus geparkte Auto.
2 Der auf der Straße gefundene Schal.
3 Das aus Umweltschutzpapier gemachte Buch.
4 Der mit Mehrwegflaschen geladene LKW.
5 Der von meiner Schwester verlorene Regenschirm.

Exercise 5 page 145

a Weil wir an unsere Nachkommen denken müssen.
b Nicht alle trennen den Müll. Er schlägt eine Geldstrafe vor.
c Weil es zu umständlich ist und wir nur einen kleinen Teil des Haushaltsmülls wieder verwenden können.
d Die Ex-und-Hopp-Mentalität der Konsumgesellschaft.

SABINA: Ich finde es einfach unverantwortlich, dass man sich heute so wenig um die Umwelt kümmert. Recycling ist heutzutage so wichtig, da wir an unsere Nachkommen denken müssen. Sollen sie eines Tages einmal in unserem Müll ersticken? Ich hoffe, dass bald alle Leute die Notwendigkeit von Recycling einsehen.

CHRISTIAN: Warum soll ich meinen Müll sortieren, wenn es sonst keiner macht? Manchmal beobachte ich, wie Leute anderen Müll, wie z.B. Hausabfälle, in den Glascontainer werfen. Ich bin der Ansicht, dass dieses System erst seinen Sinn erfüllt, wenn sich alle danach richten. Aber wie kann man die Leute dazu bringen? Mit Strafgeldern? Ich weiß es nicht!

INGEBORG: Ich finde es zu umständlich, ständig den Müll zu sortieren. Es ist doch viel bequemer, alles direkt in die Mülltonne vor dem Haus zu werfen, die einmal in der Woche geleert wird. Ich glaube nicht, dass Recycling einen so großen Zweck erfüllt, da wir nur einen kleinen Prozentsatz des Haushaltsmülls wieder verwenden können.

KARL-HEINZ: Ich bin fest davon überzeugt, dass Recycling eine wichtige Rolle in unserem heutigen Leben spielt. Die Ex- und Hopp-Mentalität unserer Konsumgesellschaft finde ich ekelhaft.

4 Lebensfaktor Energie pages 146–147

Discussing energy conservation measures; impersonal passive

Exercise 1a page 146

a gespart
b Schilder
c verschwenden
d eingespart
f will
g Praxis
h verbraucht

Exercise 1b page 147

Fach	**Infinitiv**	**Substantiv**
Physik	berechnen	die Berechnung
Chemie	beschäftigen	die Beschäftigung
Informatik	aufbereiten	die Aufbereitung
Deutsch	erstellen	die Erstellung
Kunst	entwerfen	der Entwurf

Exercise 1d page 147

Students might be able to do some research around the school/college and find some genuine savings which could be made. This would then offer authentic material for the article in exercise 2.

Exercise 3 page 147

a Es wurde die ganze Nacht getanzt.
b Es ist hart gearbeitet worden.
c Es wird viel geraucht.
d Es wurde heute Morgen geredet.
e Es wird morgen viel geweint werden.

Exercise 4 page 147

Greenpeace has been campaigning to protect our basic needs and the environment for 25 years. High profile campaigns have highlighted problems and put pressure on politicians and industrialists worldwide. Intensive public lobbying and finding alternatives like the CFCs-free fridge or the fuel-saving 'SmILE'. Among Greenpeace's many achievements are the halting of the dumping of acid waste at the end of the 1980s and the 50-year ban on the mining of raw materials in the Antarctic. A ban on the export of toxic waste to the Third World and a whale-protection zone in Antarctic waters were also due to Greenpeace's efforts. Shell abandoned plans to sink the *Brent Spar* platform in the summer of 1995 and the largest European primeval forest was officially protected at the end of that year. Greenpeace still needs support and donations as there is a lot left to do.

Seit mehr als 25 Jahren setzt sich Greenpeace für den Schutz der Lebensgrundlagen und gegen Umweltzerstörung ein. Aufsehenerregende Aktionen haben die Umweltorganisation weltweit bekannt gemacht. Sie dienen dazu, Umweltprobleme aufzuzeigen und Druck auf Verantwortliche in Politik und Industrie auszuüben.

Aber zur Arbeit von Greenpeace gehört mehr: intensive Öffentlichkeitsarbeit, Lobbyarbeit bei internationalen Konferenzen, die Entwicklung von Lösungen. Greenpeace zeigt, dass es anders geht – z.B. mit dem klimaschonenden FCKW- und FKW-freien Kühlschrank „Greenfreeze“, der Solaranlage „Cyrus“ oder dem Spritspar-Konzept „SmILE“.

Greenpeace hat bereits viel erreicht. Beispiele: Ende der 80er Jahre wird die Dünnsäureverklappung in der Nordsee gestoppt. 1991 – rund vier Jahre, nachdem die Greenpeace-Antarktisstation ihre Arbeit aufgenommen hat – unterzeichnen die Antarktis-Vertragsstaaten ein Umweltschutzprotokoll, das den Abbau von Rohstoffen für 50 Jahre verbietet. Im März '94 erwirkt Greenpeace ein weltweites Exportverbot von Giftmüll aus Industrieländern in die sogenannte Dritte Welt. Im Mai '94 beschließt die

Internationale Walfang Kommission (IWC) ein Walschutzgebiet in den Gewässern rund um die Antarktis.

Im Sommer 1995 lenkt der Ölkonzern Shell ein: Die Plattform *Brent Spar* wird nicht im Meer versenkt. Ende 1995 wird der größte europäische Urwald in der russischen Republik Komi in die Weltnaturerbeliste der UNESCO aufgenommen und unter Schutz gestellt.

Doch trotz dieser Erfolge bleibt viel zu tun. Dazu brauchen wir Ihre Hilfe. Unterstützen Sie Greenpeace – durch die Mitarbeit in einer Greenpeace-Gruppe in Ihrer Region oder als Fördermitglied, Spenderin oder Spender.

5 Alles verkehrt? pages 148–149

Discussing noise pollution and traffic; modal verbs in passive

Exercise 2 page 149

a falsch
b falsch
c richtig
d falsch
e falsch
f falsch
g falsch
h richtig

Exercise 3 page 149

As with all gap texts, students need to pay attention not only to the meaning but also to the form of the missing word. Ask them to predict whether a noun, verb or adjective is possible. Nouns can be picked out easily by their capital letter. Students should be shown how to complete these exercises as efficiently as possible.

a Angst
b Straßenlärms
c gestorben
d Maßnahmen
e Schutz
f Mikrofon
g Vorteil
h klingt
i veröffentlicht
j Tode
k Durchschnitt
l muss
m gefährlichen

Exercise 4 page 149

Students could write short character studies of the people involved, using their imagination to get into the role.

Exercise 5 page 149

a Wir sollten weniger fahren, weil die Luftverschmutzung reduziert werden muss.
b Wir meinen, dass ein Fahrverbot in Stadtzentren eingeführt werden sollte.
c Er glaubt, dass weniger neue Straßen gebaut werden sollten.
d Wir müssen den Lärm reduzieren, da Herzprobleme vermieden werden müssen.

Exercise 6 page 149

ANJA
Problem: Staus, wenn sie mit dem Bus fährt
Lösung: Fahrgemeinschaften

SAEED
Problem: Abgase, wenn er Rad fährt
Lösung: Erhöhung des Benzinpreises, Fahrgemeinschaften, öffentliche Verkehrsmittel benutzen

KARIN
Problem: Öffentliche Verkehrsmittel sind unzuverlässig
Lösung: Mehr Investitionen

UDO
Problem: Staus, zu viel Verkehr
Lösung: Pro Autofahrt Fahrgeld bezahlen

ANJA: Jeden Morgen stehe ich mit dem Bus im Stau, weil der Bus an den vielen Autos nicht vorbeikommt. Mich ärgert es völlig, wenn ich dann in den Autos immer nur eine Person sitzen sehe. Können die Leute nicht Fahrgemeinschaften bilden?

SAEED: Als Radfahrer finde ich die jetzige Situation auf unseren Straßen total unerträglich. Ich traue mich ohne meine Atemmaske nicht mehr aufs Fahrrad. Die Abgase sind unzumutbar. Am liebsten würde ich mich dafür einsetzen, dass der Benzinpreis erhöht wird. So, denke ich, könnte man einige Autofahrer zwingen, nach anderen Möglichkeiten zu suchen, wie z.B. Fahrgemeinschaften, Fahrrad, Bus und Bahn.

KARIN: Nachdem ich tapfer einen Monat lang auf mein Auto verzichtet habe und mich mit dem Zug, der U-Bahn und mit dem Bus zur Arbeit gequält habe, bevorzuge ich es jetzt doch wieder, mit dem Auto zu fahren. Die öffentlichen Verkehrsmittel sind eine richtige Qual, nie pünktlich, übervoll bzw. die Züge sind oft ganz gestrichen. Ohne mehr Investitionen wird die Lage nicht besser werden.

UDO: Jeder schimpft auf den Verkehr, aber niemand verzichtet freiwillig auf sein Auto. Ich auch nicht, da es doch viel bequemer als die öffentlichen Verkehrsmittel ist. Als routinierter Autofahrer kenne ich einige Schleichwege, um Staus aus dem Weg zu gehen. Wir sollten gezwungen werden, das Auto zu Hause zu lassen. Wenn man pro Autofahrt ins Stadtzentrum Fahrgeld bezahlen müsste, würde das viele Autofahrer abschrecken.

6 Kraftausdruck Kernkraft? pages 150–151

Discussing nuclear power and anti-nuclear protest; reading specialised texts

To set the context, students could be asked to give their reaction to a nuclear waste dump being set up in their locality.

Exercise 1 page 150

a Weil sie gehört hatte, dass Gorleben, ein nationales Entsorgungszentrum haben würde.
b 'It was as if someone had pulled the rug from under my feet'; 'state of emergency'
c Sechs Castor-Behälter mit dem radioaktiven Müll kommen ins Gorlebener Zwischenlager.
d 19 000 Polizisten und Grenzschützer.
e Lehrer, Schüler, Pastoren, Gemeindemitglieder. Sie sollten ohne Gewalt protestieren.

Exercise 2a page 151

Students could try to work these out initially and refer to dictionaries to check their answers.

1j, 2e, 3g, 4f, 5i, 6h, 7k, 8a, 9b, 10d, 11c

Exercise 2b page 151

Emphasise the ironic nature of this text and that students need only produce two lists of words, not understand the whole text. This is a useful exercise in extracting words from a text which are likely to be unknown.

–	+
Lagerstätte	Entsorgungspark
Giftfabrik; Todeslager	Wiederaufbereitung; Anreicherung
Atommüll	Kernaltstoffe
Atom	friedliche Nutzung der Kernenergie
Radioaktivität; Gift; strahlendes Material	Brennmaterial
Gefahren	Risiken
Unglücksfälle	Störfälle
Personenschaden	Energieopfer
umweltneutral	umweltfreundlich

Informations-Gruppe Kernenergie. Bonn. An unsere Mitglieder. Wir weisen Sie nochmals auf den richtigen Sprachgebrauch hin:
Das Wort „Entsorgungspark" hat sich noch immer nicht durchgesetzt für die in Gorleben geplante Lagerstätte. „Park" lässt an Wiesen und Bäume denken, „Entsorgung" das Gefühl aufkommen, man könne sich aller Sorgen entledigen. „Entsorgungspark Gorleben", das wäre werbewirksam. Allerdings sind auch „Wiederaufbereitung" oder „Anreicherung" positive Wörter, die die volkstümlichen Ausdrücke „Giftfabrik" und „Todeslager" verdrängen werden. Sorgen macht uns noch das verbreitete Wort „Atommüll", das dringend durch „Kernaltstoffe" zu ersetzen ist. Das Wort „Atom" soll überhaupt verschwinden, weil es an Atombomben erinnert. Die deutsche Wortschöpfung „friedliche Nutzung der Kernenergie" zeigt den Weg. Vier wundervolle Wörter in einem wohlklingenden Akkord: „Frieden", „Nutzen", „Kern", „Energie".
Zu vermeiden sind auch: „Radioaktivität", „Gift", „strahlendes Material" etc. Wir sprechen vielmehr von „Brennmaterial", was durchaus nach „Brennholz" klingen soll.
Von „Gefahren" darf nicht die Rede sein, aber von „Risiken", von denen man offen sprechen sollte, damit keine Debatte über die Gefahren aufkommt. „Störfälle" ist ein besseres Wort für „Unglücksfälle". Sind Personenschäden zu beklagen, so handelt es sich um „Energieopfer" (analog gebildet zu den Verkehrsopfern, die auch jedermann hinnimmt).
Nennen Sie die Kernkraft „umweltfreundlich", es genügt nicht, sie „umweltneutral" zu nennen, was sie auch nicht ist. Und sagen Sie immer, wir gingen einer strahlenden Zukunft entgegen.

Exercise 3 page 151

Students should keep their structure clear and simple but be encouraged to use the examples on these pages in their essay.

Chapter 2 Soziale Themen

1 Einstiegsdroge Nummer Eins? pages 152–153

Discussing addiction to alcohol and other legal drugs; *da* + preposition

Exercise 1 page 152

Students should think of 'addiction' in the widest possible sense and can do a ranking exercise with the different types, putting the most dangerous first.

Koffeinsucht, Alkoholsucht, Fernsehsucht, Spielsucht, Einkaufssucht, Nikotinsucht, Fitnesssucht

Exercise 2 page 152

As a warm-up, students may be willing to discuss their own experiences or those of friends/family. Adverts for alcohol, especially TV ones, would be helpful to generate discussion and illustrate a point in the text.

a Er beruhigt die Nerven, lockert die Stimmung und spült den Ärger herunter.
b Sie zeigen Lebensgenuss und Abenteuer und dass Alkohol tröstet und munter macht.
c Sie haben mit legalen Drogen wie Alkohol und Nikotin begonnen.
d Weil er eine gute Atmosphäre schafft, Kontakte zu anderen fördert und hilft, Probleme in der Schule und zu Hause zu vergessen.
e Sie finden das schwer zu verstehen und fühlen sich schuldig und schämen sich.

Additional exercise:

Finden Sie im Text Wörter bzw. Ausdrücke mit derselben Bedeutung wie:

1 erscheint (1)
2 bei weitem (1)
3 drogenabhängig geworden (1)
4 jedes Jahr (1)
5 oft (2)
6 eine geeignete Atmosphäre schaffen (3)
7 wenn sie mit anderen Leuten zusammen sind (3)
8 der Druck, viel Erfolg zu haben (4)
9 Gewissensbisse (5)

(Die entsprechende Absatznummer steht jeweils in Klammern)

Exercise 3 page 153

a8, b2, c7, d1, e4, f6, g3, h5

Exercise 4 page 153

a darüber
b davon
c darauf
d damit
e dafür
f danach
g darauf

Additional practice:

h Die Medien sind ... verantwortlich, dass man die Gefahren des Alkohols unterschätzt. (to be responsible for)
i Man muss ... rechnen, dass das Problem größer wird. (to reckon on)
j Es hängt ... ab, was Sie sagen werden. (to depend upon)

Additional exercise:

Zur Information

Nach Paragraph 3 des Jugendschutzgesetzes darf an Kinder und Jugendliche (also an noch nicht 14- bzw. 18jährige) in Gaststätten und Verkaufsstellen Branntwein überhaupt nicht abgegeben und der Genuss nicht gestattet werden. Andere alkoholische Genussmittel dürfen in Gaststätten oder Verkaufsstellen an Kinder oder Jugendliche unter 16 Jahren, die sich nicht in Begleitung eines Erziehungsberechtigten befinden, zum eigenen Genuss nicht abgebegen werden.

Schreiben Sie einen Brief an die Zeitung, in dem Sie den Standpunkt vertreten, dass Alkohol nicht an Jugendliche unter achtzehn Jahren abgegeben werden sollte. Begründen Sie Ihre Argumente mit Beispielen aus dem Text oben.

Exercise 5 page 153

Students have to listen out for incorrect words and substitute correct ones from the extract.

Ungefähr 3 Millionen Arbeitnehmer konsumieren täglich Alkohol während der Arbeitszeit. Mit Hilfe von Tabak und Alkohol wollen die Leute Auswege finden. Die Werbung vermittelt uns den Eindruck, dass man erst mit dem Genuss dieser Drogen freier, glücklicher und hoffnungsvoller lebt. Tabak baut Stress ab, aber verstärkt Konzentration und verursacht einige angenehme Gefühle. Alkohol kann auch positive Wirkungen haben: Die Entspannung nimmt zu und soziale Kontaktfreudigkeit wird geweckt.

Alkohol- und Tabakgenuss haben einen festen Platz im Leben eines großen Teils unserer Bevölkerung, auch am Arbeitsplatz: Rund 3 Millionen Arbeitnehmer trinken täglich Alkohol während der Arbeitszeit.

In der Gewöhnung des Umganges mit Tabak und Alkohol liegt der Grund, warum Menschen gerade in besonderen Lebenssituationen versuchen, mit Hilfe dieser Stoffe Auswege zu finden. Zudem suggeriert eine breit angelegte Werbung, dass man freier, glücklicher und hoffnungsvoller erst mit dem Genuss der oben genannten Drogen leben kann.

Tatsächlich hat die Wirkung von Tabak ja folgende Effekte: Stress wird abgebaut, Übermüdung und Langeweile schwinden, Konzentration nimmt zu, unangenehme Gefühle werden beseitigt, Schmerzen werden gelindert, Gefühle der Euphorie (Hochstimmung) verstärkt. Auch Alkoholgenuss kann sich positiv auf den Zustand des Konsumenten auswirken: Die Entspannung nimmt zu, Angst, Minderwertigkeitsgefühle, depressive Stimmungen nehmen ab, soziale Kontakt- und Kommunikationsfreudigkeit werden geweckt.

2 Zufriedene Zecher! pages 154–155

Discussing drink-driving and alcoholism; unreal conditions, *hätte/wäre* + past participle

A discussion on drink-driving would be a useful way to introduce this topic. Students could perhaps suggest why people drink and drive and be asked if they think the law should ban drinking any alcohol at all before driving.

Exercise 1a page 154

1 Früher hätte ich mich in diesem Zustand noch ans Steuer gesetzt
2 Er ist Stammkunde
3 er war natürlich voll wie ein Eimer
4 er erkannte die Marktlücke
5 Das Verstauen des Mokicks in einer auslaufsicheren Tasche und danach im Kofferraum dauert nur Sekunden
6 Die Kundenschicht … ist bunt gemischt
7 Der Zustand der Kunden reiche von „leicht angedudelt" bis zu „Verlust der Muttersprache"
8 der Jungunternehmer sucht nach einem neuen passenden Namen

Exercise 1b page 155

Students need to ensure that the verb is in the correct position, so that this is a comprehension and a manipulation exercise.

2 c … er nicht mehr sein Leben aufs Spiel zu setzen braucht.
3 a … er einmal in einem betrunkenen Zustand nach Hause gefahren ist.
4 e … wollen viele zur Schwelle eskortiert werden.
5 b … ziehen sie alle Kundeskreise an.
6 d … der Markt für seinen Service sowohl in Deutschland als auch im Ausland wächst.

Exercise 2 page 155

Students' definitions should be as simple as possible. Students should understand that the more basic the language used, the better the definition in most cases.

a Er hatte sehr viel getrunken.
b Morgens fühlt er keine Schuld mehr.
c Er benutzt den Service sehr oft.
d Er sah, dass ein Service nötig war, mit dem die Leute nach Hause gefahren werden.

Exercise 3 page 155

This is a very immediate situation for some students who may have recently learnt to drive. Try to make the role-play as realistic as possible, perhaps with props.

Exercise 4 page 155

This is complex grammar, but follows a pattern which is easily learnt. Ask students to invent sentences of their own.

a Ich hätte unverantwortlich gehandelt.
b Ich hätte einen Unfall gehabt.
c Man hätte mir den Führerschein abgenommen.
d Ich wäre nicht heil nach Hause gekommen.
e Ich hätte gegen das Gesetz verstoßen.
f Ich hätte jemanden verletzt oder getötet.
g Ich hätte Gewissensbisse gehabt.

Exercise 5 page 155

There is a lot of detail in this passage but students should be reminded to focus on the points required and not to worry about not understanding other parts of the extract.

a Sie wird durstig, wenn sie Alkohol sieht. Sie muss gegen den Alkohol kämpfen und nicht diskutieren. Alkohol bietet ihr Sicherheit, aber sie weiß, dass er für sie den Tod bedeutet.
b Man kann das nicht allein machen. Man braucht Hilfe, weil man das Problem nicht wahrhaben will. Sie weiß, dass sie nie wieder trinken darf, aber dass es einige Jahre dauern wird, bis sie den Kampf gewonnen hat.
c Sie sprach mit der Beratungslehrerin an der Schule und ging dann zur Fachberatung. Sie fühlte sich angenommen, obwohl sie Angst hatte.

REPORTER: Jenny, 19, ist Alkoholikerin.
JENNY: Wenn ich im Supermarkt an den vollen Regalen vorbeigehe und die vertrauten Flaschen sehe, spüre ich den Durst. Es ist ein ganz spezieller Durst. Er kriecht lockend über die Zunge, er macht sich breit, legt sich klebrig über die Gedanken und fordert Befriedigung. Nein, sage ich mir dann und schiebe meinen Einkaufswagen weiter, ich brauch' das nicht mehr. Wozu denn? Bilder und Töne der Werbespots aus Radio, Fernsehen und Kino drängen nach. Der Durst ist mächtig, aber ich will nicht trinken. Ich will auch nicht mit dem Durst

diskutieren: „Wenn man anfängt, mit ihm zu handeln, hat man schon verloren." Man muss aufhören wollen und es ist ein langer, manchmal auch verzweifelter Kampf. Die Flasche hat mich ja nie im Stich gelassen, die ist treu und immer da, die kritisiert nicht und verachtet nicht. Schade, denkt man, eigentlich war es auch toll. Und man sehnt sich zurück in diese Sicherheit, wie in Mamas Bauch. Dann muss man sich entscheiden, fürs Leben oder für den Tod. Aber mit der Droge lebt man ja schon, als wäre man tot.

REPORTER: Seit drei Monaten ist sie trocken. Diesmal hat sie gute Chancen, es zu bleiben.

JENNY: Allein schafft man das einfach nicht. Man muss sich Hilfe holen. Das ist schwer, vor allem, weil man ein Problem hat, das man eigentlich gar nicht wahrhaben will: So viele sind süchtig, sagt man sich, warum soll gerade ich aufhören? Aber schließlich wandte ich mich doch an die Beratungslehrerin an meiner Schule und die brachte mich schließlich zur Fachberatung für Suchtprävention und Drogenfragen am Staatlichen Schulamt Frankfurt am Main. Nie zuvor hatte ich vor etwas so sehr Angst, aber hier fühlte ich mich angenommen, so wie ich war. Ich schaffte mit der Hilfe einer Beraterin den Realschulabschluss und begann eine Ausbildung zur Krankengymnastin – obwohl ich noch trank wie zuvor. Noch fast ein Jahr. Aber dann wurde es ernst: „Du musst dich entscheiden", sagten sie zu mir. „Noch mal so einen Kreislauf – das machen wir nicht mit." Da öffnete ich die Lederjacke, holte die Flachmänner aus den Innentaschen und legte sie auf den Tisch. Seitdem bin ich trocken. Ich weiß, dass ich nie wieder trinken darf. Und dass es einige Jahre dauert, bis ich über den Berg bin. Ich bin also kein Beispiel für ein Happy-End. Noch nicht.

3 Im Rausch pages 156–157

Illegal drugs, the causes and consequences of addiction; adjectival nouns; learning specialist vocabulary

Exercise 1 page 156

Students often jump to conclusions with questions involving numbers, assuming the statement is true if the numbers match. This exercise helps develop closer reading of statistics.

a richtig
b falsch
c richtig
d falsch
e richtig

Exercise 2 page 156

A fun song with a serious point. Students should not worry if they cannot pick out every word, but should extract as many as they can, in whatever order they can.

ZEHN KLEINE FIXER
Georg Danzer

Zehn kleine Fixer war'n in einem Boot,
Ozean Verzweiflung, Heimathafen Tod.
Einer sprang über Bord und sank wie ein Stein.
„Scheiße" war sein letztes Wort.
Da warn's nur noch neun.

Neun kleine Fixer, Mädchen auch dabei;
eine war erst dreizehn Jahr, kam schon nicht mehr frei.
Ging dann auf den Fixerstrich – kalte Winternacht.
Himmel! Sie verkühlte sich.
Da warn's nur noch acht.

Acht kleine Fixer, einer aus dem Knast.
Der Bewährungshelfer hat ihm einen Tritt verpaßt.
Therapeut – keine Zeit. Eltern – abgeschrieb'n.
Wußte keinen Ausweg mehr.
Da warn's nur noch sieben.

Sieben kleine Fixer hatten es so satt
in der Wüste Einsamkeit, im Getto Hochhausstadt.
Einer, sagt man, ist erstickt nur an Wein und Keks
und an Mitleidlosigkeit. Da warn's nur noch sechs.

Sechs kleine Fixer. Einer machte Schluß
auf dem Klo, Bahnhof Zoo, mit dem Goldnen Schuß.
So ein Penner, der ihn fand, nahm sich Schuh und Strümpf,
denn die brauchte der nicht mehr.
Da warn's nur noch fünf.

Fünf kleine Fixer, ganz auf sich gestellt,
hatten keine Hoffnung mehr, hatten auch kein Geld.
Einer ging in eine Bank, fragte den Kassierer.
Dieser zögerte nicht lang. – Da warn's nur noch vier.

Vier kleine Fixer war'n in einem Boot,
Ozean Verzweiflung, Heimathafen Tod.
Einer gab den Dealer an bei der Polizei.
Als der wieder draußen war, da warn's nur noch drei.

Drei kleine Fixer auf der letzten Tour.
Und die hatten jetzt zu dritt eine Ladung nur.
Ach, das Heroin ging aus, es kenterte das Boot.
Liebe war nie ihr Zuhaus' – und nun war'n sie tot.

Zehn kleine Fixer war'n jetzt alle weg.
Ausschußware, Großstadtmüll, nur der letzte Dreck.
– Doch wie lange wollt ihr den untern Teppich kehr'n?
Wenn die wieder aufersteh'n, werden sie sich wehr'n.

a Verzweiflung
b über Bord
c ging dann auf den Fixerstrich
d Winternacht
e Knast
f Ausweg
g Einsamkeit
h Mitleidlosigkeit
i machte Schluss
j brauchte
k Hoffnung
l zöggerte
m draußen
n Ladung
o Zuhaus'
p Dreck

Exercise 3 page 157

This extract is from the true story *Wir Kinder vom Bahnhof Zoo*, the story of a girl, Christiane F., who became addicted to heroin at the age of 14 in a deprived part of Berlin in the late 1970s. This extract is so powerful because it is self-contained and students can relate to the context. A discussion about the moral responsibility of the teacher may be possible here.

Exercise 4 page 157

a Süchtigen
b Süchtige
c Süchtigen
d Süchtigen
e Süchtigen
f Drogensüchtige
g Süchtigen
h Süchtigen
i Süchtige
j Süchtigen

Exercise 5 page 157

Students can be reminded of the need to note down specialist vocabulary for coursework and for their prepared oral topic.

Suchtmittel; Einstiegsdroge; beruhigen; Sucht; alkoholkrank; abhängig; Alkoholmissbrauch; Probierphase; Alkoholgebrauch; Gewöhnung;

Suchtberatung; Abhängigkeit; Entspannung; Kontaktfreudigkeit; Rauschgiftopfer; Erstkonsument; medikamentensüchtig; das Spritzbesteck; der Druck

4 Ein Recht auf Rausch? pages 158–159

Pros and cons of legalisation, impact of drug addiction on personal relationships

Exercise 1 page 158

a Bis zu 5g Haschisch und Marihuana in Apotheken an Personen über 16 Jahre verkaufen.
b Weil dies gegen das Betäubungsmittelgesetz war.
c Weil er behauptet, Cannabisprodukte seien nicht harmlos und seien eine Einstiegsdroge für harte Drogen.

Exercise 2 page 158

a falsch	d richtig	g richtig
b falsch	e richtig	h richtig
c falsch	f falsch	i falsch

Exercise 3 page 159

Here students have to manipulate the word from the extract. This helps check that they have understood and also raises awareness of language forms.

a Wenn du einem Freund oder einer Freundin mit Drogenproblemen helfen möchtest, solltest du Drogenberater suchen, die erfahren sind. Normalerweise genügen Freundschaft und Liebe leider nicht.
b Wenn die Hilfe falsch ist, könnte dies gefährliche Auswirkungen für den Süchtigen haben.
c Du kannst Süchtige nicht zur Einsicht zwingen. Wenn sie unter Druck sind, bleiben sie oft nur mit ihren neuen Freunden zusammen.
d Du solltest dein Leben so weiterführen wie bisher. Der/die Abhängige muss selber lernen, dass Drogen ihn/sie isolieren können.
e Du solltest für den Freund/die Freundin nicht lügen, da dies die Auseinandersetzung mit der Abhängigkeit verzögert.
f Gib ihm oder ihr kein Geld, auch wenn die Entzugserscheinungen quälend sind.
g Lass es nicht zu, dass man in deiner Anwesenheit und in deiner Umgebung Drogen konsumiert.
h Suche umfassende Informationen über die Droge aus.
i Lass dich auf keinen Fall dazu überreden, Drogen zu probieren. Wenn die Droge wirklich harmlos ist, kann der Abhängige darauf verzichten.

A: Wenn du dich wirklich ernsthaft um einen Freund oder eine Freundin mit Drogenproblemen kümmern willst, dann solltest du dir von erfahrenen Drogenberatern helfen lassen. Freundschaft oder Liebe reichen meistens nicht aus, um jemanden aus seiner Sucht herauszubringen.
B: Drogenhilfe erfordert Erfahrung: Geh selbst in eine Beratungsstelle und lass dich informieren. Falsche Hilfe kann für einen Süchtigen gefährlich werden.
C: Einsicht ist nicht erzwingbar: Süchtige leben in einer anderen Realität. Sie können nicht zur Einsicht gezwungen werden. Wenn man an ihre Einsicht appelliert, kann das oft dazu führen, dass sich der oder die Betroffene abkapselt und sich dann nur noch mit seinen sogenannten „Freunden“ aus der Drogenszene umgibt.
D: Keine Anpassung: Lebe dein Leben so weiter wie bisher. Ein Abhängiger muss selbst erfahren, dass die Drogen ihm einen anderen Alltag aufzwingen und ihn dadurch isolieren.
E: Keine Notlügen: Du solltest einen Abhängigen nie decken, nicht gegenüber Kollegen, Freunden oder Familienangehörigen – egal, was er oder sie auch verspricht. Wenn Drogenkonsum vertuscht wird, verzögert das nur die Auseinandersetzung mit der Abhängigkeit.
F: Geldleihen verboten. Es kann sein, dass dein abhängiger Freund unter quälenden Entzugserscheinungen leidet. Gib ihm kein Geld, auch wenn er „dringend nur ein ganz klein wenig Stoff zur Überbrückung braucht“. Dann geht nämlich alles wieder von vorn los.
G: Deine Umgebung bleibt „clean“: Zeige ihm oder ihr, dass du für ihn oder für sie da bist. Aber lass es nicht zu, dass in deiner Anwesenheit oder in deiner Umgebung Drogen konsumiert werden.
H: Wissen ist Macht: Informiere dich umfassend über die Droge. Nur mit viel Wissen kannst du die Droge auch bekämpfen.
I: Kein Selbst-„Test“: Lass dich auf keinen Fall dazu überreden, die Droge selbst zu „testen“. Auch wenn du nur sehen willst, ob sie harmlos ist. Wenn der Drogenkonsum wirklich völlig ungefährlich ist, dann kann man auch sofort und auf Dauer darauf verzichten. Das wäre dann ein echter Beweis für Harmlosigkeit.

Exercise 4 page 159

Students should use phrases and examples from these pages and be encouraged to think about the wider repercussions for society as well as for the individual.

5 Jung und ohne Zukunft pages 160–161

Causes and consequences of youth unemployment; conditional clauses without *wenn*

Students could talk about their aspirations for the future and discuss how they would feel if they were not able to get a job.

Exercise 1a page 161

1 ins Leere laufen	7 geschützt
2 vergeblich	8 verweigert
3 entschieden	9 verwunderlich
4 Niederlage	10 zur Kenntnis nehmen
5 unverletzt	11 gestattet
6 trösten	

Exercise 1b page 161

a besuchen	h persönlich
b erfolgreich	i Arbeit
c bewerben	j Selbstwertgefühl
d Kränkung	k Zukunftsperspektive
e selbstbewusst	l Gewalt
f verletzt	m Verlust
g getröstet	

Exercise 3 page 161

Wenn du etwas hast, bist du etwas. Wenn du nichts hast, bist du nichts. Wenn du etwas nimmst, hast du etwas. Wenn du etwas hast, bist du etwas.

Exercise 4 page 161

SPRECHER: Straßenraub: Täter folgten dem Opfer von der Straßenbahn.
Zwei Jugendliche haben am Sonntag kurz nach Mitternacht in Schwanheim

einen 16-Jährigen überfallen. Sie bedrohten ihn mit einer Pistole und raubten ihm seine Lederjacke, Armbanduhr sowie 90 Mark. Wie die Polizei mitteilte, waren die beiden Jugendlichen dem 16-Jährigen gefolgt, als der an der Endhaltestelle aus der Straßenbahn stieg.

SPRECHERIN: Bewaffneter Raubüberfall: Polizist hinderte 13-Jährigen an Überfall.

Unmittelbar vor einem bewaffneten Raubüberfall hat ein Bergsträßer Polizist die kriminelle Karriere eines 13-Jährigen vorläufig gestoppt: Wie die Polizei in Heppenheim mitteilte, war der Jugendliche dem Beamten wegen seines verdächtigen Verhaltens in einer Bank aufgefallen. Als der Polizist ihn durchsuchte, fand er in dessen Hosenbund eine Schreckschusspistole. Der 13-Jährige sagte aus, er habe einen Bankkunden auf der Straße überfallen wollen. Wie sich herausstellte, hatte der Jugendliche in den vergangenen Wochen an der Bergstraße 4500 Mark zusammengestohlen. Die Tatorte steuerte er jeweils mit dem Fahrrad an.

SPRECHER: Ladendiebstahl

Zwei Jugendliche sind am Mittwochnachmittag vom Kaufhausdetektiv eines Warenhauses in der Wiesbadener Innenstadt gestellt worden. Der Detektiv hatte die beiden 16-Jährigen dabei beobachtet, wie sie in der Musikabteilung CDs in ihren Schultaschen verschwinden ließen. Er folgte ihnen bis zum Ausgang des Kaufhauses und stellte sie zur Rede.

6 Weg von zu Hause pages 162–163

Running away from home; making suppositions, *müssen* + perfect infinitive

This is a moving text, and students might like to consider how they would feel if a member of their family or a good friend suddenly disappeared. This could be an opportunity to brainstorm adjectives connected with feelings.

Exercise 1a page 162

1 Er ist im Juli 1995 verschwunden. Er ist mit einem Freund zum Bahnhof Zoo gegangen und ist nicht zurückgekommen.
2 Er fühlte sich vielleicht ausgeschlossen und hatte Probleme in der Schule.

Exercise 1b page 162

Sie findet die Tage sehr lang, fühlt sich verzweifelt, schuldig, ohne Kraft und allein. Ihr Leben hat keine Bedeutung mehr.

Exercise 2 page 163

Students should adapt their language for their target audience and use details from the text to make their text as authentic as possible.

Exercise 4 page 163

a Max muss die Schule gehasst haben.
b Er muss auf den Straßen gelebt haben.
c Die Mutter muss sich schuldig gefühlt haben.
d Die Mutter muss hilflos gewesen sein.
e Max' Freunde müssen ihn vergessen haben.
f Max muss ein schwieriges Leben geführt haben.

Exercise 5 page 163

er habe vielleicht vergessen anzurufen – he had forgotten to phone
er werde schon zurückkommen – he would surely come back
Sie habe eine Luftveränderung gebraucht – she needed a change of scenery
Er habe vielleicht das Gefühl gehabt, ausgeschlossen zu sein – maybe he had felt shut out
Mit Distanz könne sie leben – she can live with being distanced
Je länger Max weg sei, um so schwieriger werde es, mit der Stille umzugehen – the longer Max is away, the harder it becomes to cope with the silence

Exercise 6 page 163

a Armeen	i Weiß	q Ende
b Panzer	j unterdrücken	r Boden
c aufgegessen	k Lebenszeit	s wahren
d einfacher	l Überraschung	t Chaos
e kindlich	m Kommando	u kennen
f Gut	n berechnen	v Pflichten
g Böse	o tun	w Kraft
h Schwarz	p gehört	x Stolz

KINDER AN DIE MACHT
Herbert Grönemeyer

Die Armeen aus Gummibärchen, die Panzer aus Marzipan
Kriege werden aufgegessen
einfacher Plan, kindlich genial
Es gibt kein Gut, es gibt kein Böse, es gibt kein Schwarz, es gibt kein Weiß
Es gibt Zahnlücken statt zu unterdrücken
Gibt's Erdbeereis auf Lebenszeit, immer für eine Überraschung gut

Gebt den Kindern das Kommando
Sie berechnen nicht, was sie tun
Die Welt gehört in Kinderhände, dem Trübsinn ein Ende
Wir werden in den Grund und Boden gelacht
Kinder an die Macht

Sie sind die wahren Anarchisten
Lieben das Chaos, räumen ab,
kennen keine Rechte, keine Pflichten
Noch ungebeugte Kraft, massenhaft
Ungestümer Stolz

Gebt den Kindern ...

7 Vom Opfer zum Täter ... pages 164–165

Causes of racism and racist violence; indirect speech

Exercise 1a page 164

1 falsch	3 richtig	5 falsch
2 falsch	4 falsch	6 richtig

Exercise 1b page 164

1 linkisch wirkt er
2 die Gesellschaft schaut zu
3 rechtsradikal motivierte Straftaten
4 sieht überall Spuren der Rechten
5 keiner fühlt sich zuständig
6 alles liege an der hohen Arbeitslosigkeit

7 Weil die Arbeitslosigkeit so groß ist
8 keiner will sich mit den Jugendlichen anlegen

Exercise 2a page 165

This text is a good springboard for discussing what lies at the root of racist behaviour.

1 hoffnungslos	12 Hetzparolen
2 gehört	13 kleiner
3 hin	14 Schritt
4 Deutscher	15 Kopf
5 gegen	16 Fremder
6 Hass	17 eigenen
7 zuschlug	18 Hakenkreuze
8 kleiner	19 verspricht
9 Schritt	20 Ziel
10 Nichts	21 Seite
11 stolperst	

VOM OPFER ZUM TÄTER ...
Udo Lindenberg

Es gibt nichts zu tun in der toten Stadt.
Leere Fabriken, wo keiner Arbeit hat.
Der Hafen ist verlassen – hoffnungslos.
Er dreht hier noch durch: Was mach ich bloß?!

Er hängt den ganzen Tag rum, gehört nirgendwo hin.
Eins ist ihm klar: Alles läuft ohne ihn.
Da will er wenigstens Fan sein vom Fußballverein,
wenigstens stolz darauf, ein Deutscher zu sein.

Und gegen Ausländer sein, ist auch schon mal was.
Endlich weiß er, wohin mit all seinem Hass.
Zuerst zog er bloß mit der Flagge zum Spiel,
bis er irgendwann zuschlug – das war wie 'n Ventil.

Vom Opfer zum Täter ist's 'n kleiner Schritt.
Noch gestern ein Nichts und heut' marschierst du mit.
Bist 'n armes Kind – bist 'n dummes Kind.
Jetzt stolperst du mit im braunen Wind.
Alte Hetzparolen und jetzt gröhlst du mit.
Vom Opfer zum Täter ist ein kleiner Schritt.

Wenig im Kopf – und nix in der Hand,
so bleibt er ein Fremder im eigenen Land.
Dann brüllt er: Scheißkanacken, das ist *mein* Deutschland!
Und schmiert Hakenkreuze an die Ghettowand.

Ihn zu kriegen, dazu gehört nicht viel.
Wenn einer kommt und verspricht ihm ein Ziel.
irgendein krankes Ziel, nur für 'n Tag oder zwei,
oder tausend Jahre – dann ist er dabei.

Vom Opfer zum Täter ist's 'n kleiner Schritt.
Noch gestern ein Nichts und heut' marschierst du mit.
Bist 'n armes Kind – bist 'n dummes Kind.
Jetzt stolperst du mit im braunen Wind.
Alte Hetzparolen und jetzt gröhlst du mit.
Vom Opfer zum Täter ist es ein kleiner Schritt.

Komm mal besser auf uns're Seite ...

Exercise 3 page 165

a Er sagte, er habe keine Arbeit gehabt.
b Sie sagten, sie seien nicht mitgegangen.
c Ich sagte, ich hätte nichts gebrüllt.
d Hast du gesagt, du würdest lieber Täter als Opfer sein?
e Er sagte, er sei nicht da gewesen.
f Sie sagten, sie seien nicht mehr mitmarschiert.
g Er sagte, er habe nicht mehr ein Nichts sein wollen.
h Sie sagten, sie gingen nach Hause.

8 „Kein Mensch ist illegal" pages 166–167

Illegal immigrants; conditional clauses, imperfect subjunctive; checking written work

Exercise 2 page 167

g, c, e, f, a, h, b, d

Exercise 4 page 167

A: Warum setzt du dich denn so aktiv für eine Änderung des Staatsangehörigkeitsrechts ein? Es kann doch gar nicht so viele Leute betreffen.
B: Doch schon: In Deutschland leben mehr als sieben Millionen Menschen, die keinen deutschen Pass haben. Ihnen werden elementare Bürgerrechte vorenthalten.
A: Das kann nicht sein! Ich finde, es ist egal, ob man einen deutschen Pass hat oder nicht.
B: Ohne Pass haben sie aus verfassungsrechtlichen Gründen kein allgemeines Wahlrecht. Außerdem sind sie in vielen praktischen Dingen des täglichen Lebens benachteiligt. Zum Beispiel sind sie in ihrer Berufswahl eingeschränkt. Ohne Pass kann man sich nicht frei als Arzt oder Apotheker niederlassen, man kann auch nicht Schornsteinfeger oder Beamter werden.
A: Aber als Ausländer ist man höchstwahrscheinlich stolz auf sein eigenes Land und will gar nicht Deutscher sein.
B: Bei vielen in Deutschland lebenden Ausländern ist das etwas anders. Über 60 Prozent von ihnen leben bereits seit über zehn Jahren hier, über ein Viertel sogar mehr als 20 Jahre. Die Mehrzahl der „ausländischen" Kinder ist hier geboren. Das sind jährlich ca. 100 000 ausländische Kinder, sozusagen „Ausländer made in Germany". Diese Kinder, die hier aufgewachsen sind, haben praktisch keine Rückkehrperspektive ins Land ihrer Eltern und Großeltern. Die meisten dieser Menschen ohne deutschen Pass haben ihren Lebensmittelpunkt dauerhaft in Deutschland gefunden und sie bekennen sich auch dazu.
A: Ach so. Es geht also um die Gleichberechtigung oder Gleichbehandlung.
B: Genau. Es ist höchste Zeit, dass die ausländischen Staatsbürger und Staatsbürgerinnen, die auf Dauer in Deutschland leben, auch zu einem gleichberechtigten Teil der Gesellschaft werden können. Sie sind doch längst fester Bestandteil unseres Lebens in der Bundesrepublik.
A: Und wie sieht es im Moment aus?
B: Na ja, es ist ziemlich kompliziert und auch umstritten. Unser geltendes Staatsbürgerschaftsrecht stammt aus dem Jahre 1913 und heißt deshalb vielsagend noch immer „Reichs- und Staatsangehörigkeitsgesetz". Die deutsche Staatsangehörigkeit wird darin im Wesentlichen an die Abstammung gekoppelt. Das heißt, Eltern vererben die deutsche Staatsangehörigkeit an ihre Kinder. Deutschland ist mit dieser abstammungsbezogenen Definition der Staatsbürgerschaft Schlusslicht in Europa. Ich finde, wir müssen die sieben Millionen sogenannten Ausländer in Deutschland endlich zu „Inländern" machen. Wer hier geboren wird, sollte auch die deutsche Staatsbürgerschaft bekommen. Wer hier seit langem rechtmäßig lebt, muss einen Anspruch auf Einbürgerung erhalten.

Chapter 3 Zukunft

1 Zukunftsorientiert! pages 168–169

Predicting social and technological developments; word order with conjunctions and adverbs

Exercise 1 page 168

Students should complete this brainstorming task before looking at the text.

Exercise 2a page 168

Der Media-Butler wimmelt ungewollte Telefonanrufe und E-Mails ab.
Der Toaster macht das Brot, wie wir es wollen.
Die Jacke macht sich wärmer, wenn es kalt wird.
Die Lebenserwartung steigt.
Es gibt mehr Elend in Afrika.
Reiche Staaten werden noch reicher.
Es gibt Stress und Schlaflosigkeit, weil wir zu viele Informationen verarbeiten müssen.
Handcomputer werden im Alltag unentbehrlich sein.
Wir werden künstliches Brot, Gemüse und Fleisch essen.
Es wird bis zum Jahr 2028 eine feste Mondstation geben.
Bis zum Jahr 2037 landen die ersten Menschen auf dem Mars.

Exercise 3a page 169

This is a good exercise for revising word order and the sorts of phrases useful for essays.

1 Darüber hinaus hatte die Krise die Situation verschlechtert.
2 Es war jedoch nicht so einfach, wie man es geglaubt hatte.
3 Da wir die Umwelt schonen müssen, sollten wir mehr recyceln.
4 Obwohl wir versuchen können, die Zukunft vorauszusagen, ist es fragwürdig, ob die Voraussagen realistisch sind.
5 Wenn die Experten Recht haben, wird sich die Lebensqualität bestimmt verbessern.
6 Wenn sich manches als Gedankenspiel herausstellt, ist es wilde Spekulation dennoch nicht.
7 Nachdem die ersten Menschen auf dem Mars gelandet sind, werden die Menschen das Weltall erobert haben.
8 Es ist eine interessante Frage, ob die Menschen in der Tat ihr Schicksal in der Hand haben.

Exercise 4a page 169

1 gut gelaunt
2 massenhaft
3 produzieren
4 schmackhaft
5 akzeptiert
6 auf dem Markt
7 eifrig
8 ausschließen

Wir schreiben das Jahr 2000. Sie schieben gut gelaunt Ihren Einkaufswagen durch den Supermarkt. Der Turbo-Karpfen, auf den Sie schon ein Auge geworfen haben, ist massenhaft vorrätig. Das eingebaute menschliche Wachstums-Gen macht es möglich. Und dann die neuen Wunderkartoffeln: Ein Gen aus Kolibakterien lässt sie 30 bis 60 Prozent mehr Stärke produzieren. So nehmen sie beim Braten kaum Fett auf.

Kinder verziehen längst nicht mehr das Gesicht, wenn es zum Mittag Gemüse gibt. Möhren schmecken nach Nugat und Bohnen nach Marzipan. Das Grünzeug ist nun schmackhaft. Auch Paprika und Tomaten werden ohne Nörgeln akzeptiert, weil sie durch Gene tropischer Süßholzgewächse supersüß sind.

Dieser Rundgang durch den Supermarkt ist keine Science Fiction. Seit 1996 sind in Europa die ersten genmanipulierten Nahrungsmittel auf dem Markt: Soja- und Maisprodukte aus Chemieproduktion. Und dies ist erst der Anfang: Die Lebensmitteldesigner arbeiten schon eifrig an weiteren Kreationen. Auch die Landwirtschaft gerät immer mehr in Abhängigkeit von der Gentechnik. Nicht selten werden genmanipulierte Pflanzen angebaut.

Nach Greenpeace-Aktionen nahmen zwei der betroffenen Unternehmen die Schokocremes aus dem Handel, die mit Gentechnologien hergestellt wurden. In Zukunft wollen diese Firmen nur noch gentechfreie Rohstoffe verwenden.

Dafür will sich auch Greenpeace einsetzen. Supermärkte und andere Lebensmittelanbieter müssen die Verbraucherwünsche ernst nehmen. Sie sollen verbindlich erklären, dass sie Gentech-Produkte aus ihrem Sortiment ausschließen. Dass dies möglich ist, zeigt das Beispiel Österreich: Die großen Supermarkt-Ketten Meinl und Spar haben solche Garantien gegeben und fordern von ihren Zulieferfirmen Garantien für gentechfreie Produkte.

Exercise 4b page 169

Encourage students to focus on gist rather than detail here.

If you go round the supermarket in the year 2000, you'll see huge mass-produced carps and wonder potatoes, thanks to new genetic technology. Children will enjoy vegetables with a sweet nougat and marzipan taste. This is not science fiction as genetically modified soya and maize have been available in Europe since 1996. Other such foods are planned and agriculture is becoming more and more dependent on genetic technology. Greenpeace will keep campaigning to ban genetically modified foods. Supermarkets need to take consumers seriously and explain bans on these foods as has happened in Austria. (96 words).

2 Ein Paradies auf Erden pages 170–171

Predicting future developments in leisure and tourism; dieser/jener, agreement of determiners and adjectives

Students might like to talk about their own holiday experiences and any problems they had whilst away. How would they have improved their holiday experience?

Exercise 1a page 171

1 Es wird ein künstliches, ideales Urlaubsziel geben, wo alles eine perfekte Kopie der wirklichen Welt ist.
2 Alles wird perfekt sein; man wird nicht weit reisen müssen; es wird am Ort keine Gefahr geben und das Wetter wird schön sein.

Exercise 1b page 171

Man wird frei wählen können, welche spannenden Erfahrungen man machen will.

Exercise 1c page 171

Die Firma Shimizu plant, ein Weltraumhotel im All und auf dem Mond bauen zu lassen. Man wird vielleicht ab 2020 in bequemen Raumschiffen hinfliegen können.

Exercise 1d page 171

1 Gibt es einen Platz auf dieser Erde, an dem man glücklicher sein kann?

2 als willkommenen Tapetenwechsel, den der Mensch nun mal von Zeit zu Zeit braucht
3 Die ersten Pläne für solche Abenteuer gibt es bereits

Exercise 1e page 171

1 träumen
2 Ferienoasen
3 künstlich; erspart
4 Originalschauplatz
5 Tapetenwechsel; Alltag; Glücksgefühl
6 Astronautentraining; All
7 Weltraumtourismus; Fahrpreis

Exercise 2 page 171

Students should try to use headings as their only notes at this stage.

Exercise 3 page 171

Mona wonders what mass tourism will be like in the future. She finds that streams of visitors take over some areas, leaving rubbish behind. She thinks measures should be introduced to restrict mass tourism. Mohammed loves travelling, especially to southern Spain where he wants more hotels and larger theme parks, to have fun in clubs and bars and meet new people. He has no need for nature but wants more leisure facilities. Hartmut is furious at the outlook for tourism and fears trips to space or underwater hotels off Italy's coast. He thinks the world is going mad and that we will end up destroying everything. (106 words).

MONA: Ich frage mich, wie es mit dem Massentourismus in der Zukunft weitergehen soll. Der Besucherstrom in einigen Gebieten und Städten bricht nie ab. Alles wird heutzutage vermarktet. Man findet kaum noch ein Stückchen unberührte Natur. Überall machen sich diese doofen Touristen mit ihren Fotoapparaten breit und hinterlassen ihren Müll. Meiner Meinung nach sollte man Maßnahmen einleiten, die den Massentourismus einschränken.

MOHAMMED: Verreisen ist meine Welt. Besonders gern fahre ich in den Süden. Spanien ist mein absolutes Lieblingsziel. Ich denke, man sollte noch viel mehr Hotels und noch größere Freizeitanlagen errichten. Wozu brauche ich Natur in Spanien? Ich will mich dort in Clubs und Discos amüsieren, neue Freunde kennen lernen, am Pool liegen oder an der Bar sitzen. Dafür bietet Spanien doch die besten Voraussetzungen. Auf Natur kann ich verzichten, aber Unterhaltungs- und Freizeitangebote müssen sein!

HARTMUT: Wenn ich an den Tourismus in der Zukunft denke, könnte ich vor Wut ausrasten. Wo soll das nur noch hinführen? Bald werden bestimmt Abenteuertrips auf den Mars oder auf den Mond angeboten. Der Freund kann gleich kostenlos mitfliegen! Oder vielleicht gibt es auch bald neue Unterwasserhotels an der italienischen Küste, unter einer großen Luftkapsel. Ich mag gar nicht an weitere Möglichkeiten denken. Die Menschheit wird immer verrückter. Wenn wir nicht bald aufwachen, haben wir alles zerstört und wir werden jämmerlich enden!

Exercise 4 page 171

a Diese künstliche Welt aus Stein und Glas wird mir gut gefallen.
b Ich würde gerne eine dieser neuen Reisen ins All probieren.
c Ich verstehe den Reiz dieses gefährlichen Abenteuers nicht.
d Was verstehst du unter diesem idealen Ferienparadies?

3 Lossurfen! pages 172–173

On-line communication and interpersonal relations; prepositions + genitive; dictionary skills

Exercise 1a page 172

1 sich ins internationale Netz einloggen
2 ein persönliches Passwort
3 vor seinem Computer hocken
4 Computerdaten einspeisen
5 in Windeseile
6 das weltweite Netzwerk
7 die globale Quasselbude
8 rausklicken
9 kostenloser Zugang
10 elektronische Briefe

Exercise 1b page 172

1 Falsch: Florian und Dark Marine treffen sich mit sechs Stunden Zeitverschiebung über das internationale Netz.
2 Richtig
3 Falsch: Seine Eltern wollen nicht, dass die Telefonrechnung noch höher steigt.
4 Richtig
5 Falsch: Man kann leicht beim Surfen auf unerwünschte Bereiche stoßen.
6 Falsch: Die Schüler von Suppa tauschen mit englischsprechenden Schülern elektronische Briefe aus.

Exercise 2 page 173

a einhalten
b (aus)nutzen
c glatt
d Ausschnitt/Clip
e aufladen

Exercise 4 page 173

Monika: e	Betty: d	Dorit: i
Michael: b	Klaus: a	Michaela: c
Jana: h	Sandra: f	Erich: g

INTERVIEWERIN: Monika: Hast du schon mal jemanden getroffen, den du online kennen gelernt hast?

MONIKA: Ich habe über das Internet sehr viele Bekannte in Amerika. Ich bin in die englischen Chaträume gegangen, um mein Englisch fürs Abi aufzubessern. Nach dem Abi möchte ich einen USA-Urlaub machen und ein paar meiner Internetfreunde persönlich kennen lernen.

INTERVIEWERIN: Michael?

MICHAEL: Ich habe mich mal mit ein paar Leuten hier aus dem Umkreis getroffen. Wenn man schon in der selben Stadt wohnt, kann man auch mal ein Bier zusammen trinken. Ich fand's ganz nett und wir sind weiterhin in losem Kontakt, aber ich habe meinen festen Freundeskreis.

INTERVIEWERIN: Und Jana?

JANA: Bis jetzt noch nicht. Ich käme mir ein bisschen dusselig vor, dann zu fragen: „Bist du CoolCat19?"

INTERVIEWERIN: Was haltet ihr von Cyberdating? Betty?

BETTY: Ich habe schon mehrere Männer getroffen, die ich im Internet kennen gelernt habe. In den 90ern ist das für viel beschäftigte Leute eine völlig normale Art, jemanden kennen zu lernen.

INTERVIEWERIN: Klaus?

KLAUS: Die Leute lernen sich doch immer irgendwo und irgendwie kennen. Man muss mit der Zeit gehen. In zehn Jahren ist Cyberdating völlig normal.

INTERVIEWERIN: Und du, Sandra?

SANDRA: Am Computer lernt man nie den ganzen Menschen kennen. Da spielen die eigenen Vorstellungen und Wünsche eine große Rolle; bei einem wirklichen Treffen sind die Leute dann total enttäuscht.

INTERVIEWERIN: Dorit: Kannst du dir vorstellen, dich am Computer zu verlieben?

DORIT: Für mich sind Online-Beziehungen keine richtigen Beziehungen. Klar kann man reden, aber über den Computer Händchen halten, das geht nicht.

INTERVIEWERIN: Michaela, was meinst du?

MICHAELA: In den USA ist das vielleicht normal, aber ich weiß nicht, ob ich jemanden übers Internet kennen lernen möchte. Das ist mir doch ein bisschen zu technisiert.

INTERVIEWERIN: Und Erich?

ERICH: Wenn sie mir auch im richtigen Leben gefällt, warum nicht? Ob ich sie jetzt zuerst im Internet oder in einer Kneipe getroffen habe, macht keinen Unterschied.

Exercise 5 page 173

In der modernen Welt benutzt man statt eines Telefons das Internet, um mit Leuten in Kontakt zu kommen. Während der Onlinezeit lernt man sich wegen des schnellen Austausches von Informationen gut kennen. Trotz der fortgeschrittenen Technologie gehen viele Leute lieber in die Kneipe, um neue Freunde zu finden!

4 Jukebox im Internet pages 174–175

New technology and leisure; *lassen* + infinitive

Exercise 1a page 174

Michael Thielen ist halb so alt wie sein Idol, David Bowie. Er hat neulich eine unerschöpfliche Auswahl von Hits am Internet entdeckt. Sobald er mit der Maus klickt, landet der Song auf der Festplatte. Die Einführung der neuen Software hat es möglich gemacht, das Internet in eine Jukebox zu verwandeln. Obwohl die Plattenindustrie nicht blüht, ist auch der Online-Musikladen erfolgreich. Alle großen Unterhaltungskonzerne testen Musik auf Abruf, wobei man gegen Gebühr seine Lieblingsmusik auf seinen CD-Spieler lädt. Da die Single wieder so beliebt ist, wollen viele Leute eine persönlich zusammengestellte CD haben.

Exercise 1b page 175

1 Idol
2 unerschöpflich
3 Fans
4 neuentwickelt
5 klagt
6 Absatz
7 Gebühr
8 ausschließlich
9 Renaissance
10 zurückhaltend

Exercise 2 page 175

Students can be pointed towards focusing on topic-specific vocabulary relating to different areas of technology, computers being one of them.

Exercise 3 page 175

a They garden.
b Labour-saving garden tools/equipment.
c Maximum green for minimum effort.
d A solar-powered lawnmower, *Turtle*.
e When the grass needs cutting.
f Underground sensors.
g When the weeds start growing.

Jährlich werden in Deutschland 100 000 neue Gärten angelegt. Moderne Elektronik ersetzt dabei immer häufiger den sogenannten „grünen Daumen".

Rund 28 Millionen Bundesbürger verbringen regelmäßig einen großen Teil ihrer Freizeit zwischen Büschen, Bäumen und Hecken, auf dem Rasen oder im Beet. Die Gartenbranche ist nach Aussage des Geschäftsführers der Industrievereinigung Gartenbedarf, eine der wenigen Branchen, die seit Jahren stabil ist. So investierten die Deutschen 1997 weit über 20 Milliarden Mark in ihre Liebe zum Garten – aber auch in ihre zunehmende Lust auf Bequemlichkeit. Denn die Nachfrage nach arbeitserleichternden Gartengeräten wird immer größer. Die Devise des modernen Hobbygärtners lautet: Maximales Grün bei minimaler Anstrengung.

Die schwedische Firma Husqvarna hat mit ihrem Solarrasenmäher *Turtle* bereits das 21. Jahrhundert eingeläutet: Der rund 4000 Mark teure Rasenroboter entscheidet selbst, wann das Gras geschnitten werden muss. Erst wenn es wirklich zu lang ist, schnurrt der 45 Watt starke E-Motor los. Unter der Erde verlegte Sensoren begrenzen den Aktionsradius, Hindernisse umfährt *Turtle* elegant. Ein Trost für alle Hobbygärtner, die auf das teure Wettrüsten im Garten verzichten und nach wie vor auf Handrasenmäher und Gießkanne setzen: Irgendwann kriegt jeder wieder richtigen Bodenkontakt – spätestens dann, wenn das Unkraut kommt.

Exercise 4 page 175

a Er lässt sich ein Haus bauen.
b Sie lässt sich zehn Kopien machen.
c Ich lasse mir das Auto reparieren.
d Er hat die Leute auf sich warten lassen.
e Darüber lässt sich streiten.

5 Virtuelles Leben pages 176–177

New technology and society

Exercise 1a page 177

4, 7, 1, 6, 2, 8, 5, 3

Exercise 1b page 177

The company Baby Think It Over for example is aiming its product of the same name at teenagers who don't take contraception as seriously as they might. A doll is meant to alert them to the possible consequences before it's too late. The baby doll, dressed in a T-shirt and nappies, is available in five different ethnic versions. At random intervals, a microprocessor makes the little one emit a loud cry. Then there's only one solution: the doll's mum or dad has to insert a key into the computer, turn and hold it there until silence reigns. This can take between 5 and 35 minutes, day or night.

In addition, the device also keeps a record of whether the head has been held properly or whether the pretend parents, in their annoyance, have let a real hand slip onto the false baby. 'At least a 50% decline in teenage pregnancies' claims Baby Think It Over in its publicity. For particularly problematic cases, there's a baby which is programmed to be the offspring of drug addicts and warns of the terrible consequences of taking heroin. It's smaller than the standard doll, lets out frightened cries and occasionally begins to shake.

Exercise 3 page 177

Robin Katz, eine 35-jährige Journalistin aus London, antwortete neulich auf eine Annonce in der Tageszeitung *The Guardian*. Vier Freiwillige wurden für ein ungewöhnliches Experiment gesucht. „Nackt überleben mit dem Internet" hieß das Projekt, das die weltgrößte Softwarefirma Microsoft finanzierte.

Die Versuchsanordnung war einfach: ein Raum, ein Computer und ein Mensch. Der Überlebenstest übersetzte gewissermaßen die Abenteuer eines Robinson Crusoe in das elektronische Zeitalter. Das Hotelzimmer als Insel, das Internet als einzige Nahrungsquelle und E-Mails als eine Art Flaschenpost an die Welt draußen. Vier Menschen sollten, mit nichts als einem Bademantel bekleidet, ausprobieren, ob man sich 100 Stunden lang über das Internet versorgen und unterhalten kann. Weder durften sie das Zimmer verlassen noch direkten Kontakt zu anderen aufnehmen.

Mit einer Zahnbürste und dem Buch *Internet für Idioten*, kam Robin Katz an einem Montagmorgen ins Hotel. Bis dahin wusste sie nicht einmal, was eine Website ist. Nach einer Stunde hatte sie den Online-Lieferservice eines Supermarkts gefunden. Den Betrag buchte sie über eine Kreditkarte, die man ihr gegeben hatte. „Für die Fertiggerichte brauche ich eine Mikrowelle" sagte sich Robin und surfte auf die Homepage eines Geschäfts für elektrische Geräte.

Das elektronische Shoppen machte sie schnell nervös. Man konnte nichts sehen, nichts anfassen, und ob die Waren auch wirklich geliefert würden, wagte sie zu bezweifeln. Fünf Stunden später klopft es an der Tür. Sie erschrickt und fühlt sich gestört auf ihrem Planeten. „Es ist seltsam," denkt sie, „wie schnell man sich an dieses Herumsitzen vor dem Computer gewöhnt." Durch die geschlossene Tür ruft sie dem Lieferanten zu, er solle die Ware abstellen und gehen, denn sie darf mit niemandem Kontakt haben. Die bestellte Kleidung kommt aber auch am dritten und vierten Tag nicht an, Robin sitzt immer noch im Bademantel da.

Allein fühlt sie sich nicht. Als sie sich am letzten Testtag an den Computer setzt, klickt sie erst mal die Nachrichten weg, die automatisch auf der Homepage erscheinen. Man werde vollkommen weltfremd, findet sie, und interessiere sich plötzlich für die seltsamsten Dinge. Zum Beispiel für virtuelle Blumen oder singende E-Mails. Immerhin ist nun bewiesen, dass man mithilfe des Internets überleben kann. Wenn man nicht wahnsinnig wird.

6 Einkaufen vorm Fernsehsessel pages 178–179

Tele-shopping; comprehension of difficult texts

Exercise 2a page 179

1 Die Firma, die das meist gekaufte Produkt herstellt/den meist benutzten Service hat.
2 24 Stunden am Tag.
3 Werbung, die auch viele Informationen gibt.
4 Anziehend.
5 Eine Person, die etwas kauft oder benutzt.

Exercise 2b page 179

Weil es Firmen gibt, die keine Qualitätsprodukte verkaufen, sondern den Verbraucher betrügen und nur Geld machen wollen.

Exercise 2c page 179

1 Eigenschaften
2 Preis
3 vergleichen
4 anrufen
5 Lieferbedingungen
6 Kosten
7 Ausland
8 Zoll
9 gefällt
10 zurücksenden

Exercise 4 page 179

a vorstellbar
b prägen
c Hersteller
d nahtloses
e gemeinsam
f Peripheriegeräte
g austauschen
h geschaffen
i Netzwerke
j Unternehmen
k beruhen
l Kunden
m Visionären

Zukunftsvisionen verändern sich schneller denn je. Was gestern noch nicht vorstellbar war, ist heute schon Realität und wird die Zukunft prägen. Network Computing bedeutet Integration von Computern unterschiedlicher Größenordnungen. Hersteller und Betriebssysteme in ein nahtloses, unternehmensweites Informationssystem. So können Ihre Mitarbeiter gemeinsam Datenbestände, Programme und Peripheriegeräte nutzen. Oder von ihren Arbeitsplätzen aus Daten austauschen und über elektronische Post schnell miteinander kommunizieren.

Novell hat diese Industrie geschaffen, aus der einstigen Vision eine Realität gemacht. NetWare®, unsere Systemsoftware für Computer-Netzwerke, ist ein weltweiter De-facto-Industriestandard. Und immer mehr Unternehmen sehen darin die Zukunft ihrer Informationssysteme. Denn unsere Lösungen beruhen auf einem klaren Prinzip: Die Welt mit den Augen unserer Kunden zu sehen. Das hebt uns ab von den Visionären und macht heute schon das Morgen zu einem Stück Realität.

Chapter 4 Ethik

1 Wie sag ich's meinen Eltern? pages 180–181

Difficulties and dilemmas in teenager-parent relationships; conditional clauses without *wenn*

Exercise 1 page 180

Students could be asked to invent similar situations of their own and do a class survey.

Exercise 3a page 181

verzweifelt; fehlende Selbstakzeptanz; Isolation; eine positive Einstellung; Angst; enttäuschen; nervös; mir geht's jetzt so gut wie noch nie; intim

Exercise 3b page 181

Remind students that definitions do not have to be complicated, dictionary ones. The simpler the language, the more effective the definition.

1 Er trank sehr viel auf Partys.
2 Er war sehr enttäuscht.
3 Er konnte es nicht mehr aushalten.
4 Er musste nicht mehr lügen.

Exercise 3c page 181

1 Weil er seine Freundin nicht küssen wollte.
2 Fehlende Selbstakzeptanz und Isolation. Weil Schwule in der Öffentlichkeit negativ und als Opfer dargestellt werden. Sie haben Angst, ihre Eltern zu enttäuschen.
3 Sie dachte, er nehme Drogen, weil er schwieg.
4 Weil sie glaubt, das sei zu intim und gehe sie nichts an.

Exercise 4 page 181

Students sometimes need to adapt the form of the verb and this should be pointed out in advance.

a	homosexuell	e	drängen	i	lernen
b	hinnehmen	f	nähern	j	erleben
c	Seiten	g	unnötig	k	teilen
d	verstanden	h	entdecken	l	freut

Liebe Eltern! Ich bin homosexuell. Nehmt es hin, nehmt mich hin, wie ich bin. Lasst mir meine Sexualität, meine Gefühle, meine Liebe. Und seht auch alles andere an mir, denn ich bin ein Mensch mit vielen Seiten.

Versteht mich nicht falsch, ich will euch nicht drängen, etwas gutzuheißen, das ihr noch nicht gutheißen könnt. Ich bitte euch nur, nicht die Augen zu verschließen und mir zuzuhören. Wir haben Zeit, uns einander zu nähern. Ich möchte, dass wir uns besser verstehen lernen und nicht unnötig weh tun.

Es gibt so viel für uns aneinander zu entdecken, voneinander zu lernen, miteinander zu erleben und miteinander zu teilen. Ich freue mich auf ein Leben in eurer Nähe.

Euer Kind

Exercise 5 page 181

1 a Wenn Lars eine Freundin hat, lässt er sich bei den Feten immer voll laufen.
b Hat Lars eine Freundin, lässt er sich bei den Feten immer voll laufen.
c Whenever Lars has a girlfriend, he gets drunk up to the eyeballs at parties.

2 a Wenn Schwule als Opfer dargestellt werden, haben Jugendliche eine negative Einstellung zur eigenen Homosexualität.
b Werden Schwule als Opfer dargestellt, haben Jugendliche eine negative Einstellung zur eigenen Homosexualität.
c If gay people are portrayed as victims, young people have a negative attitude to their own homosexuality.

3 a Wenn die Eltern schlecht reagieren, wird Lars in die Stadt ziehen.
b Reagieren die Eltern schlecht, wird Lars in die Stadt ziehen.
c If his parents react badly Lars will move into town.

4 a Wenn er in die Stadt gezogen wäre, hätte das Versteckspiel endlich aufgehört.
b Wäre er in die Stadt gezogen, hätte das Versteckspiel endlich aufgehört.
c If he had moved into town the game of hide-and-seek would have finally been over.

2 Der Kampf ums Kind pages 182–183

Family breakdown and parent-child relationships; indirect speech and the imperfect subjunctive

Exercise 1 page 182

a	die Mutter	f	die Mutter
b	Jochen	g	Jochen
c	der Vater	h	die Mutter
d	Jochen/die Mutter	i	Jochen
e	Jochen		

Exercise 2 page 182

It may be useful to discuss ideas in class beforehand, to give students a basis for their story. Emphasise that creative writing needs a clear structure, just like essay writing. Encourage students to use a combination of direct speech and description.

Exercise 3 page 183

PRÄSENS:
sei er ja nur noch selten daheim gewesen; sie seien geschieden; der Vater wohne jetzt in Stuttgart; denn Jochen sei doch schon ein großer Junge; denn sie wolle jetzt wieder arbeiten; bleibe bestimmt mehr Geld übrig als zuvor

IMPERFEKT:
Nun müssten sie allein miteinander leben; aber das ginge sicher sehr gut; Und es ginge ihnen ganz bestimmt nicht schlechter als bisher; und da sie beide nicht tränken

Exercise 4 page 183

„Wir haben Vater nun nicht mehr, aber dadurch wird sich nicht viel ändern, denn auch in den letzten Monaten ist er ja nur noch selten daheim gewesen. Wir sind geschieden und Vater wohnt jetzt in Stuttgart. Wir müssen nun allein miteinander leben, aber das geht sicher sehr gut, denn du bist doch schon ein großer Junge. Und es geht uns ganz bestimmt nicht schlechter als bisher. Ich will jetzt wieder arbeiten und Geld verdienen und da wir beide nicht trinken, bleibt bestimmt mehr Geld übrig als zuvor."

Exercise 5 page 183

Alles ist anders, seitdem seine Eltern geschieden sind. Obwohl ihm sein Vater fehlt, findet er, dass seine Mutter ihm jetzt mehr Zeit widmet. Die Spannungen und Drohungen, die er früher erlebte, sind jetzt sehr selten geworden. Wenn seine Mutter von der Arbeit nach Hause kommt, lässt er keine Gelegenheit aus, ihr zu helfen. Sein Leben ist durch die Scheidung viel angenehmer geworden.

Exercise 6 page 183

a Sie brechen nach einer Scheidung den Kontakt zu den Kindern ab.
b Jugendämter, weil der Vater keinen Unterhalt zahlt.
c Sehr schnell.
d Weil er nicht weiß, wo sie wohnt, und sie und das Einwohnermeldeamt ihre Adresse nicht ausgeben.
e Sie würden friedlich miteinander umgehen.
f Er darf sie alle 14 Tage ein ganzes Wochenende, an jedem Mittwochnachmittag und 3 Wochen in den Ferien holen. Und am 1. Weihnachtstag zwischen 9 und 18 Uhr.

Fast 60 Prozent der Väter brechen nach einer Scheidung den Kontakt zu ihren Kindern ab. Bundesweit lebt inzwischen fast eine halbe Million Kinder auf Kosten der Jugendämter, weil die Väter keinen Unterhalt zahlen.

Achzig Prozent aller Scheidungen erfolgen „einvernehmlich". Das liegt unter anderem daran, dass viele Väter vorzeitig aufgeben. Ihnen signalisiert der Rechtsanwalt, Kampf habe keinen Zweck. Diese Ohnmacht aber wollen viele nicht mehr akzeptieren.

Seit elf Monaten schon kann der 43-jährige Manfred K. aus Rosenheim seine sechsjährige Tochter Marina nicht mehr zu sich holen. Das Kinderzimmer mit dem Stockbett und den geliebten Stofftieren ist leer. Am 26. Januar zog seine Ex-Frau Gabriele „in einer Blitzaktion" mit dem Kind zu ihrer Familie nach Dortmund. Manfred K. weiß nicht einmal, wo sie mit dem Kind wohnt. Das Einwohnermeldeamt gibt ihre Adresse nicht heraus, die Verwandten blocken ihn ab. Wenn er anruft, sage die Schwägerin einfach, dass Marina nicht mit ihm reden wolle. Auch alle Briefe kämen ungeöffnet zurück.

Bei der Scheidung im Oktober 1996 waren sich die Eltern noch einig, dass sie „schon wegen des Kindes" friedlich miteinander umgehen wollten. Die Mutter bekam das Sorgerecht, doch der Vater sollte Marina alle 14 Tage für ein ganzes Wochenende sowie an jedem Mittwochnachmittag und drei Wochen in den Ferien holen dürfen. In der Vereinbarung der beiden Parteien vor dem Familiengericht steht, dass er auch am ersten Weihnachtsfeiertag die Tochter in der Zeit von neun bis 18 Uhr zu sich nehmen kann.

3 Rollenwechsel pages 184–185

Prejudice and discrimination; verb + preposition

The subject of prejudice can be approached through national stereotypes. Students can brainstorm stereotypes of British and German people, for example, and then consider which groups in society suffer from prejudice against them.

Exercise 2 page 184

GRUPPE: Leute, die anders aussehen
VORURTEIL: Sie können kein normales Leben führen.
GRUND: Wir glauben, dass körperliche auch geistige Behinderungen bedeuten.

GRUPPE: Frauen
VORURTEIL: Sie können im Beruf nicht so viel leisten wie Männer.
GRUND: Man glaubt, sie werden ihre Karriere frühzeitig abbrechen. Nicht genug Frauen brechen aus der Rolle der Hausfrau.

GRUPPE: Langzeitarbeitslose
VORURTEIL: Sie finden keinen hohen Stellenwert.
GRUND: Die Gesellschaft beurteilt nach der Arbeit.

GRUPPE: Asylbewerber
VORURTEIL: Sie haben keinen Status und sind eine Unterklasse.
GRUND: Sie haben keinen Besitz.

MATTHIAS: Ich denke immer, dass ich keine Vorurteile habe, aber das ist irgendwie unbewusst. Wenn Leute anders aussehen, nimmt man automatisch an, dass sie kein normales Leben führen können. Aber das stimmt doch nicht. Rollstuhlfahrer werden zum Beispiel immer schlecht dargestellt und man gewinnt den Eindruck, dass sie keine eigene Meinung ausdrücken können und dass sie ständig auf andere angewiesen sind. Es liegt wahrscheinlich daran, dass wir glauben, eine körperliche Behinderung bringe auch eine geistige mit sich.

KATRIN: Ich kann es nicht leiden, wenn Jungen mir sagen, dass die Gleichberechtigung der Frauen zu weit gegangen ist! Natürlich ist unsere heutige Situation viel besser als damals, aber ich bezweifle, dass Männer und Frauen gleich behandelt werden. Es besteht immer noch die Ansicht, dass Frauen im Beruf nicht so viel leisten können, weil sie zu feinfühlig und zurückhaltend sind. Sie werden auch nicht gefördert, weil man immer glaubt, dass sie wegen einer Schwangerschaft ihre Karriere frühzeitig abbrechen werden. Diese Vorurteile existieren, weil sich nicht genug Frauen trauen, aus der Rolle der Hausfrau auszubrechen.

JÖRN-PETER: Den Langzeitarbeitslosen fällt es besonders schwer, einen Platz in der Gesellschaft zu finden. Unser Selbstwertgefühl ist stark reduziert, weil wir nach unserer Arbeit beurteilt werden. Wir sollten die Arbeit besser verteilen, um zu vermeiden, dass auf der einen Seite Leute zu viel zu tun haben, während andere nicht wissen, wie sie die Zeit vertreiben sollen.

ANGELIKA: Obwohl Ausländer diskriminiert werden, sind Asylbewerber leider eine Unterklasse. Da sie nichts besitzen und dem Staat ausgeliefert sind, haben sie keinen Status. Die Zukunft bleibt unsicher, weil sie ewig auf das Ergebnis ihres Asylantrags warten müssen. Außerdem ist es schwer, sich an eine ganz neue Lebensweise anzupassen. Wo alles fremd ist, kann man schlecht seine Familie versorgen und ein normales Leben führen.

Exercise 3 page 184

a auffallend
b Mitleid
c begabt
d positiv
e Filmen
f Respekt
g Intelligenzquotienten
h Zahlen
i verständlich
j sofort
k versteht
l spricht
m Antwort
n Gefühle
o macht

Exercise 4 page 185

Emphasise that students should not transcribe but write in note form, picking out the main points only.

Exercise 5 page 185

a über
b für
c auf
d an
e auf
f an
g von
h aus
i an
j vor

Exercise 6 page 185

A context is once again important here. The advert might simply raise awareness of the contribution of certain groups to society. Students might like to design an advert highlighting the achievements of women in science, black people in politics etc. which would involve research and have a specific content.

4 Furcht vor Frankenstein pages 186–187

Cloning and its ethical issues; relative pronouns and clauses; defending a point of view

As a warm-up activity, students might think of a famous person, dead or alive, they would like to clone because of his/her physical or academic achievements.

Exercise 1 page 186

a To be the first to start cloning humans.
b They are frightened of the 'Frankenstein factor', i.e. of the mad scientist.
c There is no law to stop Seed's project in the USA, but in Germany human cloning is prohibited.
d They are seen as irresponsible, unethical and unprofessional.
e He is unimpressed and thinks people will change their mind once cloning happens.
f To mass produce humans profitably and have 10–20 branches in the USA.

Exercise 2 page 187

a den
b die
c dem
d der
e dem
f dessen
g den

Exercise 3 page 187

CHRISTIAN:	pro	Die Menschheit muss sich entwickeln können.
ANNE:	pro	Hat vertrauen in die Behörden, die das Klonen überwachen.
MIRIAM:	contra	Wir sollten nicht in die Naturgesetze hineinpfuschen.
ALOIS:	contra	Hat Angst, dass man Fehler machen wird. Niemand wird das Klonen regulieren können.

CHRISTIAN: Neue Generationen machen immer wissenschaftliche Fortschritte, die manche Leute für unethisch halten, sei es Organverpflanzung oder Retortenbabys. Ohne medizinische Entwicklungen würden wir alle noch jung sterben. Ich habe nichts gegen das Klonen, weil die Menschheit sich entwickeln muss.

ANNE: Das Klonen stellt für mich keine Bedrohung der Zivilisation dar und ich bin dafür, wenn es gestattet wird. Ich hätte Vertrauen in Behörden, die das Klonen richtig regulieren und überwachen würden. Wenn wir immer skeptisch und misstrauisch wären, würden wir nichts erlauben. Wenn das Klonen gefährlich wäre, würden sie das sowieso verbieten.

MIRIAM: Ich bin allem skeptisch gegenüber, was nicht natürlich ist. Ich denke zum Beispiel an Gentechnik in Lebensmitteln – wer weiß, wo das alles hinführen wird? Wenn wir in die Naturgesetze hineinpfuschen, können wir nie sicher sein, was daraus wird.

ALOIS: Ich habe Angst, dass wir Fehler machen und Ungeheuer schaffen werden. Darüber hinaus wird niemand das regulieren können, wenn es einmal in Schwung ist. Was passiert, wenn es drei Kopien meiner Mutter gibt?!

Exercise 4 page 187

If the class is large enough, this activity could be done as a simulation of a conference, with one student chairing the discussion.

5 „Qualm gefälligst draußen" pages 188–189

Smoking; position of *sich* in main and subordinate clauses; using specialist vocabulary

Students may be prepared to share whether they smoke or not and their views about friends who smoke. This is a good way to personalise the issue.

Exercise 1 page 188

a2, b1, c2, d2, e1, f1, g1

Exercise 2 page 189

a Sie haben beschlossen, sich wegen der Gefahren des Passivrauchens zu beschweren.
b Da sie sich nicht bemüht haben, haben sich die Raucher und die Arbeitgeber nicht geeinigt.
c Wir haben uns immer für die Nichtraucher eingesetzt.
d Ich frage mich, ob sich die Raucher mit den neuen Regelungen abfinden werden.
e Meiner Meinung nach lohnt sich das Vorhaben, wenn es sich finanziell rentiert.
f Er hatte sich Sorgen darüber gemacht, dass das Rauchen am Arbeitsplatz verboten werden würde.
g Obwohl sich viele Abgeordnete zum geplanten Gesetz bekannt haben, zweifle ich daran, ob sich die Idee durchsetzen wird.
h Nach IW-Berechnungnen summieren sich die Kosten für das Umbauen auf 18,8 Milliarden Mark.

Exercise 4 page 189

a Niemand kann Ihnen den Entschluss, mit dem Rauchen aufzuhören, abnehmen.
b Ihr Körper wird mit so viel Nikotin wie nötig versorgt.
c Das erleichtert besonders die erste Zeit, wenn der Wunsch zu rauchen noch sehr stark ist.
d Nehmen Sie Nicorette bis zu 3 Monaten mit immer geringerer Dosierung, die Sie individuell steuern können.
e Ihr Rauchverlangen wird Schritt für Schritt abgebaut.
f Gemeinsam durch die harte Zeit.

Den Entschluss, mit dem Rauchen aufzuhören, kann Ihnen niemand abnehmen. Aber es gibt eine gezielte Hilfe: Nicorette. Nicotin-Kaugummi versorgt Ihren Körper mit so viel Nicotin wie nötig. Das erleichtert besonders die erste Zeit, wenn der Wunsch zu rauchen noch sehr stark ist. Insgesamt nehmen Sie Nicorette bis zu drei Monaten. Und zwar mit immer geringerer Dosierung, die Sie individuell steuern können. Bis das Rauchverlangen Schritt für Schritt abgebaut ist.

Nicorette Nicotin-Kaugummi mit Nicotin-Dosierungs-Indikator gibt's in mint, orange-citrus und ohne Zusatzgeschmack in classic-original. Nur in der Apotheke.

Nicorette – gemeinsam durch die harte Zeit.

Exercise 5 page 189

Ask students to produce a list of relevant vocabulary items before beginning this activity.

6 Abtreibung: die richtige Entscheidung? pages 190–191

Abortion; *hätte/wäre* + modal verb

Exercise 1a page 191

1 Melanie
2 Melanie
3 Klaudia
4 Klaudia
5 Klaudia
6 Klaudia
7 Melanie
8 Melanie
9 Keine von beiden
10 Melanie
11 Klaudia

Exercise 1b page 191

1 … sie das Kind austragen würde.
2 … ihre eigene Wohnung und eine gute Stelle zu haben.
3 … sie zur selben Zeit Medikamente nahm.
4 … hat sie Angst, ob alles gut gehen wird.
5 … sie an ihre Zukunft dachte.
6 … total unzuverlässig.
7 … Leute sagen, ein Schwangerschaftsabbruch sei Mord.

Exercise 3 page 191

SANDRA:	pro	Wenn man vergewaltigt worden ist, ist es kein Mord.
BURKHARD:	contra	Weil man ein kleines Wesen umbringt; man kann nicht in die Gesetze der Natur pfuschen.
JASMIN UND ULLI:	pro	Besser als Adoption oder dass das Kind geschlagen oder misshandelt wird.
KATRIN:	contra	Aber man sollte sich frei entscheiden können.
STEFFI:	contra	Man sollte nicht töten; die Embryos sind menschlich.
JULIA:	contra	Aber berechtigt, wenn eine Frau einem Kind keine Existenz bieten kann.

SANDRA: Ich heiße Sandra und ich bin jetzt 15 Jahre alt. Ich habe schon eine Abtreibung hinter mir. Nicht, weil ich nicht verhütet habe, sondern weil ich vergewaltigt worden bin. Hättet ihr das Kind eines fremden Mannes zur Welt gebracht und es großgezogen? Ich nicht. Ich hätte es nicht lieben und nicht ansehen können. Und was hat das Kind vom Leben, wenn es nicht geliebt wird? Ich finde, in diesem Fall hat es nichts mit Mord zu tun.

BURKHARD: Mein Name ist Burkhard und ich finde Abtreibung grausam. Wenn man bedenkt, dass man damit ein kleines Wesen umbringt, ist es doch wirklich so. Man kann ja nicht einfach in die Naturgesetze hineinpfuschen. Bevor man miteinander schläft, sollte man erstmal über die möglichen Folgen reden.

JASMIN: Also wir sind Jasmin und Ulli. Wir finden, dass Abtreibung legalisiert werden sollte. Was hat das Kind denn davon, dass die Mutter es nach der Geburt zur Adoption freigibt oder schlägt und misshandelt, weil sie es nicht liebt?

ULLI: Außerdem sollte in den Familien und Schulen viel ausführlicher aufgeklärt werden, damit ungewollte Schwangerschaften erst gar nicht passieren.

KATRIN: Ich heiße Katrin und bin gegen den Abbruch einer Schwangerschaft. Ich bin jedoch der Meinung, dass jede Frau nach einer ausführlichen und einfühlsamen Beratung selbst entscheiden können muss, ob sie das Kind bekommt oder nicht. Ich finde, es fällt bestimmt jeder Frau schwer genug, sich gegen ihr Kind zu entscheiden, da sollte sich der Staat mit Strafen zurückhalten.

STEFFI: Also ich bin Steffi. Ich bin fest davon überzeugt, dass Abtreibung nicht das richtige Mittel ist. Das sind doch auch Menschen wie wir. Sie haben Hände, Füße, Beine, Augen und alles, was man braucht! Sie können nur noch nicht alleine atmen. Das ist der ganze Unterschied. Wer weiß, vielleicht merken sie es sogar. Ich würde mein Kind nie abtreiben lassen, denn es hat genauso ein Recht auf Leben wie wir. Diese Kinder leben doch auch! Wir haben kein Recht, sie zu töten.

JULIA: Mein Name ist Julia und ich bin nicht für die Abtreibung. Aber manchmal gibt es halt keinen anderen Ausweg. Verantwortung heißt nicht immer nur, das Baby zu bekommen. Wenn eine Frau abtreibt, weil sie dem Kind keine Existenz bieten kann, so ist das auch verantwortungsvoll.

Exercise 4 page 191

a Ich hätte die Pille nehmen sollen.
b Ihr Freund hätte sie unterstützen sollen.
c Wir hätten zusammen die Entscheidung treffen können.
d Sie hätten ihr helfen können.
e Sie hätte mit ihrer Mutter sprechen sollen.
f Ihre Freunde hätten sie verstehen sollen.
g Obwohl Klaudia das Kind hätte austragen können, hat sie sich dagegen entschieden.
h Wenn sie mit ihrer Mutter hätte sprechen können, hätte sie sich besser gefühlt.

Exercise 5 page 191

Encourage students to take on the character of Melanie/Klaudia as described in the text.

Chapter 5 Wir wollen doch anders sein!

1 Die Verwandlung pages 192–193

Reading texts with complex syntax

Students might be asked to prepare a short presentation about their worst dream or nightmare.

Exercise 1a page 192

1 ungeheuer; auf seinem panzerartigen harten Rücken; seinen gewölbten, braunen, von bogenförmigen Versteifungen geteilten Bauch; seine vielen … kläglich dünnen Beine; die zappelnden Beine; einen noch nie gefühlten, leichten, dumpfen Schmerz
2 aus unruhigen Träumen; das trübe Wetter; Regentropfen; melancholisch; die Sorgen

3 Er will weiterschlafen, aber er kann sich nicht auf die rechte Seite drehen.
4 Er ist ständig unterwegs, das Essen ist unregelmäßig und schlecht und er lernt Leute nie richtig kennen.

Exercise 2 page 193

Encourage the students playing the friend to be as disbelieving as possible in order to add to the fun of this activity. Students might be able to give examples of other 'strange but true' stories of their own or from newspaper reports.

Exercise 3 page 193

The aim of this exercise is for students to break down long, complex sentences to aid understanding. You might be able to set a similar task involving other authentic texts.

3a He lay on his back and saw his stomach, on top of which the bedcovers could barely stay put.

3b
1 Seine vielen {im Vergleich zu seinem sonstigen Umfang} {kläglich dünnen} Beine flimmerten ihm hilflos vor den Augen.
2 Über dem Tisch, [auf dem eine auseinandergepackte Musterkollektion von Tischwaren ausgebreitet war] [– Samsa war Reisender –,] hing das Bild, [das er vor kurzem aus einer illustrierten Zeitschrift ausgeschnitten und in einem hübschen, vergoldeten Rahmen untergebracht hatte].
3 Es stellte eine Dame dar, [die {mit einem Pelzhut und einer Pelzboa versehen}, aufrecht dasaß und einen schweren Pelzmuff, [in dem ihr ganzer Unterarm verschwunden war], dem Beschauer entgegenhob].

Exercise 4 page 193

The aim of this exercise is for students to break down long, complex sentences to aid comprehension. Once again, emphasise the need for a clear structure and the need for a variety of direct and indirect speech and description.

Exercise 5 page 193

1 Anja: she wants to avoid the daily grind and do a job that's not demanding; she wants to avoid stress and look after herself.
2 Heiko: she wants to start her own company; so that she can organise her own work schedule.
3 Erwin: he wants to live in an environmentally friendly community; to make a significant contribution to society and help save the environment.
4 Thorsten: he wants to be a monk and devote his life to God; because the spiritual side of life is important and prayer can change a lot.
5 Silke: she wants a high level job in the civil service and to earn a lot of money; she wants an exciting and luxurious lifestyle.

ANJA: Ich will auf jeden Fall den täglichen Trott vermeiden. Ich hoffe, eine Stelle zu finden, die nicht so anspruchsvoll ist, damit ich mich auf andere Sachen konzentrieren kann. Heutzutage bringt die Arbeit so viel Stress mit sich. Man verdient zwar mehr, hat aber keine Zeit, die Belohnung zu genießen. Alle sind überfordert und haben wohl vergessen, sich selbst zu versorgen.

HEIKO: Ich habe so viele Freunde, die keinen Ehrgeiz haben und sich mit einem öden Beruf zufrieden geben. Für sie gilt finanzielle Sicherheit, egal ob sie ihre Arbeit mögen oder nicht. Ich habe vor, meine eigene Firma zu gründen, damit ich meinen Arbeitstag selber gestalten kann.

ERWIN: Warum sind wir nur alle so von uns selbst besessen und warum denken wir nicht an unsere Nachkommen? Ich werde keine Güter für mich selbst aufstapeln, sondern zur Rettung unserer Umwelt beitragen. Ich möchte als Mitglied einer umweltfreundlichen Kommune leben, wo ich einen sinnvollen Beitrag zur Gesellschaft leisten kann.

THORSTEN: Ich bin entschlossen, mein Leben Gott zu weihen. Ich werde als Mönch leben, weil ich davon überzeugt bin, dass man durch Gebet viel ändern kann. Die geistige Seite des Lebens wird meistens ignoriert, aber wir müssen uns auch darum kümmern. Sonst gäbe es viel mehr Böses in der Welt.

SILKE: Ohne Moos nichts los! Ich werde versuchen, eine gute Stelle im Staatsdienst zu bekommen, damit mein Einkommen so hoch wie möglich ist. Es macht mir nichts aus, ob ich lange Arbeitszeiten habe. Hauptsache, mein Lebensstil ist spannend und luxuriös. Wenn du dein Leben nicht genießt, wirst du das später bereuen.

2 Der Profi-Pirat pages 194–195

Hobbies; imperfect subjunctive, würde + infinitive

Exercise 1 page 194

Students should not simply be descriptive, as this may not generate an appropriate level of language. Encourage them to explain why they enjoy their hobby, what others think of it and to convince their peers that it is a worthwhile hobby to pursue. If students do not have a particular hobby, they could talk about a hobby that they would like to take up in the future, time and money permitting.

Exercise 2 page 195

a Er ist erleichtert.
b Weil er den Geräten seines Radiosenders nicht vertrauen kann.
c Die Hörer würden wissen, dass City FM nicht live sendet.
d Weil die Medienwächter ihn erwischen könnten.
e Sie versuchen, Sender ohne Lizenz zu erwischen
f 2000 bis 3000 Mark.
g Er macht sich darüber keine Sorgen.
h Er ist nicht in den Ferien gefahren und hat sich wenige Kleider gekauft.
i Er weiß nicht, ob jemand ihm zuhört.

Exercise 4 page 195

Michael is a pirate radio broadcaster. His station broadcasts about every six weeks on VHF without a licence. He has no choice but to start up pre-recorded tapes and leave the transmitter at a top secret location. 'If they catch me presenting live I'll be finished.' he says. They are the media watchdogs – the authority which regulates on behalf of the telecommunications industry. Up until August 1996 radio pirates where treated as criminals by the telecommunications act and faced the prospect of prison. Today, anyone broadcasting without a licence is simply in contravention of the regulations. In accordance with the new telecommunications act, the operator of an unapproved transmitter must pay a fine – if he is caught. 2000 to 3000 marks as a rule. More for a second offence.

Exercise 5a page 195

1 Es gäbe keine City-FM-Sendungen mehr.
2 Er wäre geoutet.
3 Er hätte Zeit, ein Taxi zu nehmen.
4 Wenn man ihn ertappte, müsste er eine Geldbuße zahlen.
5 Wenn Michael das Tape nicht wechselte, verlöre er an Glaubwürdigkeit.
6 Wenn es eine Panne gäbe, wäre es unprofessionell.

Exercise 5b page 195

1 Er würde keine andere Wahl haben.
2 Ich würde einen Anruf von den Regierungsbehörden bekommen.
3 Wenn Michael keine Zuhörer haben würde, würde das Ganze eine Zeitverschwendung sein.
4 Wenn ihm das Geld ausgehen würde, würde er aufgeben müssen.
5 Wenn Michael einen Mitarbeiter haben würde, würde er ruhig schlafen können.

Exercise 6 page 195

This activity could be done later in the year if students also wrote a story from the previous page. Alternatively, it could be used now as a way of improving mistakes made in their last attempt.

3 Handy-Manie pages 196–197

Mobile phones and CCTV vs privacy; the passive

Students may well have mobile phones and find them indispensable. As a warm up exercise, encourage them to talk about why and when they use them.

Exercise 2 page 196

a	abandoned	k	burden
b	impatient	l	refused
c	superseded	m	delay
d	ugly	n	Milan
e	media	o	reliable
f	status symbol	p	protection
g	image/fashion	q	private
h	important	r	audience
i	businesses	s	extravagant
j	superfluous	t	consumerism

Exercise 4a page 197

1 Sie haben Angst, dass sie ihre Kinder misshandeln.
2 Sie spionieren sie mit High-Tech-Anlagen aus.
3 Es hat ein Glasauge mit einer Minikamera und ein Mikrofon im Bauchnabel.
4 Sie sichern sich gegen Elternklagen wegen Kindesmissbrauchs.
5 Der Prozess gegen das englische Kindermädchen Louise Woodward wegen des Totschlags des Babys Matthew Epon.

Immer mehr Eltern spionieren in den USA aus Angst vor Kindesmisshandlung ihre Kindermädchen aus. Eine ganze Branche versorgt neuerdings junge Eltern mit High-Tech-Anlagen, um Tagesmütter oder Au-pair-Girls bei ihrer Arbeit zu kontrollieren. Bis zu 5000 Dollar legen die Eltern für eine komplette Ausspähanlage im Kinderzimmer hin. So gibt es zum Beispiel ein Kuscheltier mit einem wachsamen Glasauge, hinter dem sich eine lichtstarke Minikamera verbirgt. Oder ein in den Bauchnabel eingelassenes hochempfindliches Mikrofon. Die Branche verdankt ihr Wachstum nicht nur den Kindergärten, die sich schon seit Anfang der neunziger Jahre mit Videotechnik gegen Eltern absichern wollten, als diese wegen Kindesmissbrauchs klagten. Auch die panische Angst amerikanischer Eltern nach dem Louise Woodward Prozess förderte den Bedarf an neuer Überwachungstechnik. Das englische Kindermädchen wurde 1998 des Totschlags von Baby Matthew Epon für schuldig befunden.

Exercise 4b page 197

In the USA, parents are spying on their childrens' nanny or au pair because they are worried about child abuse. Young parents in particular use high-tech concealed cameras and microphones. Nurseries are protecting themselves against parents' complaints and parents are reacting to the Louise Woodward manslaughter case.

Students could be encouraged to give their views on the moral implications of telephone-tapping, speed cameras, CCTV and so on.

4 Bühne für Paradiesvögel pages 198–199

Youth culture and leisure; writing letters of complaint

Students could be asked to brainstorm why people like going to clubs and discos. They could also list the characteristics that make up a good night out. This could feed into exercise 2.

Exercise 1a page 198

1e, 2c, 3a, 4g, 5d, 6f, 7b, 8h

Exercise 1b page 198

1 Zu den Höhepunkten … zählen …
2 unwiderstehlich
3 stehen in besonderer Beziehung zueinander
4 fingen Feuer
5 hat … die Welt erobert

Exercise 3a page 198

Students need to pick out key points only here as some of the language is very colloquial. NB: Please note the offensive and controversial nature of some comments. They are, however, individual opinions and not meant to be taken out of context. You might feel it necessary to draw this to the attention of students.

GOTHIC-WAVE
Definition: Vampir-Look; lehnen Schönheitsideale ab
Warum? Die einzige Subkultur; individuell; das Dunkle und Bedrohliche sind ein Teil des Lebens

RAPPER
Definition: Männerszene; amerikanische Spitznamen; finden Gewalt gut
Warum? Keine Weicheier

SKATER
Definition: Finden Sport, Fitness und Fun das Wichtigste
Warum? Weil der Sport auch einen Kick gibt – wie eine Droge

TECHNO
Definition: Geile Klamotten; superschlanke Körper; tanzen
Warum? Gute Bodies; Spaß

PUNK
Definition: Sie verweigern sich der Gesellschaft und dem Konsumverhalten und kämpfen gegen Rassismus und Zensur
Warum? Man kann ohne Irokesenschnitt oder grüne Haare akzeptiert werden. Sie machen sich Gedanken und wollen nicht nur Spaß haben.

1: Wir sind die Besten, weil Gothic die einzige Subkultur ist. Alles andere wurde doch von der Industrie geschluckt. Metal ist total, Punk ist verschwunden, Grunge wurde kommerzialisiert und sogar Rap ist inzwischen gesellschaftsfähig. Gothic können sie nicht vermarkten, wir sind viel zu individuell. Wir sind dunkel, düster und todesbleich, haben blutrote Lippen und tragen kalkweißes Make-up. Mit unserem Vampir-Look grenzen wir Goths uns bewusst von allen anderen ab, vor allem von deren Schönheitsidealen. Bei uns gibt es keine Abziehbilder, die aussehen wie Barbiepuppen. Individualität ist Schönheit. Dieses ganze Getue mit modischem Aussehen, Gesundheit und Bräune hängt mir zum Hals heraus. Was soll denn das Ganze, dass jeder happy ist? In Wirklichkeit ist das doch keiner. Warum also das Dunkle und Bedrohliche verbergen? Das ist ein Teil des Lebens.

2: Wir sind die Besten, weil bei uns keine Weicheier sind. Rap ist eine Männerszene, da gehört Gewalt dazu: Mädchen sind doch nur Anhängsel. Schau dir Ice-T an, der hat es doch voll drauf. Er hat es geschafft, aus den Slums herauszukommen, auch ohne dass er sich angepasst hat. Die schwarzen Rapper aus der Bronx sind unsere Vorbilder. Die Jungs kommen von der Straße und sind trotzdem Millionäre geworden. 2Pac ist für mich ein Märtyrer, der ist für sein Leben gestorben, der war echt und kein Weichei!

3: Wir sind die Besten, weil wir einen Sport haben, der einem auch den Kick gibt. Sport, Fitness und Fun, das ist für uns das Wichtigste. Politik interessiert uns überhaupt nicht. Den besonderen Kick suchen wir in gefährlichen Stunts. Mit den Boards ein paar coole Jumps zu machen, an einem Berg zu stehen und zu warten, bis die Autos rot haben und dann mit Vollgas abzudüsen, das ist der ultimative Kick. Wir brauchen dazu keine Drogen. Für uns ist der Fun Droge genug!

4: Wir sind die Besten, weil auf einem Rave alle durchgestylt sind und geile Bodies haben. Techno ist Fun: gut drauf sein, geile Klamotten und superschlanke Körper – das ist das ideale Wochenende. Dann tanzen wir die Nächte durch, brauchen vielleicht Energiedrinks oder Aufputschmittel, manche nehmen auch Ecstasy oder Speed. Wir wissen wenigstens, was Spaß ist, und hängen nicht depressiv rum oder sehen aus wie Asies. Ich finde es echt mies, dass Techno immer mit Drogen in Verbindung gebracht wird. Ich tu mir das nicht an und bin trotzdem gut drauf. Wenn du eine Nacht durchtanzt, dann hast du schon Kondition und setzt auch keinen Speck an.

5: Wir sind die Besten, weil du keinen Irokesenschnitt oder grüne Haare haben musst, um akzeptiert zu werden. Punk hat in den letzten Jahren eine totale Wandlung durchgemacht. England, die Arbeitslosen, No Future und all das, das hat sich inzwischen überholt. Punk ist inzwischen mehr eine Einstellungssache geworden, es ist nicht mehr gegen alles, sondern hinterfragt. Eigentlich sind wir doch die einzigen, die sich noch Gedanken um was machen. Der Rest will doch nur Spaß und interessiert sich für sonst gar nichts. Die herrschende Politik kannst du vergessen, die ist doch zersetzt von Konsumverhalten, Rassismus und Zensur.

Exercise 3b page 198

1e, 2f, 3a, 4d, 5b, 6c

Exercise 4 page 199

Make sure students understand the irony of the blow-up dartboard in this letter!

a ich möchte meine Unzufriedenheit mit einem Ihrer Produkte zum Ausdruck bringen.
b ich musste feststellen
c was mein gutes Recht ist
d ich kann nicht beurteilen
e ich muss unter den gegebenen Umständen auf die Rückerstattung der vollen Kaufsumme bestehen

Exercise 5 page 199

Students can be encouraged to invent 'nightmare scenarios' in order to add an element of humour to this activity. They could see who could come up with the worst complaint.

5 Nein, ich will nicht! pages 200–201

Pros and cons of marriage; future perfect; essay-writing technique

Exercise 1a page 200

1 ändern
2 geheiratet
3 fest
4 gemietet
5 geladen
6 Kleinholz
7 Bauch
8 mitteilte
9 fällt
10 getroffen
11 Scheibe
12 geschah
13 gefehlt
14 treffen
15 verdrängt
16 unaufhaltsam
17 absolute
18 geworden
19 hätte
20 Verweigerung

Exercise 1b page 200

1 falsch
2 richtig
3 falsch
4 nicht gegeben
5 richtig
6 falsch
7 richtig
8 richtig
9 falsch
10 richtig
11 falsch

Exercise 1c page 201

1 Er war sehr überrascht. – He fell off his chair.
2 Die Hochzeit findet nicht mehr statt. – The wedding is off.
3 Plötzlich keinen Mut haben, etwas zu tun. – To get cold feet.
4 Etwas Neues unternehmen. – To break new ground
5 Wenn man nach einem Ereignis darüber nachdenkt. – In retrospect.

Exercise 2 page 201

a Sie werden den Bus verpasst haben.
b Bis morgen wird sie Olaf vergessen haben.
c Er wird ihr vergeben haben.
d Bis nächste Woche werde ich die spektakulärste Entscheidung meines Lebens getroffen haben.
e Sie wird Langeweile durch Lebendigkeit ersetzt haben.
f Oliver wird sie glücklich gemacht haben.
g Bis jetzt wird Olaf sich erholt haben.
h Sie werden zusammen ins Kino gegangen sein.

Exercise 3 page 201

Students could predict the reasons given as a pre-listening activity.

FÜR: Ein Trauschein macht die Beziehung unangreifbar.
Ehepaare haben ein stabiles Verhältnis und sind nicht unter Druck.
Man kann Vertrauen aufbauen.
Kinder verstehen nicht, wenn man nicht verheiratet ist.
Sie bringt Ordnung.

GEGEN: Sie ist altmodisch.
Man kann ohne Trauschein glücklich leben.
Große Herausforderung, das Verhältnis frisch und lebendig zu halten.

FRAU: Hast du schon gehört, Tina und Peter wollen im Sommer heiraten!
MANN: Um Himmels Willen, ich dachte eigentlich, dass sie sich trennen. Immer wenn ich sie treffe, streiten sie sich. Ich habe das Gefühl, dass die Hochzeit bloß ein letzter Versuch ist, das Verhältnis zu retten. Das kommt nicht selten vor – die Leute glauben, dass ein Trauschein die Beziehung unangreifbar macht.
FRAU: Ich finde, die zwei sind doch das ideale Paar. Ich freue mich für sie. Hochzeiten sind einfach traumhaft.
MANN: Das stimmt doch nicht! Heiraten ist total altmodisch. Man kann doch auch ohne Trauschein glücklich zusammen leben. Wenn man nicht verheiratet ist, besteht immer noch die Herausforderung, das Verhältnis frisch und lebendig zu halten. Ist man verheiratet, erscheint alles einfach selbstverständlich.
FRAU: Ganz im Gegenteil. Ehepaare haben ein stabiles Verhältnis und die Beziehung steht nicht unter Druck. Man kann in Ruhe Pläne machen und Vertrauen aufbauen.
MANN: Aber wenn trotzdem alles schief geht, kann man sich leichter trennen, wenn man nicht verheiratet ist.
FRAU: Denk doch mal an die Kinder. Sie werden nicht verstehen, warum ihre Eltern nicht verheiratet sind. Man sollte heiraten, um eine gewisse Ordnung im Leben zu erreichen.
MANN: Ich werde nie heiraten oder wenn schon, dann erst wenn ich alt bin und mich zur Ruhe setzen will.
FRAU: Glaubst du, dass du dann noch eine Frau findest, die so einen alten Mann wie dich nimmt?
MANN: Na klar!

Exercise 4 page 201

Make sure that students have a clear plan showing both sides of the argument.

6 Guildo hat euch lieb! pages 202–203

Cult figures and stars; word order of direct and indirect object; more essay-writing technique

Students will need to know that Guildo Horn became a cult figure after being selected as the German entry for the Eurovision Song Contest. They might like to talk about people that they and their peers have as their own idols/role-models.

Exercise 1a page 202

1 die Markenzeichen von Guildo Horn
2 … erfüllte sich einen großen Kindheitstraum
3 konnte er die Fernsehzuschauer auf seine Seite bringen
4 das Geheimrezept
5 das ist das Entscheidende
6 die verstaubte Angelegenheit
7 steht im Rampenlicht
8 jedes Land bekommt den Vertreter, den es verdient
9 wir Deutschen können es mal vertragen
10 die weltergreifende Aussage

Exercise 2 page 203

a Er zeigte ihr den Brief.
b Er zeigte ihn seiner Schwester.
c Sie gaben es ihnen.
d Wir zeigten dem Lehrer die Arbeit.
e Er versprach mir eine tolle Zukunft.
f Sie brachte sie mir.

Exercise 4 page 203

a Robbie Williams – im Supermarkt; Liam und Patsy – am Nebentisch; Björk – im Club.
b Das gibt das Gefühl, dazuzugehören.
c In London wohnen die Stars in ganz normalen Häusern und Straßen, aber in Amerika wohnen sie in abgeriegelten Villen.
d Gästelisten; limitierte Turnschuhe; Filmpremieren; exklusive Partys; die erste Reihe in den Fashion-Shows.
e Weil neue Talente nachrücken.
f Von der Boulevardpresse und den Lifestyle-Magazinen.
g Es gibt keinen Grund zur Hetze; sie sehen fern; es gibt viele andere Möglichkeiten.

Von vielen potentiellen Weltstars umgeben zu sein macht Spaß. Wo sonst kann man morgens Robbie Williams im Supermarkt treffen, abends mithören, wie Liam und Patsy am Nebentisch eine mittelschwere Ehekrise ausdiskutieren, und später im Club sehen, mit wem Björk diesmal rummacht? Der Glanz dieser Menschheit färbt dabei automatisch auch ein bisschen ab, gibt das Gefühl, dazuzugehören. Das liegt auch daran, dass die Stars sich hier nicht wie in Amerika in abgeriegelten Villen abschotten, sondern in ganz normalen Häusern in ganz normalen Straßen wohnen.

Aber selbst die viele Prominenz kann nicht darüber hinwegtäuschen, dass der wahre Star die Stadt ist. Und das Leben hier kann manchmal anstrengend sein wie ein Computerspiel: Ziel für jeden der vielen Teilnehmer ist es, ihren derzeitigen Coolness-Level zu meistern. Anfangs sind es noch Gästelisten oder limitierte Turnschuhe. Später müssen es schon Filmpremieren, exklusive Partys und die erste Reihe in den Fashion-Shows sein. Auf den Highscores vergangener Jahre kann sich hier niemand lange ausruhen, denn ständig rücken aus einem schier unerschöpflichen Reservoir neue Talente nach. Wer nicht der bissigen Boulevardpresse zum Opfer fällt, wird von den Lifestyle-Magazinen oft mit ein paar zynischen Bemerkungen in einem Nebensatz vom Thron gestoßen.

Wer da nicht mitspielen will, lässt es einfach. London ist im Gegensatz zu New York keine aufdringliche Stadt. Ganz im Gegenteil. Mit ihren vielen Parks und den Vororten mit ihrem alten dörflichen Charakter kann die britische Hauptstadt auch eine Oase der Ruhe sein. Der wahre Londoner will gar nicht jeden Tag ausgehen, das überlässt er den Touristen und Neu-Londonern. Echte Cockney-Jungs und -Mädels teilen sich ihre Zeit und Kräfte lieber ein, schauen abends gemütlich *EastEnders*, die Londoner Version der *Lindenstraße*. Für sie gibt es keinen Grund zur Hetze, denn die nächste große Super-Party, ein Auftritt des neuesten Underground-DJs oder das Konzert der derzeit wichtigsten Gruppe der Welt ist für sie immer nur eine kurze U-Bahnfahrt entfernt. So war es schon immer in London und so wird es auch immer sein.

7 Verloren in der Zeit oder getrieben von der Zeit? pages 204–207

Extended reading and writing practice

Exercise 2 page 204

a Diese Berichte bestätigen, dass eine Gesellschaft, in der es Ungleichheit gibt, nicht akzeptabel ist/nicht geduldet werden sollte.
b Da Barbara Start eine Stelle hat, die sie in Anspruch nimmt, muss sie ihre Zeit gut einteilen.
c Obwohl die Gesellschaft keinen Respekt für Christian Hauser, den Arbeitslosen, hat, sondern ihn eher verachtet, muss sie seine Bedürfnisse decken.

Exercise 3 page 204

Strong students could be encouraged to choose an appropriate style for their chosen character.

Exercise 4 page 207

Students should be encouraged to think about the areas of education, welfare and employment. They could list areas where society seems to be unfair as a starting point for their thinking.

Exercise 5 page 207

First of all, students should write a short character sketch of each person, with details of how they feel about their own personal situation.

Chapter 6 Politik und Geschichte

Politik betrifft jeden pages 208–209

Youth and politics

Students may not express much interest in politics and may need to think carefully about areas of our life influenced by politics first of all. The more personal the starting point, the more real the discussion for students. For example, students could think about education matters as a starting point, such as student loans.

Exercise 2 page 209

a Tobias
b Roland
c Tobias
d Patricia
e Roland
f Patricia
g Tobias

Exercise 3 page 209

a richtig
b richtig
c falsch
d falsch
e falsch
f richtig
g richtig
h richtig

MODERATOR: Die beiden 18-jährigen Schülerinnen Tanja Diesenbacher und Barbara Eisenmann sind die jüngsten Nachwuchs-Aktivistinnen der Augsburger SPD. Sie organisieren Info-Stände, Flugblattaktionen und Veranstaltungen mit. So zum Beispiel gegen den Republikaner-Parteitag oder zum Gedenktag 9. November. Hauptsächlich sind sie jedoch im Bereich Bildungspolitik aktiv, vor allem in den „Schülerinnen“-Kommissionen der SPD auf Landes- und Bundesebene.
Barbara, erzähl doch mal ein wenig über deinen Einstieg in die Politik!

BARBARA: Also mein Vorbild war mein Vater, er hat mein Interesse an Politik geweckt. Mit 16 dachte ich, dass ich selbst unbedingt etwas tun wollte, und ich erkundigte mich über die einzelnen Parteien und deren Nachwuchsorganisationen. Die Jusos haben mir dabei am meisten gefallen.

MODERATOR: Tanja, wie war das bei dir?

TANJA: Ja, also ich hatte da ein Schlüsselerlebnis: Das war das Attentat auf Oskar Lafontaine am 25. April 1990. So wurde ich fast über Nacht zu einem politischen Menschen. Ich verglich Parteiprogramme und entschied mich letztendlich für die SPD. Ich bin der Meinung, Politik betrifft jeden. Deshalb sollte sich jeder auch für den Bereich, der ihn betrifft, voll einsetzen.

MODERATOR: Ich habe jetzt auch die Gelegenheit, andere junge Leute nach ihren Ansichten zu Politik zu befragen. Corinna?

CORINNA: Also, in Sachen Politik blicke ich noch nicht durch. Deshalb werde ich mich erst einmal richtig informieren – aus der Zeitung, bei meinen Eltern und aus dem Fernsehen.

MODERATOR: Und Marcus, gehst du zur Wahl?

MARCUS: Natürlich gehe ich wählen, denn wer schweigt, sagt ja zu den herrschenden Verhältnissen. Ich fange jetzt schon an, mich zu informieren.

MODERATOR: Stefanie, wie stehst du zur Politik?

STEFANIE: Ich bin ein total unpolitischer Mensch, und mir ist es auch egal, wer regiert. Deshalb gehe ich nicht zur Wahl.

MODERATOR: Ah ja, und ihr beiden, Freddy und Christa?

FREDDY: Ich denke schon, dass ich wählen gehen werde. Das hängt aber von der einzelnen Partei und ihrer Glaubwürdigkeit ab.

CHRISTA: Ich gehe auf jeden Fall zur Wahl und stimme für die Partei, die mich am ehesten überzeugen kann.

MODERATOR: Vielen Dank für dieses interessante Gespräch!

Exercise 4 page 209

Obviously, this can also be done by post. Students may like to choose a few questions and survey their friends and send this information to the partner school. The partner school could then conduct its own survey based on the same questions.

Sind Sie Partei? page 210–211

German political parties

Students may well need some input on the standpoints of British political parties first. This will help them to grasp the differences between the German parties more easily.

Exercise 1a page 211

1g, 2d, 3i, 4j, 5e, 6b, 7h, 8f, 9a, 10c

Exercise 1b page 211

1 CDU	4 Bündnis 90/Die Grünen
2 SPD	5 CSU
3 PDS	6 FDP

Exercise 2 page 211

CHRISTIAN

Parteien:	Die älteren Personen haben das Sagen, aber verstehen die jüngeren Leute nicht.
Wählen:	Weil man etwas ändern kann.
Protestwähler:	–

NATALIE

Parteien:	Sie machen es schwer für junge Leute, aktiv zu werden.
Wählen:	–
Protestwähler:	–

ANNE

Parteien:	Man sollte andere Formen der Demokratie ausprobieren. Es ist schwer, die Sprache der Parteien zu lernen.
Wählen:	Weil man Einfluss nehmen kann.
Protestwähler:	Sie sind keine Protestwähler. Der Begriff legitimiert diese Parteien.

SPRECHER: Junge Leute wollen eine andere Politik und andere Politiker. Am Rande des Straßenfestes des Berliner Jugendbündnisses wollen wir von Schülerinnen und Schülern wissen, was sie über Bundestagswahlen denken. Matthias Steube sprach mit der 17-jährigen Anne Wiese aus dem Gymnasium Rostock, mit Natalie Meißner – sie ist 16 und geht auf das Hans und Hilde Coppi-Gymnasium in Berlin – und mit Christian Meerstedt. Er ist 18 und auf dem Espengrund Gymnasium, Potsdam.

MATTHIAS: Was haltet ihr von Parteien?

CHRISTIAN: Ich finde, sobald man älter als 50 ist, hat man in der Politik nichts mehr zu suchen, weil man ja gar nicht mehr an den Problemen dran ist, die die Mehrheit der Menschen zwischen 18 und 40 hat. Aber in fast allen Parteien haben die Älteren das Sagen.

NATALIE: Das Problem ist, dass es jüngeren Leuten, die politisch aktiv sein wollen, schwer gemacht wird, da reinzukommen.

MATTHIAS: Anne?

ANNE: Also, ich hatte schon immer Interesse an Politik und Parteien. Man muss aber erst mal in deren Sprache reinkommen, die verstehen lernen, dann erst kriegt man ein Feeling dafür, was die wirklich meinen. Es ist verdammt schwer. Und hier sehe ich 'ne Aufgabe für Schule und die Eltern, die uns helfen müssen, das zu lernen. Ich habe nichts gegen das Parteiensystem, aber man sollte schon auch noch andere Formen der direkten Demokratie ausprobieren, beispielsweise Volksbefragungen und Volksentscheid.

MATTHIAS: Seht ihr denn für euch eine Chance darin, im September wählen gehen zu dürfen?

ANNE: Wählen ist die einzige Möglichkeit, Einfluss zu nehmen. Man sollte hingehen. Ich werde es tun, denn ich werde vorher noch 18.

CHRISTIAN: Ein Dummkopf, wer nicht hingeht – oft sind es ja genau diese Leute, die am meisten auf die Regierung schimpfen. Also ich denke schon, dass man über Wahlen etwas ändern kann.

MATTHIAS: Was haltet ihr von jungen Leuten, die rechtsextreme Parteien wählen?

ANNE: Mit dem Begriff Protestwähler habe ich ein Problem. Wer das sagt, verschafft denen doch eine Legitimation. Da wird eine gesellschaftliche Akzeptanz geschaffen, um eine Auseinandersetzung zu vermeiden. Ich würde nicht aus Protest wählen, sondern nur nach meiner Meinung. Wenn ich Kohl nicht wähle, dann nicht aus Protest, sondern weil ich etwas Anderes will.

3 Europa! Europa! pages 212–213

European integration; past participles of modal verbs

Students could be asked if they feel British or European and to give their reasons.

Exercise 1a page 212

Some possibilities: die Länder der EU; eine wirtschaftliche Union; Bürokratie; Brüssel

Exercise 1b page 213

1 Sie haben Kontakt zu Europa in den Ferien, in der Schule und der Nachbarschaft und durch die Mode, die Musik und durch Sport.
2 Weil die deutsche Kultur Teil der europäischen Kultur ist und von ihr beeinflusst wird.
3 Es war für Krieg und Zerstörung verantwortlich und hat seine Nachbarn lange bedroht.
4 Deutschland ist in der EU sehr aktiv und trägt zum Frieden und zur sozialen Gerechtigkeit bei.
5 Sie versuchen, junge Leute aus Deutschland, Frankreich und Polen zusammenzubringen, damit sie sich befreunden und gemeinsame Projekte unternehmen können.
6 Sie wollten ein friedliches Europa bilden. Sie brauchen eine gute wirtschaftliche, politische und soziale Lage und eine starke Demokratie.

Exercise 2 page 213

a Sie haben das Auto verkaufen müssen.
b Wir haben die Handschrift nicht lesen können.
c Ich habe heute ausgehen dürfen.
d Sie hat ihren Aufsatz innerhalb zwei Stunden schreiben können.
e Er hat ein friedliches Europa gewollt.

Exercise 3 page 213

Make sure students have a general understanding of how monetary union works before tackling this text.

a Sie ist heute so viel wert wie 30 Pfennig im Jahre 1960.
b Eine nationale Institution; unantastbar.
c Mit einem Umtausch wie z.B. zwei Muscheln für jede Mark.
d Die Bundesbank ist unabhängig; wegen der vernünftigen Haushaltspolitik und der Stärke der Wirtschaft.
e Das wird der Sitz der Europäischen Zentralbank sein.
f Kein mühsames Umrechnen und keine Umtauschkosten; keine Risiken des Umtausches; mehr Austausch an Waren; mehr Möglichkeiten der Beschäftigung.

A: Also, es geht uns Deutschen doch nichts über die D-Mark. Zwar ist sie auch nicht mehr das, was sie einmal war. Die Preissteigerungen haben an ihr so genagt, dass eine Mark heute noch gerade soviel wert ist wie 30 Pfennig im Jahr 1960. Aber im Vergleich zu anderen Währungen rings um uns herum ist sie eben doch … – na ja, wenn man mal vom Gulden absieht, vielleicht noch vom Schilling, und die Dänenkrone ist auch recht stabil geblieben. Aber irgendwie ist uns die D-Mark doch, was den Briten das Königshaus, den Franzosen die Grande Nation, den Schweizern das Matterhorn ist: eine nationale Institution, einfach unantastbar.

Und nun will Brüssel uns die D-Mark nehmen und dafür den Euro einführen. Mark-erschütternd!

B: Zwei Währungsreformen haben wir in diesem Jahrhundert schon hinter uns, deshalb wissen wir aus bitterer Erfahrung: Bei einer Währungsumstellung verliert man immer Geld.

A: Stellen Sie sich vor, Sie machen in einem Ferienclub Urlaub, wo nur mit Muscheln bezahlt wird. Sie tauschen zwei Muscheln für jede Mark. Ein Bier kostet hier nicht vier Mark, sondern acht Muscheln. Würden Sie sagen, Sie hätten dabei Geld eingebüßt?

Natürlich nicht; ist ja auch nur ein Umtausch, keine Währungsreform. Aber ebenso wenig ist die Umstellung von D-Mark oder Schilling oder Gulden in die Euro-Währung eine Währungsreform. Nehmen wir an, die Umstellung erfolgt im Verhältnis 2:1, also zwei D-Mark für einen Euro. Dann kostet ein Bier nicht vier Mark, sondern zwei Euro. Nicht billiger, aber auch nicht teurer.

B: Die Euro-Währung kann niemals so stabil sein wie unsere D-Mark.

A: Wieso eigentlich nicht? Was hat denn unsere Mark so stabil gemacht? Das lag zum einen daran, dass die Bundesbank dazu verpflichtet ist, die deutsche Währung stabil zu halten, zum andern an der vernünftigen Haushaltspolitik unserer Regierung und nicht zuletzt an der Stärke unserer Wirtschaft.

Kein Land der Währungsunion muss für Schulden anderer Länder aufkommen. Kein Land kann Haushaltslöcher mit Krediten seiner nationalen Notenbank stopfen. Auch nicht mit Krediten der neuen Europäischen Zentralbank, die ihren Sitz in Frankfurt am Main haben wird. Die Europäische Zentralbank wird sich an eine Satzung halten müssen, die noch strenger ist als die der Bundesbank; sie ist im Vertrag über die Europäische Union verankert und damit so wenig antastbar wie eine Verfassung.

B: Von der Euro-Währung profitieren alle, nur wir Deutschen nicht.

A: Im Gegenteil! Wir Deutschen sind das reisefreudigste Volk in Europa. Pro Jahr geben wir 40 Milliarden Mark für Reisen in andere EU-Länder aus. Das Geld müssen wir umtauschen. Wenn dabei auch nur zweieinhalb Prozent an Kosten entstehen, macht das eine Milliarde Mark, die uns Jahr für Jahr in der Urlaubskasse fehlt. In einer Währungsunion gibt's keinen Umtausch mehr. Mit dem deutschen Euro-Geld zahlen Sie in allen Ländern der Währungsunion, als wären Sie daheim. Kein mühsames Umrechnen mehr.

Und erst die Exportwirtschaft! Wir sind ja auch Europameister im Export. Viele Milliarden können eingespart werden, wenn die Risiken des Währungsumtauschs entfallen. Die Währungsunion wird ein Wirtschaftsraum mit größerer Preisstabilität sein, mit wachsendem Austausch an Waren und Dienstleistungen, mit mehr Möglichkeiten der Beschäftigung.

Exercise 4 page 213

Students should not look too generally but divide their thoughts into sections: political, economic, cultural union.

4 Die Jugend in der Hitlerzeit pages 214–215

National Socialism in Germany 1933–45

Students could be asked to discuss how they feel this period of history still influences some peoples' view of Germans and Germany. They could also think of ways to promote a more positive picture of modern-day Germany. Students may be able to get views from a German partner school as to how modern-day Germans have come to terms with the past and strengthened democracy in their country.

Exercise 1 page 214

a banned
b exile
c concentration
d camps
e except
f unbridled
g Pompously
h Common
i good
j Self
k interest
l failed
m decision
n aggression
o march
p unconditional
q ruins

Exercise 2a page 215

1 geschafft
2 wurde
3 gab
4 ausrief
5 Augen
6 eines
7 abends
8 schnelleren
9 bewegen
10 beim
11 stöhnten
12 Luft
13 weggehämmert
14 Jugend
15 grausame
16 ihr
17 blitzen

Exercise 2c page 215

'My training is hard. Weakness must be hammered out. A youth will grow up in its fortresses and the world will take fright. A violent, overbearing, fearless, cruel youth, that's what I want. There must be nothing weak or tender about them. Their eyes must firstly flash with the freedom and glory of the beast of prey once more.'

5 Hitler und die Juden pages 216–17

National Socialism in Germany 1933–45, continued; *als ob* + subjunctive; preparing for the oral exam

Exercise 1 page 216

a Weil er verlegen war, dass er in die Partei (die NSDAP) eingetreten war.
b Er hat vorwurfsvoll zu ihm herübergeschaut.
c Weil er seiner Familie helfen will und er eine bessere Stelle bekommen hat.
d Weil er und seine Familie Deutsche sind. Er glaubt auch, es wird anderswo nicht besser sein, und er hofft, dass alles sich beruhigen wird.
e Er glaubt ihm einfach nicht.

Exercise 2 page 217

a Er sieht aus, als sei er unter Druck.
b Er tat, als wäre er der Bundeskanzler.
c Sie sah aus, als sei sie unschuldig.
d Er sah aus, als wäre er krank gewesen.
e Sie sahen aus, als wären sie zusammen unglücklich gewesen.

Exercise 3 page 217

a Viele Maueranschläge, Plakate, Aufmärsche, Massenkundgebungen.

b Weil er möglichst viele Menschen persönlich ansprechen wollte.
c Abends; angeheizt.
d (i) Als Sündenbock, der an allem schuld war.
(ii) Als Retterin aus aller Not.
e Das grelle Licht der Scheinwerfer; das Rot der Fahnen; die Klänge der Militärmusik; die gaumige Stimme Hitlers; das Heilgeschrei; die Sprechchöre.

Unzählige Maueranschläge, Plakate, Aufmärsche und Massenkundgebungen lenkten die Aufmerksamkeit auf Hitler. Mit Auto und Flugzeug reiste er von Stadt zu Stadt, um zu möglichst vielen Menschen persönlich sprechen zu können.

Versammlungen wurden grundsätzlich abends veranstaltet, in Räumen, die mit großen Hakenkreuzfahnen und Spruchbändern geschmückt waren. Erst wenn die Stimmung genügend angeheizt war, erschien der „Führer" und durchschritt langsam das Spalier seiner Parteigenossen.

Hitlers Reden waren nicht darauf angelegt zu überzeugen, sondern die Zuhörer gefühlsmäßig zu packen. Er wollte auf sie den Fanatismus übertragen, der ihn selbst erfüllte. Daher hämmerte er seinen Zuhörern immer wieder dieselben Schlagworte ein. Dann zeigte er ihnen den an allem schuldigen Sündenbock: das „internationale Judentum" und schließlich die Retterin aus aller Not: die NSDAP!

Hitlers demagogische Ausstrahlung und die Technik der Massenversammlungen erzielten unvergleichliche Wirkungen. Das grelle Licht der Scheinwerfer, das schreiende Rot der Fahnen, die schmetternden Klänge der Militärmusik, die gaumige Stimme Hitlers, die aus den Lautsprechern dröhnte, das Heilgeschrei der Anhänger, die rhythmisch aufbrandenden Sprechchöre – all dies erzeugte in den Versammlungsteilnehmern einen heißen Strom unklarer Gefühle, der leicht jedes kritische Denken hinwegschwemmte.

6 Schandmauer pages 218–19

The founding of the GDR

Ensure the students have the background knowledge to the division of Germany after World War II. Often students have a vague idea of the historical background, but it is worth clarifying events so that they get the most from the material on these pages.

Exercise 1a page 218

1 Am 7. Oktober 1949.
2 Die Gründung der BRD.
3 Sie bekräftigte die Ost-Integration der DDR.
4 Nicht halb so groß.
5 Den Sozialismus; mit einer zentralen staatlichen Verwaltung.
6 Keine.
7 Es gibt keinen freien Willen; nichts wird von der Bevölkerung getragen oder legitimiert.

Die Gründung der Deutschen Demokratischen Republik (der DDR) erfolgte am 7. Oktober 1949. An diesem Tag wurde ein Parlament gebildet, das die Verfassung der DDR in Kraft setzte. Zum Präsidenten der DDR wurde Wilhelm Pieck gewählt, Ministerpräsident wurde Otto Grotewohl.

So wie mit der Gründung der Bundesrepublik Deutschland am 24. Mai 1949 die Bindung an den Westen vollzogen wurde, bekräftigte die Gründung der DDR die Ostintegration der DDR.

Die DDR umfasste ein Gebiet von ca. 100 000 km^2, nicht halb so groß wie das Staatsgebiet der Bundesrepublik. Die Einwohnerzahl der DDR lag bei 19 Millionen.

Der angestrebte Aufbau des Sozialismus erforderte eine zentrale staatliche Verwaltung. Deshalb ordnete die DDR ihr Gebiet neu. Anstelle der fünf alten Länder wurden im Jahr 1952 15 Bezirke gebildet. Zur Hauptstadt der DDR wurde Ost Berlin erklärt.

Zu einer freien, allgemeinen Wahl durch die Bevölkerung war es nicht gekommen. Deshalb erklärte Bundeskanzler Konrad Adenauer zur Gründung der DDR:

„In der Sowjetzone gibt es keinen freien Willen der deutschen Bevölkerung. Das, was jetzt dort geschieht, wird nicht von der Bevölkerung getragen und damit legitimiert ... Die BRD ist allein befugt, für das deutsche Volk zu sprechen."

Exercise 1b page 218

CITIES TOP TO BOTTOM:

Rostock, Berlin, Magdeburg, Leipzig, Dresden, Weimar, Karl-Marx-Stadt (now Chemnitz)

RIVERS:

Through Magdeburg – die Elbe; south of Weimar – die Ilm; east of Weimar – die Saale; eastern border – die Oder; tributary of Oder – die Neiße

Exercise 2a page 219

Weil die Leute im Allgemeinen nicht frei waren.
Da Andersdenkende verfolgt wurden.
Weil man die Industrie und den Handel verstaatlicht hatte.
Weil kleine und mittlere Betriebe enteignet wurden.
Da die Landwirtschaft kollektiviert worden war.
Weil die Ereignisse des 17. Juni 1953 noch im Kopf waren.
Da es Versorgungskrisen in der DDR gab.

Exercise 2b page 219

1 ... aus der DDR geflüchtet sind, war jünger als 25 Jahre.
2 ... handelte, gab es (für sie) in Westdeutschland gute Verdienstmöglichkeiten.
3 ... quer durch Berlin errichtete, schloss die letzte offene Stelle zwischen Ost und West.
4 ... waren verpflichtet, Fluchtversuche auch mit der Waffe zu verhindern.
5 ... gebaut hatte, machte die wirtschaftliche Entwicklung in der DDR bemerkenswerte Fortschritte.

Exercise 3 page 219

Students may need to research conditions in the former GDR more fully.

7 Die Mauer fällt pages 220–221

The fall of the GDR and the reunification of Germany

The video *Fünf Wochen im Herbst*, available from the Goethe Institut, offers excellent background material to the reunification and is a good introduction to these pages.

Exercise 2 page 220

a Grenze
b flüchten
c Botschaft
d öffnet
e verkündet
f verlassen
g dürfen
h Ausreise

Exercise 3 page 221

a Wenn sie geglaubt hätte, dass die Grenzen geöffnet würden und dass es eine wirkliche Reform geben würde.
b Sie hat mehr Kontakt zu ihren Freunden in der DDR.
c Sie haben der SED gezeigt, dass sie mit den Leuten nicht machen konnte, was sie wollte.
d Weil er gute Kollegen hat.
e Es ist besser, Probleme anzupacken, als immer zu kritisieren.

Exercise 4 page 221

a Die Nachricht, dass die Grenze weg war.
b Sehr glücklich; sie weint vor Freude.
c Sie war aus der DDR geflüchtet.
d Weil man im Westen (aber nicht in der DDR) Bananen kaufen konnte.
e Der Bau der Mauer.
f Einen positiven Eindruck.
g Weil die Leute ein Recht auf Freiheit hatten und den Fall der Mauer selbst erzwungen haben.
h Dass die Leute aus der DDR freundlich aufgenommen werden, weil sie auch zur BRD gehören.

FRAU: Als ich die Nachricht im Radio hörte, wollte ich es kaum glauben. Die Grenze weg? Jeder kann aus der DDR zu uns in den Westen kommen? Ein unbeschreibliches Glücksgefühl überkam mich. Die Freudentränen liefen. Denn ich komme selbst aus der DDR.

Zehn Jahre alt war ich, als wir „abhauten". Das ist genau 30 Jahre her. Ein Schritt, den man als Kind kaum verstehen kann. Denn die Bananen wogen das Heimweh nicht auf. Der Bau der Mauer zeigte mir allerdings später, wie klug meine Eltern gehandelt hatten.

Die Besuche in meinem Heimatort Olbersdorf bei Zittau deprimierten mich. Doch wie stolz waren meine Verwandten und Schulfreundinnen: Sie klagten nie, sahen alles von der positiven Seite. Sie belogen mich – denn Mitleid wollte keiner.

Wie sehr habe ich mich über den Flüchtlingsstrom gefreut, der alles ins Rollen brachte. Toll fand ich, dass Hunderttausende in der ganzen DDR auf die Straße gingen und endlich mal die Schnauze aufmachten.

Denn sie haben ein Recht auf das, was ich schon seit 30 Jahren habe: Freiheit. Und auch Bananen.

Der 9. November ist ihr Verdienst! Sie haben ihn erzwungen. Ich bin so stolz auf meine Landsleute ...

Ich hoffe, dass diejenigen, die jetzt zu uns kommen, freundlich aufgenommen werden. Genau wie ich damals. Sie gehören zu uns – sie sind keine Bettler.

Exercise 5 page 221

a ... er schaffe das irgendwie jetzt nicht mehr.
b ... man Probleme anpackt.
c ... nach Westberlin und zur Bundesrepublik geöffnet worden waren, kam es in der Folgezeit zu tiefgreifenden Veränderungen in der DDR.

Exercise 6 page 221

The video material mentioned above is a useful stimulus for this task.

8 Jugendkultur pages 222–223

Youth culture in the 1960s–1990s

Exercise 1a page 222

Es zeigte, wer du warst und dass man frei war. Es stellte die Natur und eine organische Form der Gesellschaft dar. Es zeigte auch, dass man sich mit unterprivilegierten Leuten identifizierte.

Heutzutage gibt es Symbole wie Kleider mit Etiketten, Tätowierungen, Hemde der verschiedenen Fußballmannschaften ... und immer noch das Haar!

Exercise 1b page 222

angeturnt – stimuliert
meine Alte – meine Mutter
kaputt machen – erschöpfen
high – im Rausch

Neuerscheinungen: Computerspiele, Drogen wie Ecstasy, Nachtklubs

Exercise 1c page 222

Er erlebt die Realität anders und kann vor der Realität flüchten.

Andere Geräte: Computerspiele; Simulator; 3D-Filme; Achterbahnen

Exercise 1d page 223

Weil sie ein gutes Gefühl bekommen und sich frei fühlen. Sie mögen auch die Gefahr.

Man könnte Werbung zeigen, die die Gefahren zeigt und von den Opfern dieser Aktivität erzählt.

1 Dictionary skills, 1

How do you find words in a dictionary? They are ordered alphabetically: first, according to the first letter of the word: **A**nanas, **B**uch, **C**äsar etc. Then according to the second letter: A**n**anas, a**p**olitisch, A**r**m, A**s**t, ä**t**zend etc., and so on. Note that ä, ö, ü are treated just like a, o, u; ß is treated like ss.

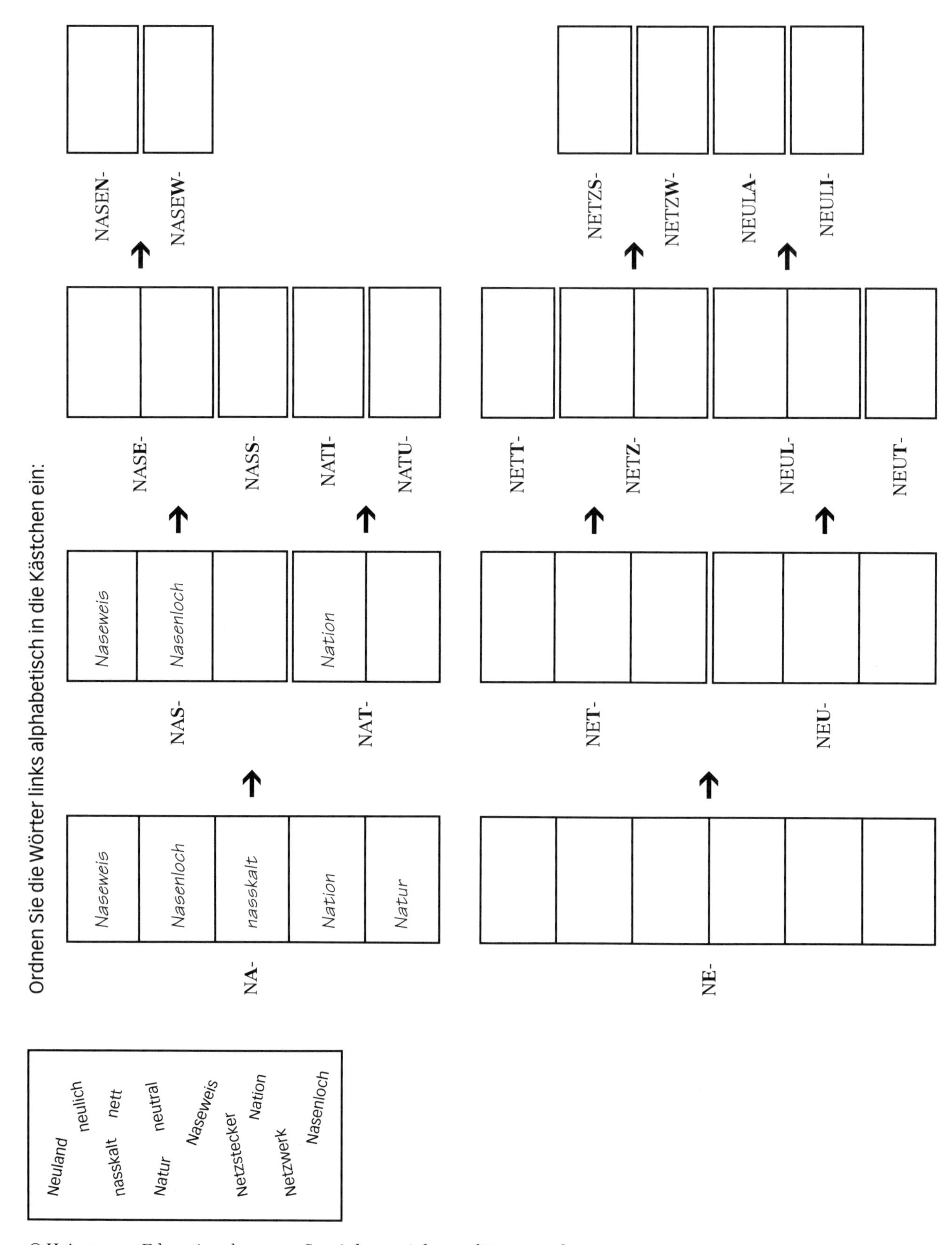

Dictionary skills, 2

Schneiden Sie diese Wörter aus. Ordnen Sie sie dann alphabetisch: zuerst nach dem zweiten Buchstaben, dann dem dritten und vierten usw.:

Nutzfisch	Norden	Niederlande
Notar	Niveau	niedrig
nördlich	nützlich	Nutzgarten
nutzlos	nobel	Nutzen
niederlassen	Niederschlag	Niere

Prüfen Sie mit Hilfe des Wörterbuches, ob Ihre Reihenfolge der Wörter stimmt.

3 Verbenrätsel: Präsens

Bei diesem Kreuzworträtsel müssen Sie die fehlenden deutschen Verben einsetzen:

Waagerecht:

1 you're (du) walking
3 you're (ihr) working
6 you (Sie) are
7 she's running
10 they're writing
12 she's speaking
14 he's eating
16 you're (ihr) laughing
17 we eat
19 you (ihr) have

Senkrecht:

2 she sees
4 you (du) drink
5 you (du) are
8 she takes
9 we speak
11 they take
13 she has
15 you're (ihr) singing
18 you (ihr) are
20 I am

4 Mini-Quiz

Hätten Sie's gewusst? Fragen und Antworten zu Steffi Graf.

A Ergänzen Sie die Fragen. Diese Fragewörter fehlen:

wie oft, wann, was (×3), wo, wer, wie viel, mit wie viel Jahren, wie viele, wie alt

Für eine Frage brauchen Sie kein Fragewort.

1 ______________________ wurde Steffi Graf geboren?

____

2 ______________________ wohnt sie?

____

3 ______________________ Geschwister hat sie?

____

4 ______________________ war sie, als sie professionelle Tennisspielerin wurde?

____

5 ______________________ hat sie zum ersten Mal Wimbledon gewonnen?

____

6 ______________________ hat sie Wimbledon insgesamt gewonnen?

____

7 ______________________ war lange Zeit ihr Trainer und Manager?

____

8 ______________________ sind ihre Lieblingsfarben?

____

9 ______________________ isst sie am liebsten?

____

10 ______________________ hat sie ein Haustier?

____

11 ______________________ sind ihre Hobbys?

____

12 ______________________ Geld hat sie bisher gewonnen?

____

B Suchen Sie jetzt die passenden Antworten zu den Fragen in diesem „Kuddelmuddel" und notieren Sie sie in Stichworten:

Ihr Vater, Peter Graf, war lange Zeit ihr Trainer. Stefanie Maria Graf wurde am 14. Juni 1969 geboren. Sie hat mehrere Hunde. Ihre liebsten Farben sind Schwarz, Olivgrün und Silber. Sie hat zwei Wohnsitze in Deutschland (Brühl und Heidelberg), einen Wohnsitz in Florida und einen in New York City. Mit 19 Jahren. Sie isst am liebsten chinesisch, italienisch und deutsch. Siebenmal hat sie Wimbledon insgesamt gewonnen. Sie hat einen Bruder, Michael. Michael ist zwei Jahre jünger als Steffi und Formel-3-Rennfahrer. Sie interessiert sich für Fotografie und Kunst. Außerdem liest sie gerne, hört gerne Musik, geht gerne essen und geht gerne ins Kino. Sie war 13 Jahre und 4 Monate alt. Sie hat bisher mehr als 20 Millionen Dollar gewonnen.

5 Fehlende Fragen

Bei diesem Quiz fehlen die Fragen. Schreiben Sie für jede Antwort die passende Frage auf.

Frage	Antwort
1 *Wann wurde Stefan Effenberg geboren?*	Stefan Effenberg wurde am 2. August 1968 geboren.
2	Er wurde in Hamburg geboren.
3	Ja, Effenberg ist verheiratet.
4	Ja, er hat drei Kinder.
5	Effenbergs Hobbys sind Schwimmen und seine Familie.
6	Seine Kinder und seine Familie freuen ihn am meisten.
7	Unehrlichkeit und unfreundliche Menschen ärgern ihn am meisten.
8	Er isst am liebsten Nudeln.
9	Er trinkt am liebsten Wasser.
10	Sein Lebensmotto ist: „Immer einen kühlen Kopf bewahren!“

Das Perfekt, 1

→ S. 13

Daniel hat in den Sommerferien in einem amerikanischen Sommercamp für Kinder gearbeitet. In einem Brief erzählt er seiner Freundin Katrin, was er erlebt hat.

a Suchen Sie in Ihrem Wörterbuch zu jedem der fettgedruckten Verben das Partizip:

1 schon im März eine Bewerbung **schreiben** ______
2 im Juli in die USA **fliegen** ______
3 in einem Hotel die anderen Betreuer **treffen** ______
4 schnell Freunde **finden** ______
5 ins Camp **fahren** ______
6 Kindern beim Segeln und Reiten **helfen** ______
7 die meisten Kinder **sind** sehr nett ______
8 neun Wochen im Camp **arbeiten** ______
9 danach: mit dem Greyhound Bus durch die USA **reisen** ______
10 nach Florida **fahren** ______
11 Urlaub am Strand **machen** ______

b Unterstreichen Sie die Verben, die das Perfekt mit *sein* bilden.

Setzen Sie jetzt die Verben aus **1** oben im Perfekt in Daniels Brief ein.

Liebe Katrin,

ich hatte supertolle Ferien, davon muss ich dir erzählen. Also, im letzten März (1) ______ ich eine Bewerbung an die Gesellschaft für Internationale Jugendkontakte ______ . Und im Juli (2) ______ ich tatsächlich in die USA ______ ! In einem Hotel in Connecticut (3) ______ ich die anderen Betreuer ______ . Die meisten waren sehr nett und ich (4) ______ sehr schnell Freunde ______ . Vom Hotel aus (5) ______ wir dann ins Camp ______ . Ich (6) ______ Kindern im Alter von 9–13 Jahren beim Segeln und Reiten ______ . Die meisten Kinder (7) ______ sehr nett ______ . Insgesamt (8) ______ ich neun Wochen im Camp ______ . Danach (9) ______ ich mit dem Greyhound Bus durch die USA ______ ! Zusammen mit einer Freundin (10) ______ ich nach Florida ______ . Dort (11) ______ ich mal so richtig Urlaub am Strand ______ . Was sagst du jetzt?? Schreib mir doch bald!*

Viele liebe Grüsse,

dein Daniel

* The German Gesellschaft für Internationale Jugendkontakte in Bonn helps young people to find temporary jobs abroad.

Stellen Sie sich vor, Sie waren im Sommer Betreuer / Betreuerin in einem Ferienlager. Erzählen Sie einem Partner / einer Partnerin davon. Dann erzählt Ihr Partner / Ihre Partnerin. Sehen Sie dabei nicht in den Brief oben!

7 Das Perfekt, 2

➔ S. 12–13

In einem Jugendmagazin erzählt eine Schülerin über ein peinliches Missgeschick.

1. Markieren Sie in jedem Satz die Ortsangaben, Zeitangaben und Angaben zur Art und Weise (manner) mit T(ime), M(anner), P(lace). Achtung: Oft enthalten die Sätze nur eine oder zwei Angaben oder auch keine Angabe.
2. Bringen Sie die Satzteile in die richtige Reihenfolge und schreiben Sie die Geschichte auf. Achtung: Es gibt für jeden Satz mehrere Möglichkeiten. Wählen Sie eine.

VOKABELN

das Missgeschick (-e) mishap
hängen bleiben to get caught
klappen to work out all right (colloquial)
mit rutschendem Rock with a slipping (down) skirt
beobachtet past participle of *beobachten*
beobachten to observe, watch
der Hausmeister (-) caretaker
die Ewigkeit (-en) eternity

z. B. mit meinem Freund Michael (M) – vor kurzem (T) – in die Stadt (P) – gefahren – bin – ich *Vor kurzem bin ich mit meinem Freund Michael in die Stadt gefahren.*
1 ich – meinen neuen langen Rock – habe – angehabt
2 in ein Kaufhaus – gegangen – wir – sind
3 mit der Rolltreppe – wir – sind – gefahren – in den ersten Stock
4 plötzlich – ist – hängen geblieben – mein Rock – an einer Treppenstufe
5 gestanden – ich – auf der Rolltreppe – mit rutschendem Rock – habe
6 mich – amüsiert – die anderen Kunden – haben – beobachtet
7 ich – schließlich – gestanden – ohne Rock – auf der Rolltreppe – habe
8 schnell – in eine Umkleidekabine – bin – gelaufen – ich
9 irgendwann – gestoppt – die Rolltreppe – hat – der Hausmeister
10 nach zwanzig Minuten – er – meinen Rock – hat – aus der Rolltreppe – gezogen
Die zwanzig Minuten waren eine Ewigkeit!

Nebensätze, 1

➔ S. 16–17

Bringen Sie die Nebensätze in die richtige Reihenfolge:

1 Kannst du mir sagen,

2 Sie möchte wissen,

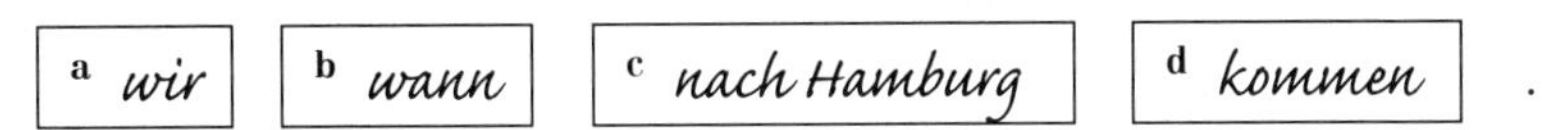

3 Weißt du,

4 Können Sie mir sagen,

5 Ich möchte wissen,

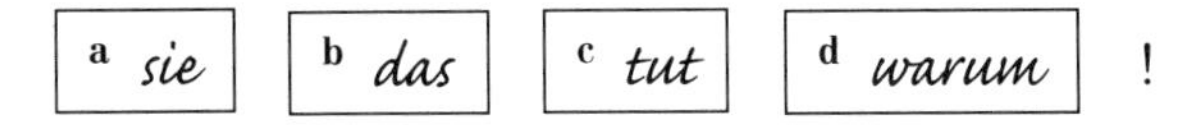

6 Wissen Sie,

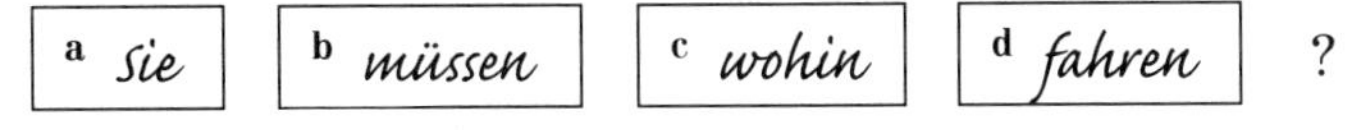

7 Sabine möchte wissen,

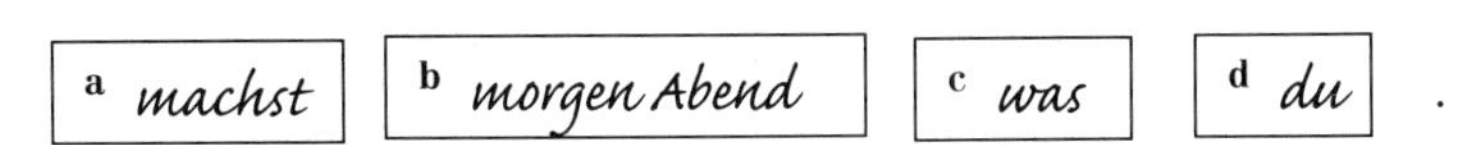

8 Können Sie mir sagen,

9 Ich kann Ihnen leider nicht sagen,

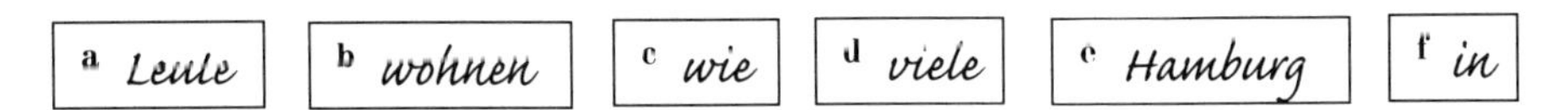

10 Ich möchte nicht wissen,

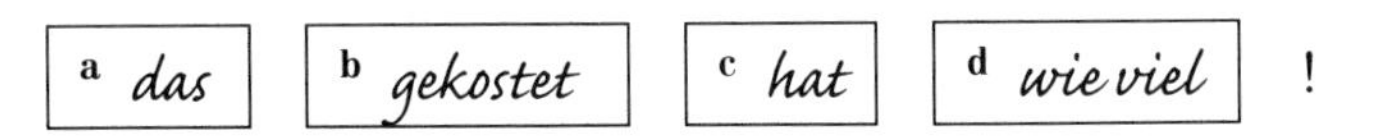

9 Nebensätze, 2

→ S. 16–17

A Satzpuzzle. Welche Satzteile gehören zusammen?

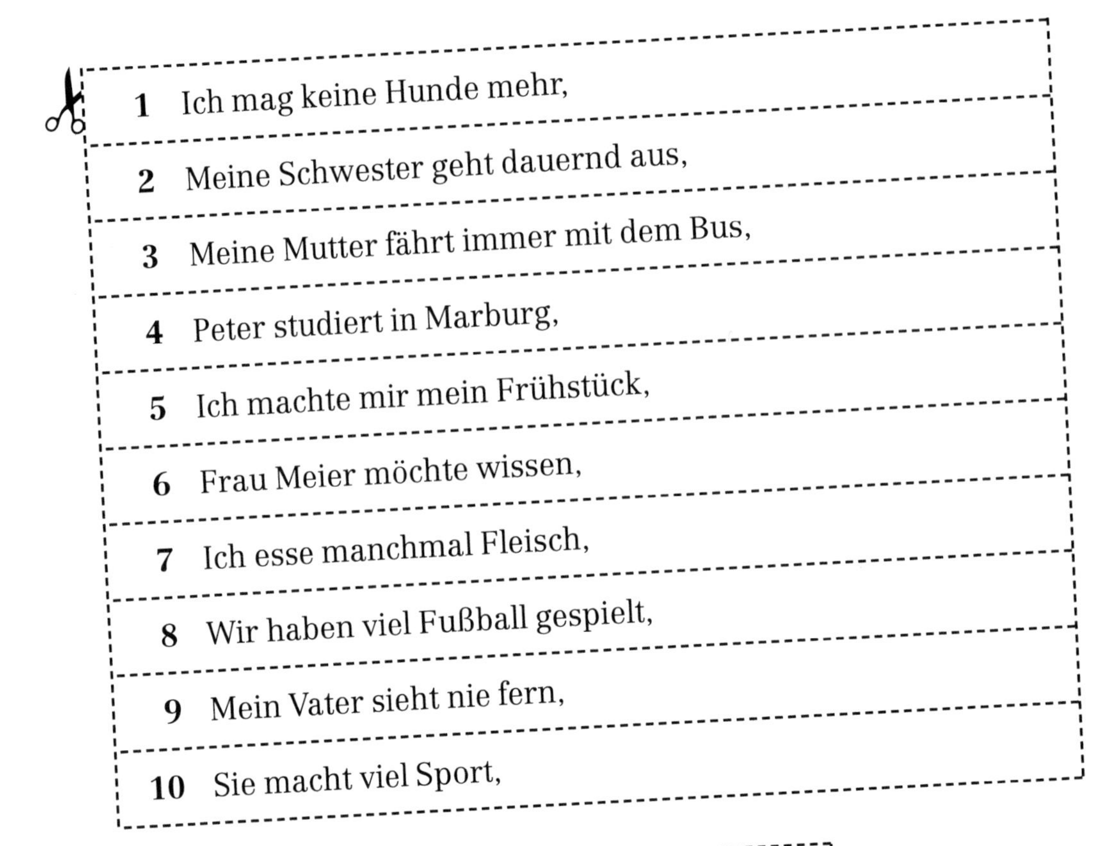

1 Ich mag keine Hunde mehr,
2 Meine Schwester geht dauernd aus,
3 Meine Mutter fährt immer mit dem Bus,
4 Peter studiert in Marburg,
5 Ich machte mir mein Frühstück,
6 Frau Meier möchte wissen,
7 Ich esse manchmal Fleisch,
8 Wir haben viel Fußball gespielt,
9 Mein Vater sieht nie fern,
10 Sie macht viel Sport,

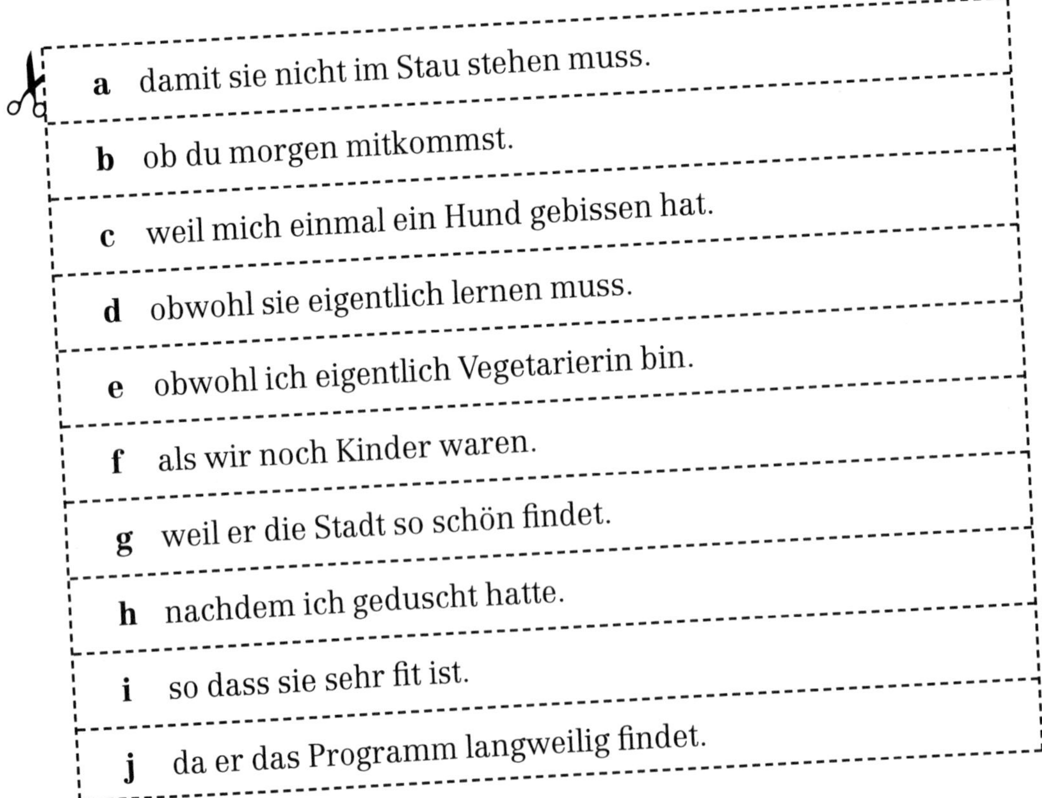

a damit sie nicht im Stau stehen muss.
b ob du morgen mitkommst.
c weil mich einmal ein Hund gebissen hat.
d obwohl sie eigentlich lernen muss.
e obwohl ich eigentlich Vegetarierin bin.
f als wir noch Kinder waren.
g weil er die Stadt so schön findet.
h nachdem ich geduscht hatte.
i so dass sie sehr fit ist.
j da er das Programm langweilig findet.

B Übersetzen Sie die Sätze.

Nebensätze, 3

➔ S. 16–17

Verbinden Sie diese Sätze:

	Hauptsatz	Nebensatz
z.B.	Ich bin gestern nicht gekommen. *Ich bin gestern nicht gekommen,*	Ich habe einen Unfall gehabt. (weil) *weil ich einen Unfall gehabt habe.*
	Sie steht immer zu spät auf. *Sie steht immer zu spät auf,*	Sie schläft gerne aus. (da) *da sie gerne ausschläft.*
1	Ich gehe nicht gerne schwimmen.	Ich kann nicht schwimmen. (weil)
2	Sie gehen nicht gerne ins Kino.	Sie finden Filme langweilig. (da)
3	Petra liest nicht gerne.	Vom Lesen tun ihre Augen weh. (weil)
4	Frau Hansen steht immer früh auf.	Sie kommt nicht zu spät. (damit)
5	Wir bleiben morgen zu Hause.	Wir wollen die Wohnung aufräumen. (weil)
6	Ich bleibe heute zu Hause.	Ich muss eigentlich in die Schule gehen. (obwohl)
7	Stefan trägt immer Pullover.	Er zieht nicht gerne Hemden an. (da)
8	Barbara hat viel Mathe geübt.	Sie hat eine gute Mathearbeit geschrieben. (so dass)
9	Wir haben unsere Freunde nicht mehr gesehen.	Wir haben sie letztes Jahr besucht. (seit)
10	Ich habe sehr gerne gemalt.	Ich war ein Kind. (als)

11 Modalverben: (nicht) dürfen, (nicht) müssen

1 Was müssen/dürfen Sie zu Hause (nicht) machen? Kreuzen Sie an:

	Ich darf	*Ich darf nicht*	*Ich muss*	*Ich muss nicht*
abwaschen				
mein Zimmer aufräumen				
bis Mitternacht ausgehen				
so lange telefonieren, wie ich will				
(keine) Wäsche bügeln				
den Rasen mähen				
(keine) laute Musik hören				
(keine) laute(n) Partys feiern				
auf meine kleinen Geschwister aufpassen				
beim Putzen helfen				
mit einem Freund/einer Freundin in den Urlaub fahren				

2 Befragen Sie jetzt einen Partner / eine Partnerin, was er/sie zu Hause (nicht) machen darf oder muss. Kreuzen Sie seine/ihre Antworten mit einer anderen Farbe an:

Darfst du mit einem Freund / einer Freundin in den Urlaub fahren?
Musst du abwaschen?

3 Schreiben Sie fünf weitere Dinge auf, die Sie zu Hause (nicht) machen müssen und fünf weitere Dinge, die Sie (nicht) tun dürfen.

Modalverben: sollen, wollen, können

→ S. 18–19

Sollen, können oder wollen? Hier wollen sich zwei Freunde verabreden. Setzen Sie die passenden Modalverben in die Lücken ein. Achten Sie auf die Endungen!

A: Ich (a)__________ heute Abend ins Kino gehen. (b)__________ du mitkommen?

B: Heute Abend (c)__________ ich leider nicht. Ich (d)__________ zu Hause bleiben und auf meine kleinen Geschwister aufpassen. Meine Eltern (e)__________ ausgehen.

A: Schade. Vielleicht (f)__________ wir ja nächste Woche mal ins Kino gehen?

B: Nächste Woche schreibe ich drei Klassenarbeiten. Dafür (g)__________ ich noch sehr viel lernen. Ich glaube, ich (h)__________ erst am Wochenende danach wieder ausgehen.

A: Dann läuft der Film, den ich sehen (i)__________ , nicht mehr. Aber wir (j)__________ ja einfach in ein Café oder eine Kneipe gehen.

a Stellen Sie sich vor, Sie wollen an einem Abend in dieser Woche ins Kino gehen. Überlegen Sie, an welchen Tagen Sie gehen können und an welchen Tagen Sie etwas anderes vorhaben:

Montag	*babysitten*
Dienstag	
Mittwoch	
Donnerstag	
Freitag	
Samstag	
Sonntag	

b Verabreden Sie sich jetzt mit einem Partner / einer Partnerin.

13 Trennbare Verben, 1

➔ S. 21

Raten Sie mal: Was bedeuten diese Verben auf Englisch? Schreiben Sie ihre Bedeutung in die Tabelle:

ab- (das Papier) abmachen abfahren (ein Telegramm) abgeben	**'away', 'down', 'off'** *to take off / remove*
auf- (ein Buch) aufheben (eine Mütze) aufsetzen aufschreiben	**'up', 'on'**
aus- ausgehen (das Licht) ausmachen ausprobieren	**often = 'out', 'off'** *to go out*
ein- einschlafen einsteigen sich einarbeiten	**'to get used to', 'to get into (a state)'**
los- losgehen losfahren (den Hund) loslassen	**'off', 'to start -ing'**
mit- mitkommen mitsingen mitnehmen	**'along', 'too'** *to come too/along*
nach- nachfahren (eine Bewegung) nachmachen nachfühlen	**'after', 'following'**
vor- (eine Bewegung) vormachen vorfahren vorsingen	**'in advance' or 'as a demonstration'**
weg- weggehen (einen Fleck) wegmachen wegnehmen	**'away'**

4 Trennbare Verben, 2

➔ S. 21

Ein Verb – viele Bedeutungen!

Welche von diesen trennbaren Verben passen in die Lücken? Setzen Sie sie ein. Achtung: Manchmal sind Präfix und Verb getrennt!

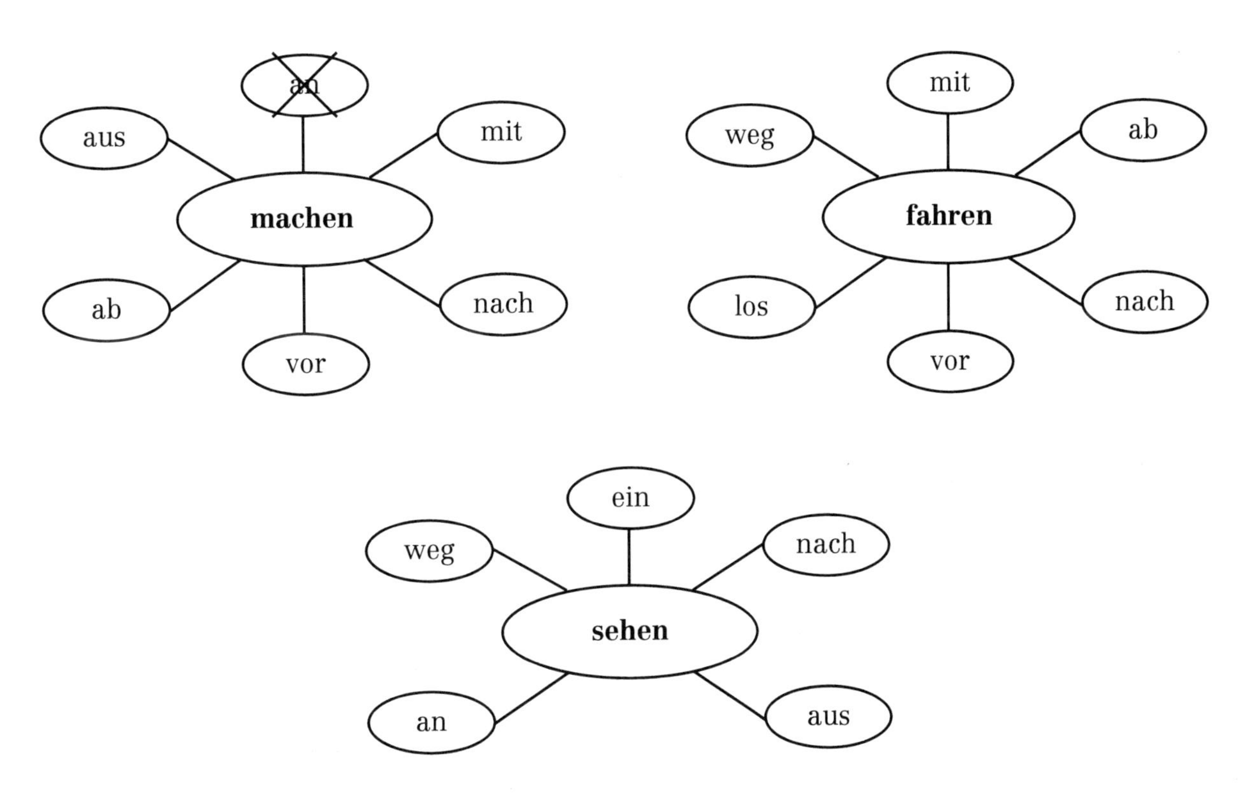

machen:

z.B. Es ist so dunkel. Können Sie bitte das Licht *anmachen*?

1 Die Musik stört mich beim Arbeiten. Kannst du bitte das Radio ______________ ?

2 Ich weiß nicht genau, wie man das macht. Kannst du es mir ______________ ?

3 Wir lernen zusammen für die Deutscharbeit. ______________ du ______________ ?

fahren:

4 Ihr Zug ______________ um sieben Uhr fünfzehn ______________ .

5 Ich fahre vor und du kannst mir ______________ .

6 Wir fahren nach Italien. Willst du auch ______________ ?

sehen:

7 Ich finde, Stefan ist wirklich schüchtern. Er ______________ mich nie ______________ , wenn ich mit ihm spreche!

8 Ihr könnt die unbekannten Wörter im Wörterbuch ______________ .

9 Warum kannst du nicht ______________ , dass ich nicht mitgehen möchte?

10 Maria ______________ heute toll ______________ , sie ist sehr schick angezogen!

15 Direkte Objekte

→ S. 22

Unterstreichen Sie in den folgenden Sätzen die direkten Objekte.
Ersetzen Sie dann die direkten Objekte mit Personalpronomen.
Achtung: Manchmal müssen Sie die Wortstellung ändern!

z.B. Sie trinkt nicht gerne *Kaffee*.
Sie trinkt **ihn** nicht gerne.

1 Sie trinkt nicht gerne Tee.

____

2 Wir haben die Maus gesehen.

____

3 Ich habe den Wagen gesehen.

____

4 Maria sucht das Papier.

____

5 Wo ist die Marktkirche?

____

6 Hast du den Schlüssel?

____

7 Kannst du den Computer ausstellen?

____

8 Kann Petra die Aufgabe lösen?

____

9 Wir wollen das Fahrrad kaufen.

____

10 Sie hat das Buch sehr gerne gelesen.

____

11 Ich möchte gerne die Tasse haben.

____

12 Mögen Sie Katzen?

____

13 Morgen besuchen wir unsere Tante.

____

14 Er hat letzte Woche seine Freundin getroffen.

____

15 Sie hat gestern ihren Freund besucht.

____

Du, ihr, Sie

→ S. 27

Welcher Satz passt zu welchem Bild?

a Wo wohnt ihr?
b Wo wohnen Sie?
c Wo wohnen Sie?
d Wo wohnst du?

1 Markus 2 Melanie und Harald 3 Herr Bauer 4 Herr und Frau Lenz

Hier sind drei Briefe an die Personen auf den Bildern. Was passt in die Lücken: du, ihr oder Sie? dich, euch oder Sie? Setzen Sie die fehlenden Wörter ein.

Hallo Markus,

wie geht es dir? Ich habe (a) ____________ schon so lange nicht mehr gesehen.

Kommst (b) ____________ in den Ferien zu Oma? Oder kann ich (c) ____________ bald besuchen? Meine Mutter hat gesagt, dass (d) ____________ bald wieder zu uns nach Hamburg kommst. Stimmt das? Schreibst (e) ____________ mir bald?

Tschüs,

Deine Kusine Julia

Liebe Melanie und lieber Harald,

kaum zu glauben: Vor sechs Monaten habe ich (f) ____________ zuletzt gesehen! Wollt (g) ____________ mich nicht einmal bald besuchen? Habt (h) ____________ vielleicht Lust, mal mit mir Essen zu gehen? Ich lade (j) ____________ natürlich ein, wenn (k) ____________ mal wieder knapp bei Kasse seid.

Viele liebe Grüsse

Euer Holger

Liebe Frau Lenz, lieber Herr Lenz,

wir haben (l) ____________ schon so lange nicht gesehen! Deshalb möchten wir (m) ____________ gerne zu einem Abendessen einladen. Wenn (n) ____________ kommen können, rufen (o) ____________ uns doch einmal an.

Mit freundlichen Grüßen,

Ihre Bauers

19 Information gap: partner B

➔ S. 33

Die zwanzigjährige Maria wartet nicht – sie startet: heute singt sie in einer Hamburger Band und produziert ihre erste CD

1 Formulieren Sie zuerst die **fettgedruckten** Notizen als Sätze in der Vergangenheit.

2 **a** Stellen Sie jetzt Ihrem Partner / Ihrer Partnerin die Fragen, zu denen Sie hier keine Antwort finden. Schreiben Sie die Antworten in Stichworten auf.

b Ihr Partner / Ihre Partnerin wird Ihnen auch Fragen stellen.

1 Warum ist Maria nach Hamburg gezogen?	Maria kommt aus einer kleinen Stadt in Norddeutschland. Das war ihr zu langweilig. **a** ________ **b** ________
2 Waren die Eltern gegen Marias Pläne?	**a Nein, die Eltern sie gut verstehen können** *Nein, die Eltern* ***konnten*** *sie gut verstehen.* **b sie Maria helfen wollen** ________
3 Warum hat sie sich für eine Ausbildung als Bühnenbildnerin entschieden?	**a** ________ **b eine handwerkliche Ausbildung machen wollen** ________
4 Wie hat sie ihre Lehrstelle gefunden?	**a** ________ **b** ________
5 Wie hat sie ihre Band „Wunder" gegründet?	Maria und ihr alter Schulfreund Manfred haben schon in der Schule zusammen Musik gemacht. In Hamburg … **a nach einem Bassisten und einem Drummer suchen müssen** ________ **b dann zusammen proben können** ________

Du, ihr, Sie

➔ S. 27

Welcher Satz passt zu welchem Bild?

a Wo wohnt ihr?
b Wo wohnen Sie?
c Wo wohnen Sie?
d Wo wohnst du?

Hier sind drei Briefe an die Personen auf den Bildern. Was passt in die Lücken: du, ihr oder Sie? dich, euch oder Sie? Setzen Sie die fehlenden Wörter ein.

Hallo Markus,

wie geht es dir? Ich habe (a) __________ schon so lange nicht mehr gesehen.

Kommst (b) __________ in den Ferien zu Oma? Oder kann ich (c) __________ bald besuchen? Meine Mutter hat gesagt, dass (d) __________ bald wieder zu uns nach Hamburg kommst. Stimmt das? Schreibst (e) __________ mir bald?

Tschüs,

Deine Kusine Julia

Liebe Melanie und lieber Harald,

kaum zu glauben: Vor sechs Monaten habe ich (f) __________ zuletzt gesehen! Wollt (g) __________ mich nicht einmal bald besuchen? Habt (h) __________ vielleicht Lust, mal mit mir Essen zu gehen? Ich lade (j) __________ natürlich ein, wenn (k) __________ mal wieder knapp bei Kasse seid.

Viele liebe Grüsse

Euer Holger

Liebe Frau Lenz, lieber Herr Lenz,

wir haben (l) __________ schon so lange nicht gesehen! Deshalb möchten wir (m) __________ gerne zu einem Abendessen einladen. Wenn (n) __________ kommen können, rufen (o) __________ uns doch einmal an.

Mit freundlichen Grüßen,

Ihre Bauers

17 Fortuna hilft ...

→ S. 28

Finden Sie heraus, wie Fortuna einem jungen Mann geholfen hat!
Bringen Sie die Wörter in die richtige Reihenfolge, um Sätze zu bilden.
Bringen Sie dann die Sätze in die richtige Reihenfolge.

sehr sympathisch	sie	gefunden	ihn	hat

ihm	ich	an diesem Abend	geschenkt	gute Laune	habe

angenommen	den Heiratsantrag	hat	Peter

eine Freundin	geschickt	zu einer Party	hat	eine Einladung	Peter

gezeigt	ihm	ich	auf der Party	habe	eine nette junge Frau

hat	später	ihm	einen Heiratsantrag	sie	gemacht

erzählt	ihr	eine lustige Geschichte	Peter	hat

Information gap: partner A

→ S. 33

Die zwanzigjährige Maria wartet nicht – sie startet: heute singt sie in einer Hamburger Band und produziert ihre erste CD

Formulieren Sie zuerst die **fettgedruckten** Notizen als Sätze in der Vergangenheit.

a Stellen Sie jetzt Ihrem Partner / Ihrer Partnerin die Fragen, zu denen Sie hier keine Antwort finden. Schreiben Sie die Antworten in Stichworten auf.

b Ihr Partner / Ihre Partnerin wird Ihnen auch Fragen stellen.

1 Warum ist Maria nach Hamburg gezogen?	Maria kommt aus einer kleinen Stadt in Norddeutschland. Das war ihr zu langweilig. **a in einer Großstadt leben wollen** *Sie wollte in einer Großstadt leben.* __________ **b in Hamburg bei einer Freundin wohnen können** __________ __________
2 Waren die Eltern gegen Marias Pläne?	**a** __________ __________ **b** __________ __________
3 Warum hat sie sich für eine Ausbildung als Bühnenbildnerin entschieden?	**a schon immer gut zeichnen und basteln können** __________ __________ **b** __________ __________
4 Wie hat sie ihre Lehrstelle gefunden?	**a viele Bewerbungen schreiben müssen** __________ __________ **b dann beim Thalia-Theater in Hamburg anfangen können** __________ __________
5 Wie hat sie ihre Band „Wunder" gegründet?	Maria und ihr alter Schulfreund Manfred haben schon in der Schule zusammen Musik gemacht. In Hamburg … **a** __________ __________ **b** __________ __________

19 Information gap: partner B

→ S. 33

Die zwanzigjährige Maria wartet nicht – sie startet: heute singt sie in einer Hamburger Band und produziert ihre erste CD

1 Formulieren Sie zuerst die **fettgedruckten** Notizen als Sätze in der Vergangenheit.

2 **a** Stellen Sie jetzt Ihrem Partner / Ihrer Partnerin die Fragen, zu denen Sie hier keine Antwort finden. Schreiben Sie die Antworten in Stichworten auf.

b Ihr Partner / Ihre Partnerin wird Ihnen auch Fragen stellen.

1 Warum ist Maria nach Hamburg gezogen?	Maria kommt aus einer kleinen Stadt in Norddeutschland. Das war ihr zu langweilig. **a** ______ **b** ______
2 Waren die Eltern gegen Marias Pläne?	**a** **Nein, die Eltern sie gut verstehen können** *Nein, die Eltern* ***konnten*** *sie gut verstehen.* **b** **sie Maria helfen wollen** ______
3 Warum hat sie sich für eine Ausbildung als Bühnenbildnerin entschieden?	**a** ______ **b** **eine handwerkliche Ausbildung machen wollen** ______
4 Wie hat sie ihre Lehrstelle gefunden?	**a** ______ **b** ______
5 Wie hat sie ihre Band „Wunder“ gegründet?	Maria und ihr alter Schulfreund Manfred haben schon in der Schule zusammen Musik gemacht. In Hamburg … **a** **nach einem Bassisten und einem Drummer suchen müssen** ______ **b** **dann zusammen proben können** ______

Wie geht es weiter?

➔ S. 33

Fast so schön wie vom Tellerwäscher zum Millionär:

23-jähriger Chemiearbeiter entwickelt erfolgreiches Computerlernspiel

Vor sieben Jahren fing Matthias Pütz als ungelernter Arbeiter bei Hoechst in Frankfurt an. Von Chemie und der Arbeit in einem Chemiewerk hatte er keine Ahnung. Das wollte er ändern:

a Überlegen Sie in der Klasse: Wie geht die Geschichte weiter? Wie wurde Pütz vom Chemiearbeiter zum Projektleiter?

b Lesen Sie die Fragen in Aufgabe 2. Was glauben Sie jetzt: Wie wird der Text weitergehen?

VOKABELN

Hoechst company name
ungelernt unskilled
das Chemiewerk (-e) chemical firm, works
von etwas keine Ahnung haben to know nothing about s.th.

Lesen Sie den Text und beantworten Sie die folgenden Fragen. Benutzen Sie Ihr Wörterbuch so wenig wie möglich.

a Wie hat Matthias mehr über seine Arbeit und über Chemie gelernt?
b Wie hat er die Fabrikanlage „nachgebaut" (reconstructed the plant)?
c Wie viele Zeichnungen hat er insgesamt gemacht?
d Was ist die „Simfactory"?
e Warum wollte Matthias oft kündigen (hand in his notice)?
f Was für eine Arbeit macht er heute?

Er machte Skizzen von der Anlage und fragte seine Kollegen, damit sie ihm jeden Handgriff erklärten. Aus Chemiebüchern lernte er alles, was er über „seine" Anlage wissen wollte. Dann „baute" Pütz die gesamte Anlage in seinem Computer nach: In drei Jahren machte er 100 000 (einhunderttausend!) Zeichnungen auf 350 Disketten. Bald schon kamen die Arbeiter zu ihm, wenn sie etwas über ihre Arbeit wissen wollten. Pütz entwickelte daraufhin ein Computerlernspiel, die „Simfactory". In der „Simfactory" erklärt der Arbeiter „Hermann" alles, was man über die Fabrik wissen muss.

Die Arbeiter waren begeistert, aber Matthias' Chefs brauchten drei Jahre, um seine Leistung anzuerkennen. Oft wollte Pütz kündigen, aber nie hat er eine Kündigung auch wirklich abgeschickt. Heute entwickelt er weitere Computerlernspiele, die den Lehrlingen und Arbeitern bei ihrer Arbeit helfen.

21 Ich packe meinen Koffer ...

→ S. 39

In der Klasse: „Packen" Sie die folgenden Gegenstände in Ihren Koffer. Der erste Spieler packt einen Gegenstand, der nächste zwei usw. Wer die Reihenfolge der Gegenstände verändert oder einen Gegenstand vergisst, scheidet aus.

z.B.

SPIELER 1: Ich nehme mein Radio mit.
SPIELER 2: Ich nehme mein Radio und meine Bücher mit.
SPIELER 3: Ich nehme mein Radio, meine Bücher und meinen Fotoapparat mit. usw.

2 Familienfoto

→ S. 39

1 Stellen Sie sich vor, Sie sehen mit Ihrem Bruder / Ihrer Schwester ein altes Familienfoto an. Bestimmen Sie, wer auf dem Foto wer ist. Benutzen Sie die folgenden Wörter:

Großmutter (grandpa)
Großvater (grandma)
Tanten (aunts)
Onkel (uncle)
Kusinen (female cousins)
Vater (father)
Cousin (male cousin)
Mutter (mother)
Bruder (brother)
Schwester (sister)

z.B.
Die Frau mit der Nr. 1 ist **unsere** Großmutter.
Der Mann mit der Nr. 2 ist **unser** Großvater. etc.

1 ______
2 ______
3 ______
4 ______
5 ______
6 ______
7 ______
8 ______
9 ______
10 ______
11 ______
12 ______

2 Spielen Sie jetzt mit einem anderen Team. Finden Sie heraus, wer für dieses Team die Großmutter, der Großvater usw. ist und schreiben Sie es mit einer anderen Farbe neben Ihr Foto.

z.B.

TEAM 1 FRAGT: Ist die Frau mit der Nr. 1 **eure** Großmutter?
Ist der Mann mit der Nr. 2 **euer** Großvater?

TEAM 2 ANTWORTET: Nein, das ist **unsere** Tante/**unser** Onkel usw.

Dann umgekehrt.

3 Einer von Ihren Verwandten hat immer Geburtstag! Schreiben Sie auf, was Sie ihnen schenken.

z.B.
Unserer Großmutter schenken wir ein Buch.
Unserem Großvater schenken wir einen Fotoapparat.

23 Nicole sucht ein Zimmer

→ S. 41

Jetzt sucht die Studentin Nicole ein Zimmer. Sie zieht bei der Rentnerin Josefine Schmidt ein. Ändern Sie die fettgedruckten Satzteile entsprechend!

Arbeiten, um zu wohnen?

Studentin Nicole *Sie*
~~**Student Niklas**~~ sucht ein Zimmer, möglichst preiswert und stadtnah. ~~**Er**~~ sieht diese Anzeige
ihrem freiwilligen sozialen Jahr *sie*
und denkt sich: Wieso nicht ? Seit ~~**seinem Zivildienst**~~* hat ~~**er**~~ Erfahrung im Umgang mit Hilfsbedürftigen.

Rentnerin Josefine
~~**Rentner Jost**~~ Schmidt hat ein Hüftleiden. Bei der Haushaltsarbeit und beim Einkaufen braucht **er** Hilfe. Weil **er** ein Hüftleiden hat, kommt **Herr** Schmidt nicht mehr oft aus dem Haus. Seit **seine Frau** tot ist, fühlt **er** sich oft einsam und wünscht sich ein bisschen Gesellschaft.

Niklas lernt **Jost Schmidt** kennen. Das helle, große Zimmer gefällt **ihm** und **er** zieht zu **Herrn** Schmidt in die Wohnung. Es gefällt **Niklas**, hier zu wohnen. **Er** sitzt oft auf **seinem** Balkon und genießt die Nachmittagssonne. Von **seiner** Wohnung bis zur Universität sind es nur fünf Minuten mit dem Fahrrad. **Er** spart also viel Zeit, weil **er** nicht mit der U-Bahn aus einem Vorort zur Universität fahren muss. Jede Woche arbeitet **er** zehn Stunden für **Herrn** Schmidt. **Er** kauft ein, putzt **Herrn** Schmidts Wohnung, wäscht **seine** Wäsche und kocht manchmal auch für **ihn**. Obwohl **Herr** Schmidt sich über die Hilfe und die Gesellschaft freut, muss auch **er** sich erst an **seinen Mitbewohner** gewöhnen. Es hat auch schon Konflikte gegeben. Aber insgesamt verstehen sich die beiden **Männer**. Und unter dem Schlussstrich haben beide einen Vorteil von diesem Modell.

* Girls don't do military service or *Zivildienst*, but they can do a voluntary year of community service, which is called a *freiwilliges soziales Jahr*.

1 Vom Rand

→ S. 41

Raten Sie mal: Was fehlt hier? Setzen Sie die fehlenden Teile in die Lücken ein.
(Tipp: alle Wörter mit Lücken sind Präpositionen.)

EUGEN GOMRINGER

*

vo_____ rand

vo_____ rand
na_____ innen

i_____ innern
zu_____ mitte

durchs zentrum
der mitte

na_____ aussen
zu_____ rand

VOKABELN

der Rand (¨-er) rim
innen inside, on the inside
das Innere inside, interior
die Mitte (-n) middle, centre
das Zentrum (Zentren) centre
der Mitte of the centre (genitive)
außen outside

2 Was meinen Sie? Kann man die Gedichtzeilen auch anders anordnen? Versuchen Sie es doch einmal!

3 Und jetzt sind Sie dran: Schreiben Sie Ihre eigene konkrete Poesie!

25 Sonntags im Park

→ S. 37–43

6 Präpositionenmeister

→ S. 43

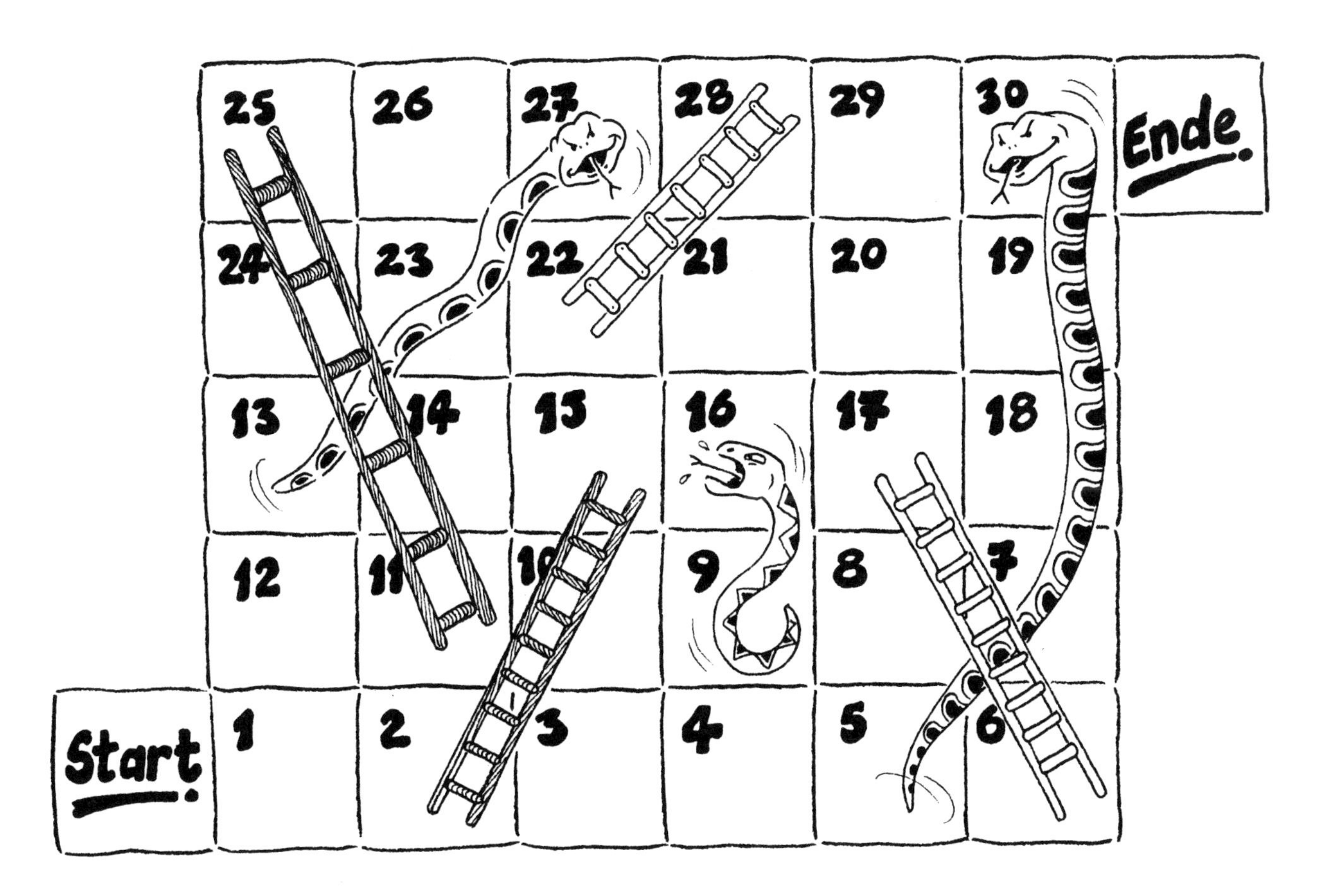

1 Auf d____ Tisch (m.) steht eine Vase.
2 Neben d____ Schrank (m.) steht der Sessel.
3 Die Bücher stehen in sein____ Regal (n.).
4 Leg das Papier unter mein____ Stuhl (m.).
5 Sie hat die Jacke in d____ Schrank (m.) gehängt.
6 Die Blumen stehen auf d____ Fensterbank (f.).
7 Das Regal steht zwischen d____ Fenster (n.) und d____ Schrank (m.).
8 Wir haben die Bilder an d____ Wand (f.) gehängt.
9 Sie ist vor d____ Haus (n.) gegangen.
10 Ich habe dein Rad vor d____ Garage (f.) gestellt.
11 Er ist vor unser____ Haus (n.).
12 Deine Jacke ist in d____ Schrank (m.).
13 Das Fahrrad steht in d____ Garage (f.).
14 Das Papier liegt unter d____ Stuhl (m.).
16 Das Regal ist über mein____ Bett (n.)
18 Das Flugzeug fliegt über d____ Wolken (f., Pl.).
19 Sie steht hinter ihr____ Freund.
20 Das Kino ist neben ein____ Kaufhaus (n.).
21 Wir gehen heute Abend in d____ Kino (n.).
22 Treffen wir uns in d____ Café (n.) ?
23 Wir haben das Regal über d____ Bett (n.) gehängt.
24 Sie sind in d____ Café Weiß gegangen.
26 Ich gehe heute nicht in d____ Schule (f.).
27 Sie ist vor unser____ Haus (n.).
29 Der Fernseher steht auf ihr____ Schrank (m.).
30 Häng die Jacke bitte an d____ Haken (m.).

27 Mitbewohner(in) gesucht

→ S. 41

Partner A

Sie sind eine ältere Dame / ein älterer Herr. Sie sind alleinstehend und möchten gerne ein Zimmer an einen Studenten / eine Studentin vermieten. Deshalb setzen Sie diese Anzeige in die Zeitung:

Mitbewohner(in) für Wohngemeinschaft mit Rentner(in) in Hamburg-Winterhude gesucht. Kleine Hilfsarbeiten erwünscht. Tel. Hamburg 246 869

Sie bekommen bald einen Anruf von einem Studenten / einer Studentin. Überlegen Sie vorher:

- Wann kann die neue Mitbewohnerin / der neue Mitbewohner einziehen?
- Wie hoch ist die Miete?
- Wie ist die Wohnung, wie ist das freie Zimmer? (laut, leise, groß, klein …)
- Welche Hilfsarbeiten soll der Student/die Studentin für Sie tun?
- Teilen Sie das Bad oder hat er/sie ein eigenes Bad ?
- Darf Ihr neuer Mitbewohner / Ihre neue Mitbewohnerin Ihre Küche benutzen?
- Wollen Sie gemeinsam mit ihm/ihr essen?
- Was gibt es sonst noch für Regeln? Was darf er/sie auf keinen Fall tun?

Partner B

Sie sind Student/Studentin und suchen ein Zimmer in Hamburg. Sie sehen diese Anzeige in der Zeitung:

Mitbewohner(in) für Wohngemeinschaft mit Rentner(in) in Hamburg-Winterhude gesucht. Kleine Hilfsarbeiten erwünscht. Tel. Hamburg 246 869

1 Rufen Sie den Vermieter / die Vermieterin an. Finden Sie heraus,

- ab wann Sie in die Wohnung einziehen können.
- wie hoch die Miete ist.
- wie die Wohnung, wie das freie Zimmer ist. (laut, leise, groß, klein …)
- welche Hilfsarbeiten Sie für den Rentner / die Rentnerin ausführen sollen.
- ob Sie ein eigenes Bad haben werden.
- ob Sie die Küche benutzen und dort kochen dürfen.
- was es sonst noch für Regeln gibt.

2 Entscheiden Sie am Ende des Gesprächs, ob Sie sich das Zimmer ansehen möchten. Wenn ja, fragen Sie: Wann kann ich mir das Zimmer ansehen?

Diskussion bei den Glotzis

→ S. 44–45

Vater Glotzi:

Sie finden, dass Ihre Kinder zu wenig lesen. Ihrer Meinung nach können Kinder durch Bücher mehr lernen als durch das Fernsehen, weil das Fernsehen oft sehr oberflächlich ist. Außerdem finden Sie, dass das Fernsehen die Phantasie tötet.

Sie wollen endlich wieder ein bisschen mehr Ruhe im Haus und finden deshalb: Der Fernseher muss weg.

Paul Glotzi (15 Jahre alt):

Sie sind begeisterter Sciencefiction-Fan und sehen sich gerne Sciencefiction-Filme im Fernsehen an, unter anderem auch *Star Trek*.

Sie sehen nicht nur Sciencefiction-Programme, sondern Sie lesen auch gerne Sciencefiction-Bücher.

Fritzchen Glotzi (6 Jahre alt):

Sie haben einige Lieblingssendungen im Kinderprogramm: Die *Sesamstraße* ist Ihr Favorit. Durch Kindersendungen haben Sie schon viel gelernt: Wie man Autos baut, wie man Brot backt usw.

Leider können Sie Ihre Lieblingssendungen oft nicht sehen, denn Ihre älteren Geschwister blockieren meistens den Fernseher. Am liebsten hätten Sie einen Fernseher für sich alleine!

Mutter Glotzi:

Sie finden, dass die Familie nicht mehr genug miteinander redet, weil der Fernseher so viel läuft. Sie wissen überhaupt nicht mehr, was ihre Kinder tagsüber erleben.

Sie glauben nicht, dass Ihre Kinder ihren Fernsehkonsum kontrollieren können. Deshalb soll Ihrer Meinung nach der Fernseher weg.

Emma Glotzi (17 Jahre alt):

Ihre Familie nervt Sie ziemlich oft. Sie finden, Ihre Eltern und Ihre Geschwister streiten sich zu viel. Nur vor dem Fernseher können Sie mal so richtig Ihre Ruhe haben.

Wenn Ihre Eltern ausgehen, müssen Sie auf Fritzchen aufpassen. Mit Fernseher ist das einfach, denn dann kann Fritzchen Kindersendungen ansehen. Ohne Fernseher müssten Sie mit Fritzchen Kinderspiele machen. Dazu haben Sie aber überhaupt keine Lust.

Franz Glotzi (18 Jahre alt):

Sie finden, Ihre Eltern können Ihnen nicht mehr vorschreiben, was Sie in Ihrer Freizeit machen. Sie sind schließlich 18 und wollen selbst bestimmen, wie viel Sie fernsehen.

Sie und Ihre Freunde sind begeisterte Motorsport-Fans. Sie sehen alle Formel-1-Rennen im Fernsehen. Das wollen Sie auch weiterhin tun, denn sonst können Sie bei Ihren Freunden nicht mehr mitreden.

29 Tanzstundenpartner

→ S. 46

Hier sind einige Angaben zu Leuten in der Tanzstunde. Vergleichen Sie sie.

z.B.
Hanna ist jünger als Peter. Rita ist am jüngsten.

Rita	Hanna	Peter	
16	17	20	**alt**
65 kg	60 kg	75 kg	**schlank**
1,75 m	1,70 m	1,74 m	**groß**
★★★	★	★★	**modisch** gekleidet
★	★★	★★★	**nett**
★★	★★★	★	tanzt **gut**

★★★ = die beste Note

Samstagabend

→ S. 46–47

Sie sind mit einem Freund / einer Freundin zu Besuch in Mannheim. Heute ist Ihr letzter Abend und Sie wollen gerne ausgehen.

Lesen Sie den Veranstaltungskalender und Ihre Rollenkarte durch. Überlegen Sie, welche Veranstaltung Sie gerne besuchen möchten:

- Welche Musikrichtung gefällt Ihnen am besten?
- Welche Tanzart finden Sie am interessantesten?
- Wie viel Geld wollen Sie für die Eintrittskarte ausgeben?
- Wie können Sie die/den anderen davon überzeugen, dass Ihre Veranstaltung die beste ist?

Erzählen Sie Ihrem Freund / Ihrer Freundin, welche Veranstaltung Ihnen am besten gefällt. Sagen Sie auch, warum Ihnen die Veranstaltung gefällt.

Versuchen Sie, sich auf eine Veranstaltung zu einigen.

SAMSTAG
22. Juli

Das Musical: Fame

Musical, heute um 20 Uhr im Nationaltheater Mannheim.
Eintrittskarten: 25 DM
Inhalt: Die Schüler an der New Yorker La Guardia High School möchten gerne Musical Stars werden. Zahlreiche fetzige Tanzszenen versprechen beste Unterhaltung!

Bettina La Castano

Heute um 20.30 Uhr im Schloß Auerbach in Auerbach-Bensheim.
Eintrittskarten: 34 DM.

Eine der besten Flamencotänzerinnen ist eine Schweizerin. Sie heißt Bettina La Castano und lebt in Sevilla. Die Schweizerin ist atemberaubend schön und tanzt auch so!

Nina Hagen Band

Altes Fabrikgelände, Mannheim, 20.30 Uhr.
Eintritt: 19,50 DM

Die Queenmum des Punk erscheint heute bei einem Open-Air-Konzert. Die Musik ist zum Tanzen: Eine neue CD mit Dance-Tracks kommt demnächst auf den Markt. Na dann: viel Spaß!

Partner A

Sie haben noch etwa 80 DM in Ihrem Portmonee. Damit müssen Sie bis zu Ihrer Abreise morgen auskommen. Sie sehen sehr gerne Tanzveranstaltungen auf der Bühne. Im letzten Jahr haben Sie schon einmal Bettina La Castano auf der Bühne gesehen. Ihre Show hat Ihnen sehr gefallen.

Partner B

Sie haben noch etwa 40 DM in Ihrem Portmonee. Damit müssen Sie bis zu Ihrer Abreise morgen auskommen. Sie sind eine begeisterte Tänzerin / ein begeisterter Tänzer. Sie haben schon mal bei einer Musical-Aufführung in Ihrer Schule mitgemacht.

VOKABELN

sich auf etwas einigen to reach agreement about sth.
die Veranstaltung (-en) event
zahlreich numerous
fetzig hot (colloquial)
versprechen to promise
die Unterhaltung (-en) entertainment
atemberaubend breathtaking(ly)
Ich möchte gerne/lieber/am liebsten ... I would like/prefer/most like to ...
Das gefällt mir gut/besser/am besten ... I like this/better/the best
Warum können wir nicht ... Why can't we ...
Ich schlage vor, dass ... I suggest that ...
Was hältst du davon, wenn ... How about ... ? / What do you think of ... ?

31 Original und Fälschung

Partner A

Ihr Partner / Ihre Partnerin hat eine Fälschung von diesem Bild.

Beschreiben Sie Ihrem Partner / Ihrer Partnerin die Frau auf diesem Bild. Er/Sie darf Ihr Bild nicht sehen! Finden Sie gemeinsam zehn Unterschiede zwischen den beiden Bildern.

Partner B

Ihr Partner / Ihre Partnerin hat das Original von diesem Bild.

Beschreiben Sie Ihrem Partner / Ihrer Partnerin die Frau auf diesem Bild. Er/Sie darf Ihr Bild nicht sehen! Finden Sie gemeinsam zehn Unterschiede zwischen den beiden Bildern.

Adjektivendungen

Übersetzen Sie diese Sätze. Achten Sie auf die Adjektivendungen!

1 Can you help the **young** man?

2 I'll talk to the **new** student (Schülerin).

3 **Young** people like to live in shared housing (Wohngemeinschaften).

4 **German** children start (gehen zur) school at the age of six.

5 Do you (Sie) like the **French** language?

6 **Old** people often live alone.

7 I like **Italian** (italienisch) coffee.

8 She likes buying **new** dresses.

9 The **young** man would like a coffee.

10 The game is for **six-year-old** (sechsjährig) children.

33 Adjektivmeister

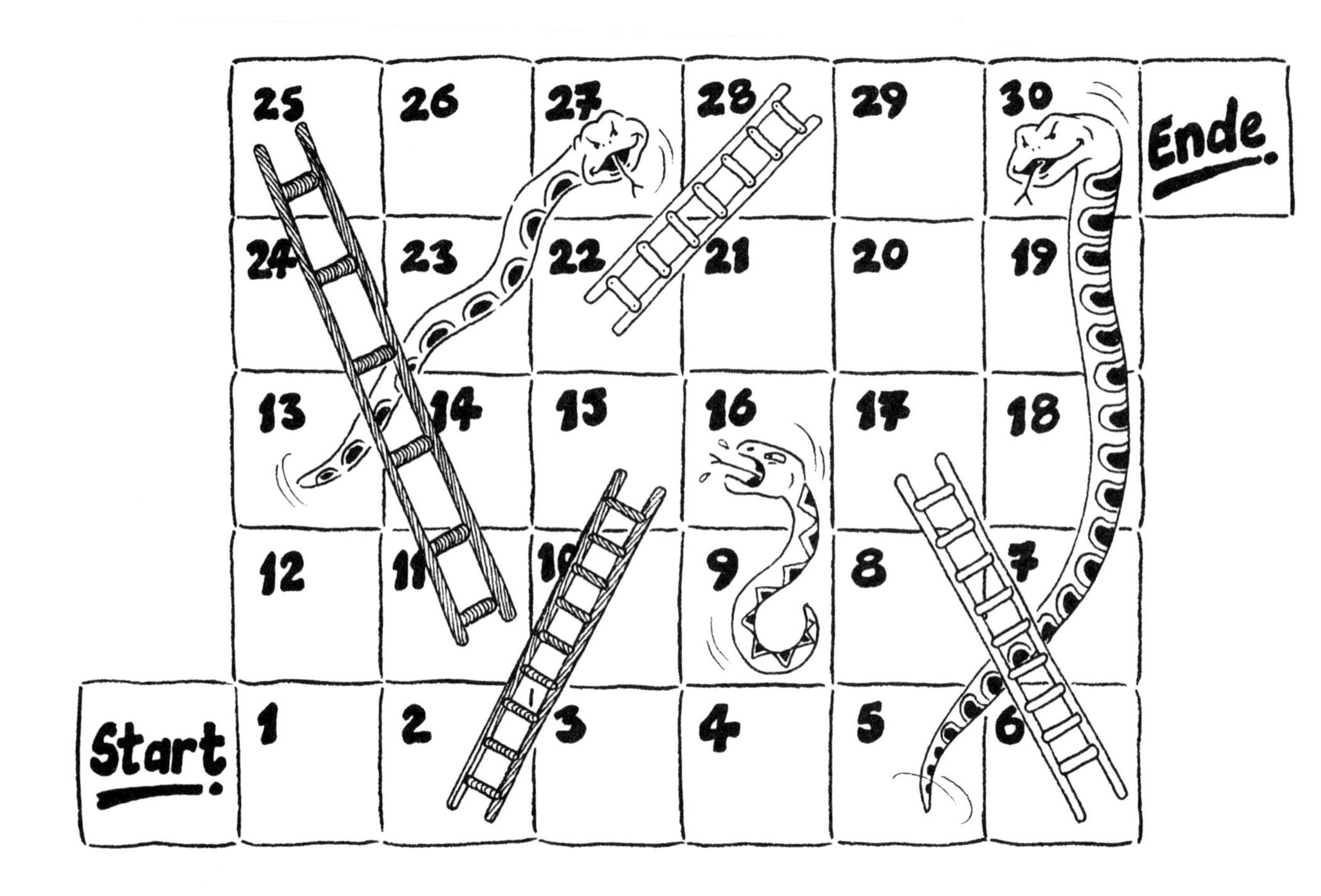

1 Sie trägt eine Jacke mit einem rot ____ Kragen (m.).
2 Sie trägt einen blau ____ Rock (m.).
3 Ich möchte ein groß ____ Mineralwasser (n.).
4 Gehört dir das rot ____ Auto (n.)?
5 Ist das die neu ____ Schülerin?
6 Ich habe einen klein ____ Hund (m.).
7 Schwarz ____ Schuhe mag ich nicht.
8 Deutsch ____ Bier (n.) schmeckt oft bitter.
9 Ich finde den neu ____ Lehrer nett.
10 Ich mag französisch ____ Brot (n.) sehr gerne.
11 Er fährt mit einem blau ____ Auto (n.).
12 Sie kommt mit ihrem neu ____ Freund (m.).
13 Ich gehe nie ohne meine best ____ Freundin aus.
14 Er ist mit dem schwarz ____ Rad (n.) gefahren.
16 Gibt es hier ein gemütlich ____ Café (n.)?
18 Sie trinkt ihren Kaffee schwarz ____.
19 Ich trinke gerne schwarz ____ Kaffee (m.).
20 Ihr Kleid ist rot ____.
21 Englisch ____ Kinder gehen sehr früh in die Schule.
22 Schreibst du mit deinem neu ____ Stift (m.)?
23 Zeigen Sie der neu ____ Schülerin bitte die Schule.
24 Ich habe eine grün ____ Jacke (f.).
26 Sie kam mit ihrer alt ____ Mutter.
27 Wir fahren in den groß ____ Zoo (m.).
29 Wir fuhren zu meinem alt ____ Onkel.
30 Sie lief durch den dunkl ____ Wald (m.).

Verbenrätsel: Imperfekt

→ S. 49–51

Setzen Sie die passenden Verbformen in das Kreuzworträtsel ein.
Sie können Ihr Wörterbuch benutzen!

Waagerecht:

1 they drove
4 she went
6 you (du) were
8 we ran
9 they had
11 you (du) worked
13 he did
16 I took
19 you (ihr) came
20 they were supposed to
22 she was able to

Senkrecht:

2 it rained
3 they laughed
5 you (ihr) wanted to
7 we talked
9 you (ihr) had
10 they gave
12 we met
14 they drank
15 we were allowed to
17 we held
18 they did
21 she read

35 Wahlprogramm

Stellen Sie sich vor, Sie gehören zu einer politischen Partei. Ihre Partei muss ein Wahlprogramm für die nächsten Wahlen schreiben.

1 Korrigieren Sie die Wortstellung in den folgenden Programmpunkten.

a werden – wir – das Rauchen – in allen öffentlichen Gebäuden – verbieten
b alle Schulen – ausstatten – mit Internetanschluss – wir – werden
c wir – alle Privatschulen – abschaffen – werden
d alle Schwimmbäder – mit 50-Meter-Schwimmbecken – wir – werden – ausstatten
e die Zigarettensteuer – wir – erhöhen – werden
f wir – den Verkauf von Fleisch – werden – und Fleischprodukten – verbieten
g mehr Geld – wir – für Lehrer und Lehrerinnen – werden – zur Verfügung stellen
h mehr Geld – für Jugendzentren – wir – zur Verfügung stellen – werden
i werden – die Studiengebühren – wir – an den Universitäten – abschaffen
j einführen – eine abendliche Ausgangssperre – wir – für Jugendliche – werden

2 Markieren Sie drei Programmpunkte, für die Ihre Partei ist, mit einem +.

3 Suchen Sie jetzt die passenden Begründungen für die drei Programmpunkte, die Sie gewählt haben:

Dann können Jugendliche ihre Freizeit sinnvoller verbringen.
Dann können alle umsonst studieren.
Damit können wir die Kriminaltätsrate senken.
Dann können Schüler per Computer von Experten lernen.
Dann können die Schulen mehr Lehrer und Lehrerinnen einstellen.
Dann müssen keine Tiere mehr leiden.
Dann müssen weniger Menschen an Lungenkrebs sterben.
Dann müssen wohlhabende Eltern die öffentlichen Schulen unterstützen.
Dann können wir bei der nächsten Olympiade im Schwimmen gewinnen.

4 Schreiben Sie jetzt Ihr Wahlprogramm mit den drei Programmpunkten auf ein großes Wandplakat. Erfinden Sie noch drei eigene Programmpunkte mit Begründungen dazu.

VOKABELN

der Anschluss (¨-e) connection
ausstatten to equip, provide, fit out
abschaffen to abolish
erhöhen to increase
das Fleisch meat
das Jugendzentrum (-entren) youth centre
jmdm. etwas zur Verfügung stellen to put s.th. at s.b.'s disposal
einführen to introduce
die Studiengebühr (-en) tuition fee
die Ausgangssperre (-n) curfew
sinnvoll meaningfully, sensibly
umsonst free, for nothing
für jmdn. sorgen to take care of s.b.
gefährden to endanger
einstellen to hire
leiden to suffer
der Lungenkrebs lung cancer
wohlhabend prosperous
unterstützen to support

Phrase? Clause? Sentence?

In order to produce accurate word order in German it is important to be clear about these terms.

- A **phrase** is defined as a group of words which **does not** contain a verb.

  e.g. unter dem Tisch
  Peter und seine Mutter

- A **clause** is a group of words which **does** contain a verb.

  e.g. Er **fuhr** nach London …
  Weil das Wetter schön **war** …

- A **sentence** may contain only one clause (a 'simple' sentence) or it may contain several clauses (a 'complex' sentence).

  e.g. *Simple sentence:*
  Wir haben Kaffee getrunken.

  Complex sentence:
  Sie sind nach London geflogen, weil sie die Sehenswürdigkeiten sehen wollten.

- With modals the infinitive goes to the end of the **clause**. If the sentence only has one clause then this means, of course, that the infinitive goes to the end of the sentence. If the sentences has more than one clause, it is important that the infinitive goes to the end of the clause and not right to the end of the sentence.

  e.g. Ich konnte nicht nach Amerika **fahren**, weil es mir zu teuer war.
  (Fahren *goes to the end of the first clause, not to the very end of the sentence.*)

- **Past participles** also go to the end of the clause.
- Some **conjunctions** (e.g. *als, wenn, weil, dass, da*) send the verb to the end of the clause.
- In complex sentences the end of a clause is marked by a comma.

1 Schreiben Sie diese Sätze richtig:

a nach – London – Sie – fahren – wollen – zuerst
b übernachten – wollten – eigentlich – wir – in – Jugendherbergen
c wieder – könnten – sie – Cambridge – Freunden – und – fahren – bei – Süden – dann – Richtung – in – übernachten
d jung – als – fuhr – war – ich – meine – immer – Familie – Italien – nach
e Spanien – Sehenswürdigkeiten – gesehen – Souvenirs – gekauft – wir – haben – und – in
f Fahrrad – dem – zu – oder – Fuß – fahren – gehen – Jungen – könnten – die – mit
g auf – gewartet – Zug – sie – lange – haben – den

2 Verbinden Sie diese Sätze mit „wenn" oder „als":

z. B. Wir sind an die Küste gefahren. Wir waren Kinder.
Wir sind an die Küste gefahren, als wir Kinder waren.

a Sie hatten jeden Tag heißes Wetter. Sie waren in der Türkei.
b Wir werden nach Amerika fliegen. Wir haben genug Geld gespart.
c Meine Freundin war krank. Sie war in Tunesien.
d Ich fahre nach Russland. Ich werde einen alten Brieffreund besuchen.
e Der Tourist sah erstaunt aus. Er bemerkte den Zollbeamten.
f Ich könnte Vergünstigungen bekommen. Ich hätte einen internationalen Studentenausweis.
g Ich werde Geld sparen können. Ich finde einen Job.

37 More about word order in German

As you know, the main verb is always the **second idea** in a German sentence. This is particularly important to remember when you start with something which is not the subject.

e.g. Meine Eltern **fahren** dieses Jahr nach Frankreich.

▲

main verb second

▼

Dieses Jahr **fahren** meine Eltern nach Frankreich.

1 Rewrite each of these jumbled sentences so that they make sense. Rewrite each of them in two different ways, making sure that the verb is always correctly positioned.

e.g. Amerika letztes gefahren bin Jahr ich nach

i *Ich bin letztes Jahr nach Amerika gefahren.*
ii *Letztes Jahr bin ich nach Amerika gefahren.*

a Portugal – im – wir – lange – August – eine – haben – Reise – nach – gemacht
b Eiffelturm – Sommer – letzten – haben – den – gesehen – wir
c Geld – unglücklicherweise – jemand – hat – mein – Tasche – meiner – gestohlen – aus
d Campingplatz – miteinander – auf – gestritten – dem – Tag – jeden – sie – haben
e Jugendherberge – die – gefunden – haben – ordentlich – wir – und – sauber – sehr
f Wochen – hat – zwei – ein – von – Freund – auf – mir – Bauernhof – einem – in – gearbeitet – Bayern

After subordinating conjunctions (*wenn, als, weil, dass, obwohl* etc.) the verb is sent to the end of the clause. Remember that infinitives and past participles also go to the end of the clause.

2 Ergänzen Sie diese Sätze. Benutzen Sie die Wörter, die Sie unten im Kästchen finden.

a Wir wollten teilweise in Jugendherbergen
________________ .
b Ich möchte zwei Zimmer in Ihrem Hotel
________________ .
c Er fuhr nach Deutschland, um die Sprache zu
________________ .
d Ich habe gesagt, dass ich am Montagabend
________________ .
e Ich fahre sehr gern nach Süddeutschland, weil die Leute sehr freundlich
________________ .
f Als wir in Österreich ________________ , hatten wir eine Panne.
g Als sie in England ________________ lernte sie den Ralf ________________ .
h Er fährt jedes Jahr nach Spanien, obwohl er kein Spanisch ________________ .
i Ich habe eigentlich keine Lust, den ganzen Tag in der Sonne zu ________________ .
j Wir könnten von Brighton nach Nordengland
________________ , oder?

waren reservieren sind fahren wohnte
liegen übernachten spricht ankomme
lernen kennen

3 Finish these sentences off in any way which makes sense. Pay careful attention to the word order.

e.g. Ich fahre nach Deutschland, um
die Sprache zu lernen.

a Meine Schwester fährt nach Frankreich, um …
b Ich komme gern zur Schule, weil …
c Nächstes Jahr fahren sie nach Italien, weil …
d Im Sommer habe ich immer Lust, …
e Im Winter müssen wir immer …
f Sie hat die Sehenswürdigkeiten in London …
g Er hat mit seiner Familie …
h Nächstes Jahr hoffen wir …
i Meine Freundin war in China und sagt, dass …
j Als wir auf Urlaub waren, …

Complex sentences in German

A sentence which consists of more than one clause is called a 'complex sentence'. In a complex sentence there will always be a main clause and one or more subordinate clauses.

As you know, the verb must be the **second idea** in the main clause and is sent to the end in subordinate clauses. If the sentence starts with the subordinate clause, note what happens to the word order:

e.g. Weil das Wetter schön **ist**, **fahren** viele Leute an die Küste.

▲ *verb at end of subordinate clause* ▲ *main verb*

The whole of the subordinate clause counts as the 'first idea', therefore the main verb comes immediately after it and remains, as always, the second idea.

1 Make one sentence out of the two, starting with the word in parentheses. Tip: Don't forget the comma which separates the two clauses!

e.g. (weil) Es ist billig. Sie übernachten auf dem Campingplatz.
Weil es billig ist, übernachten sie auf dem Campingplatz.

a (Weil) Das Wetter ist heiß. Wir wollen schwimmen gehen.
b (Als) Ich war ein Kind. Ich fuhr jedes Jahr an die Küste.
c (Weil) Ich habe viel davon gehört. Ich möchte nach Amerika fahren.
d (Obwohl) Meine Schwester hat wenig Geld. Sie fährt trotzdem nach Spanien.
e (Da) Wir sind etwas früh in Berlin angekommen. Wir haben einen Stadtbummel gemacht.
f (Wenn) Ich habe genug Geld gespart. Ich möchte eine Weltreise machen.
g (Wenn) Es gibt viel Nebel. Ich habe keine Lust, in die Berge zu reisen.
h (Weil) Es gibt Taschendiebe. Man sollte nicht vor dem Bahnhof warten.
i (Als) Ich verlor meine Brieftasche. Ich ging zum Fundbüro.
j (Da) Ich bin in der Schweiz. Ich möchte das schweizerische Essen probieren.

2 Verbinden Sie zwei Satzteile, um daraus einen Satz zu machen.

z.B. Obwohl es sehr teuer war, habe ich meinen Urlaub in Skandinavien toll gefunden.

a Weil wir kein Geld mehr hatten,
b Bevor ich nach Hause gekommen bin,
c Nachdem sie den Markt besucht hatte,
d Nachdem wir in Thailand gelandet sind,
e Da dieser Urlaub so teuer war,
f Weil er sehr gern Ski fährt,
g Bevor wir die Reservierung machen,
h Während er am Strand war,
i Wenn sie im Ausland sind,

... benehmen sich viele Leute anders als zu Hause
... müssen wir nächstes Jahr zu Hause bleiben.
... hat jemand seine Kleider gestohlen.
... ist sie direkt zum Bahnhof zurückgekommen.
... habe ich meinen Urlaub in Skandinavien toll gefunden.
... möchte ich die Broschüre noch einmal lesen.
... fährt er jedes Jahr im März nach Obergurgl in Österreich.
... hat sich meine Mutter unwohl gefühlt.
... habe ich ein Geschenk für meine Mutter gekauft.
... sind wir nach Hause gekommen.

3 Translate into German:

a Although I was very tired I had a good time.
b Because I have visited Germany my German has improved.
c Although some people felt seasick I felt quite well.
d Because it is not far away many British people go to France.
e When the weather is fine everyone wants to go to the seaside.
f When I visit my penfriend I always talk to her young sister.
g Although I enjoy myself on the beach I also like to see the sights.

39 Make the most of your dictionary

Your dictionary is one of the most useful tools in your possession as you continue to learn German – but only if you use it wisely!

Here are some of the ways in which students misuse their dictionaries – don't fall into the same traps!

- Looking in the wrong half of the dictionary, i.e. looking for an English word in the German section and vice versa. Almost all students have fallen into this trap at some time or other!
- Trying to find a word but being unaware of its correct spelling, e.g. looking up the word *wiederholen* as though it were spelled W-I-D … .
- Being unclear about the parts of speech involved. This can mean, for example, that you look up an adjective but find a word which is actually a noun, or that you look up a verb and find an adjective, and so on. This is particularly important when you are doing 'gap-fill' tasks. These tasks become a great deal easier if you make sure that the word you are putting in the gap is the correct part of speech.

The exercises on this sheet are intended to help you identify and use correctly the various parts of speech. Dictionaries show the part of speech for every word they give. This is usually printed immediately after the word. Dictionaries vary considerably, however, in the abbreviations they use.

e.g. 'noun, masculine' might be simply 'm', or 'n.m.' or 's.m.' ('s' stands for 'substantive', another word for 'noun').

Make sure you are familiar with the abbreviations used in your particular dictionary. Spend some time looking at the list of them which you will find in the front of your dictionary.

1 Using a German–English, English–German dictionary find the following:

a can (noun)
b can (verb)
c cause (noun)
d cause (verb)
e record (verb)
f record (noun)
g long (adjective)
h long (verb)
i fat (adjective)
j fat (noun)
k sit (transitive verb)*
l sit (intransitive verb)*
m hang (transitive verb)*
n hang (intransitive verb)*
o after (preposition)
p after (adverb)
q after (conjunction)
r before (preposition)
s before (adverb)
t before (conjunction)
u while (conjunction)
v while (verb)

* A transitive verb is one which has an object. An intransitive verb does not have an object.

e.g. He drives the car.
(The verb has an object (car) and is therefore transitive.)
He drives very fast.
(There is no object, therefore the verb is intransitive.)

2 Look up the word 'bar' in the English–German section of your dictionary. Write down the appropriate German word for 'bar' in the following sentences. Do not translate the whole sentence.

a There was a bar of gold on the floor.
b He tried to bar the door.
c I want a bar of chocolate.
d This man is always standing at the bar.
e There were lots of bars on the street corners.
f My brother is a barrister. He was admitted to the bar in 1997.
g All bar three of you have finished your coursework.

3 Look up the word 'well' in the English–German section of your dictionary. Write down the appropriate German word for 'well' in the following sentences. Do not translate the whole sentence.

a I am not feeling well today.
b There was a deep well in the garden.
c Well, well, well! Come inside!
d She sings very well indeed.
e I am hungry. My brother is as well.

4 Look up the word 'record' in the English–German section of your dictionary. Write down the appropriate German word for 'record' in the following sentences. Do not translate the whole sentence.

a I bought an old 'Beatles' record yesterday.
b Will you record that programme for me?
c We have no record of your marks.
d He broke the record for eating raw eggs.

5 Look up the word 'like' in the English–German section of your dictionary. Write down the appropriate German word for 'like' in the following sentences. Do not translate the whole sentence.

a I like learning German. It's fun.
b This building looks like a cathedral.
c I would like to go to America.
d What was your holiday like?
e After this you can do as you like.

Textverständnis, 1

→ S. 56, S. 59

1 Sehen Sie den Brief auf Seite 56 an. Was passt zusammen?

z.B. *a7*

a Verena und ihre Mutter haben …
b Verena hat …
c Verena hofft …
d Verena fragt …
e Verena will …
f Verena möchte wissen …

1 in Jugendherbergen übernachten
2 ob sie bei der Familie Brown bleiben könnte
3 ob die Familie Brown immer noch eine Katze hat
4 neulich ihr Abitur gemacht
5 bald nach Großbritannien zu kommen
6 ob sie drei Wochen bei der Familie Brown bleiben könnte
7 schon einmal die Familie Brown besucht
8 in zwei Tagen anrufen
9 wann sie die Familie Brown besuchen kann

2 Read the passage on page 59. Are these statements true or false?

a Under 18's need their parents' permission if they want to travel alone.
b It is compulsory to book in advance when visiting German youth hostels.
c Health insurance is advisable.
d It is compulsory to insure your luggage against theft.
e With an international students' card you can obtain all kinds of reductions.
f It is illegal for females to hitch-hike alone in Germany.
g Young people are given free meal vouchers when they travel on German trains.
h A cheap way to travel is to share another person's car for a small fee.

3 Lesen Sie den Text auf Seite 59. Was passt hier am besten?

z.B. *a3*

a Minderjährige …

1 sollen aufs Trampen verzichten
2 brauchen die Genehmigung ihrer Eltern, wenn sie alleine reisen
3 dürfen ohne ihre Eltern nicht ins Ausland reisen
4 müssen einen Studentenausweis haben

b Campingplätze …

1 sind billiger als andere Unterkunftsmöglichkeiten
2 müssen im Voraus reserviert werden
3 werden nicht empfohlen
4 sind nur für ausländische Studenten da

c Es ist empfohlen …

1 Koffer und Rucksack zu klauen
2 Krankenversicherung, aber keine Gepäckversicherung zu kaufen
3 Kranken- und Gepäckversicherung zu kaufen
4 überhaupt keine Versicherung zu kaufen

d Mit einem Schülerausweis …

1 wird man gegen Diebstahl versichert
2 kann man den Eintritt in Kinos, Museen, usw. billiger bekommen
3 kann man überallhin kostenlos trampen
4 besteht die Gefahr, ausgeraubt zu werden

e Man geht zur Mitfahrzentrale, wenn man …

1 seinen internationalen Studentenausweis verloren hat
2 kostenlos fahren will
3 Lust hat, mit der Eisenbahn zu fahren
4 als Passagier in einem Auto fahren will

41 Verbs which take the dative

→ S. 68

Some German verbs are always followed by the dative.

1 Ergänzen Sie:

a Mario hilft s_____ Mutter.
b Er dankte s_____ Vater für das Geld.
c Wir gratulieren d_____ , Peter.
d Der Lehrer zeigte m_____ das Klassenbuch.
e Die Schnecken schmecken m_____ nicht.
f Jürgen erzählte s_____ Frau die ganze Geschichte.
g Sie schickte i_____ Freund einen langen Brief.
h Au! Das Bein tut m_____ weh!
i Martine dankte _____ Kolleginnen.
j Christian schenkte s_____ Freundin einen goldenen Ring.

Sometimes a verb may be followed by an accusative **and** a dative:

- The **accusative** is used for the **direct** object.
- The **dative** is used for the **indirect** object.

The indirect object usually carries the meaning of 'to someone/something ...'

e.g. She wrote **him** a letter. *'him' is the indirect object: she wrote a letter **to** him.*

2 Ergänzen Sie:

a Christiane gab i_____ Freund ei_____ Geschenk.
b Erich schrieb s_____ Frau ei_____ langen Brief.
c Der Polizist zeigt m_____ d_____ Auto.
d Er erzählte s_____ Frau d_____ ganze Geschichte.
e Sie schickte i_____ Freundinnen e_____ Karte.
f Mein Freund erzählte m_____ e_____ Witz.
g Seine Freundin sendet i_____ k_____ E-Mails.

3 Ergänzen Sie diese Sätze mit einem seit-Satz.

z.B. Ich lerne ... *seit vier Jahren* Deutsch.

a Ich besuche ... diese Schule/dieses College.
b Ich wohne ... in meinem Haus.
c Ich wohne ... in dieser Stadt/in diesem Dorf.
d Ich lerne ... Mathe.

Reminder!

Seit is followed by the dative:

e.g. seit einem Jahr

In the dative plural, nouns and adjectives all end in *-n*:

e.g. seit vier Jahren

Schreiben Sie fünf weitere ähnliche Sätze.

z.B.

Ich spiele Klavier ...
Ich spiele gern Fußball ...
Ich bin mit ... befreundet ...
Ich lerne Französisch ...
Ich habe einen Hund ...
Ich gehe mit ... aus
Ich habe meinen Führerschein ...
Ich rasiere mich ...

4 Schreiben Sie Antworten auf diese Fragen.

Was existiert/passiert ...

z.B. seit einem Jahr?
Ich wohne seit einem Jahr in meinem Haus.

a seit zwei Jahren?
b seit einem halben Jahr?
c seit dreißig Minuten?
d seit einem Tag?
e seit vier Jahren?
f seit fünf Jahren?
g seit zehn Jahren?
h seit etwa hundert Jahren?
i seit etwa tausend Jahren?

2 Relative pronouns

→ S. 71

Relative pronouns in the nominative case

1 Translate into German:

a The man who arrived on Wednesday …
b The girl who came from Texas …
c The woman who had the Porsche …
d The men who wanted to buy the computer …
e The cars which looked good …
f The girl who gave Roland a kiss …
g The person who brought the CDs to the party …
h The children who hadn't done their homework …
i The man who works in the bank …
j The girl who had green hair …

Relative pronouns in the nominative, accusative, genitive and dative cases

2 Ergänzen Sie mit einem Relativpronomen:

a Der Junge, d________ im nächsten Wohnblock wohnt, ist ein Freund von mir.
b Das Baby, d________ Mutter nur zwölf Jahre alt war …
c Der Wagen, d________ er gestern gekauft hat …
d Der Junge, d________ sie in Berlin kennen gelernt hat …
e Die Frau, d________ Bruder so gut Klavier spielte …
f Die Studenten, d________ neben dem Studium jobben müssen …
g Eine Freundin, mit d____ ich ins Kino gehe …
h Die Freundinnen, mit d____ sie tanzen geht …

Revision. Developing your accuracy in using the case system

3 Erfinden Sie Sätze! Seien Sie kreativ!

z.B. E – G – S – F – E – G
Er gibt seiner Frau ein Geschenk.
oder:
Erich gab seiner Freundin einen Goldfisch.

a M – F – G – M – E – K
b I – S – M – F – E – B
c E – W – I – E – G – H
d P – U – S – M – H – E – G – A
e I – W – H – S – Z – J
f D – M – S – S – F – E – B

4 Schreiben Sie diese Sätze richtig:

a Meine – hat – Mund – lange – einen – braune – Haare – Freundin – und – kleinen
b Meine – schrieb – Freundin – einen – mir – Brief – langen
c Haustiere – Ich – habe – Geld – auch – und – keine – kein
d Junge – Der – , – hier – wohnt – der – , – ein – ist – von – Schwester – Freund – meiner
e Die – die – aus – Leute – , – der – in – arbeiteten – Bank – , – kamen – Polen
f Meine – diesem – halben – Steffi – mit – Schwester – aus – seit – Jahr – geht – einem – Jungen

43 Improve your writing, extend your style!

→ S. 69

1 Here are some useful phrases you might like to use in your essays.
Join up the German and the English.

a Auf der anderen Seite möchte ich sagen, dass ...
b Eins muss betont werden –
c Niemand würde leugnen, dass ...
d Eins möchte ich klar machen –
e Im Großen und Ganzen finden wir, dass ...
f Meines Erachtens ...
g Bevor wir zum Schluss kommen ...
h Darüber hinaus...
i In vielen Hinsichten ...
j In dieser Hinsicht ...

1 I would like to make one thing clear ...
2 In my estimation ...
3 No-one would deny that ...
4 On the whole we find that ...
5 One thing must be stressed –
6 Before we come to a conclusion ...
7 In many respects ...
8 Furthermore ...
9 In this respect ...
10 On the other hand I would like to say that ...

2 Sehen Sie Seite 69 Aufgabe 5 an. Wenn Sie Ihren idealen Freund / Ihre ideale Freundin beschreiben, benutzen Sie mindestens fünf der oben gegebenen Sätze.

When you are planning an essay or any other piece of written work it is a good idea to note down a few constructions or special phrases which will make your writing more sophisticated and impress an examiner. You could use some of those given above, for example, or you could compile a list of your own. When examiners are marking your work they will be looking for certain features such as a range of tenses, competent use of word order, a good grasp of the case system, a good range of vocabulary, and so on. Make sure that your work shows these things off – however good you are, you will only be marked on what you actually put down on paper, so try to create opportunities to show yourself at your best!

When you have the 'bare bones' of an essay, try to fill it out by adding, for example:

- extra adverbs
- good use of the case system
- prepositions or adjective endings
- subordinate clauses with the verb at the end
- relative clauses
- complex sentences showing correct word order

3 Schreiben Sie einen Bericht (150 Worte) mit dem Titel „Welche Rolle spielt die Familie in der Gesellschaft des 21. Jahrhunderts?" Benutzen Sie:

- mindestens drei Zeitausdrücke (Adverbien)
- mindestens drei Sätze aus der Aufgabe 1 (oben)
- eine Präposition mit dem Dativ
- eine Präposition mit dem Akkusativ
- einen Relativsatz mit „der"
- einen Relativsatz mit „die"
- einen weil-Satz und einen bevor-Satz

4 A close friend, who is 19, has written to you asking for advice about whether to get married while still at university. Write a reply in German (200 words) giving your point of view. Include the following in your work:

- four expressions taken from exercise 1 above
- two complex sentences, one starting with a *weil*-clause, the other starting with a *wenn*-clause
- two relative clauses
- at least one sentence using a past tense and one using the future
- at least three adjectives with endings
- a time expression using *seit*

More dictionary skills

You know by now that one English word may have several equivalents in German and that it is important to find the appropriate word when you are using your dictionary.

Sometimes you need to choose between a verb and a noun:
e.g. She hopes to **fly** to New York. / There is a **fly** in my soup.

Sometimes you may need to discriminate between various forms of a verb:
e.g. I can't **read** [infinitive] this letter. / She **read** [past tense] the book.

1 Wählen Sie jeweils das richtige Wort.

a Wir hoffen, nächstes Jahr nach Washington zu [**Fliegen/fliegen**].
b Leider hatte das Kind ein [**Schnitt/schneiden**] am Finger.
c Bettina [**sah/Säge**] ihren Freund mit einem anderen Mädchen aus dem Kino kommen.
d Wir trafen uns in einer kleinen [**Tafel/Kneipe**].
e Die ganze Familie machte einen [**fahren/Ausflug**] an die Küste.
f Jeden Sonntag morgen [**putzt/sauber**] er sein Auto.
g Meine Freundin sammelt alte [**Rekorde/Schallplatten**] aus den siebziger Jahren.
h Ihre Stimme [**klingt/Geräusche**] sehr schön, find ich.
i Mein Freund hat eine [**gebogen/Neigung**] für Elektronik.
j Im Park waren zwei [**Banken/Bänke**], wo sie sich regelmäßig trafen.

2 For each of the words in the box, think of two possible German translations and write two sentences to illustrate these different meanings.

e.g. found
Wir haben einen Hundertmarkschein ***gefunden.***
Er hofft, eine Schule für lernbehinderte Kinder zu ***gründen.***

floor like row turn bend feeling bark
peel cut close back behind model
spoke

3 Make a list of ten English words similar to those in exercise 2 which can have different meanings. Ask a friend or partner to invent sentences incorporating them.

4 Was passt hier in den Lücken? Wählen Sie die Wörter aus dem Kästchen unten. (Den vollendeten Text finden Sie auf Seite 73.)

Tip: Ask yourself first of all what part of speech is required (noun, verb, etc) and then think whether there may be more than one German translation for the word, from which you need to choose the appropriate one.

weil Weile Zeit seit gut Gut Kindheit
Staat Stadt jungen Jungen zu Lösung
Lösen sind können planen Pläne Weine
weine unseren unsere Familien Familie
verzweifelt verzweifeln Jahre Jahren schnell

Vor einiger (a) ________ verliebte ich mich in einen (b) ________ (19), den ich seit meiner (c) ________ kenne. Wir leben beide noch bei (d) ________ Eltern in einer kleinen (e) ________. Unser Problem ist, dass unsere (f) ________ schon seit vielen (g) ________ zerstritten sind, sodass wir uns nur heimlich treffen (h) ________. Wir sind beide sehr (i) ________, weil wir an unseren Familien sehr hängen und ansonsten (j) ________ mit ihnen auskommen. Aber unsere Liebe ist so groß, dass wir schon (k) ________ geschmiedet haben, von zu Hause abzuhauen. Da wir aber beide noch finanziell von unseren Eltern abhängig (l) ________, schien uns das auch keine (m) ________ zu sein. Ich (n) ________ mich nachts oft in den Schlaf, (o) ________ ich keine Hoffnung mehr habe. Bitte helfen Sie uns (p) ________, denn in unserer Verzweiflung haben wir schon daran gedacht, uns gemeinsam das Leben (q) ________ nehmen.
Julia, 18, Köln.

45 Reading and listening skills

→ S. 73, S. 76

Scanning for specific information
It is often easier to approach a text when you know roughly what information you expect to find there. For this reason it is usually a good idea to read the questions first when you tackle a reading comprehension test. The questions provide some pointers as to what the passage contains.

1 a Read the texts on page 73. Are these things mentioned or not? If so, briefly summarise what is said about them.

- New Year's Day
- a domineering mother
- plans to run away from home
- Easter holidays
- a persistent admirer
- unemployment
- financial dependency on parents
- a nineteen-year-old boy known since childhood
- unpleasant dreams
- the threat of a fight
- New Year's Eve
- a girlfriend of ten months' standing
- meeting in secret

b Finden Sie im Text die Ausdrücke, die dieselbe Bedeutung haben.

z. B. neulich – *vor einiger Zeit*

1 seit langer Zeit
2 das Elternhaus verlassen
3 weil wir Geld von unseren Eltern brauchen
4 am 31. Dezember
5 Sie machen sich lustig über mich
6 wie ich mich benehmen soll
7 immer
8 normal
9 angreifen
10 eine Freundin, die ich mag
11 was sie mit ihm alles gemacht hat
12 das geht mir auf die Nerven
13 sonst kommen wir gut miteinander aus

Listening for gist and listening for detail
When you approach a listening test you may not understand everything at the first listening. Instead, use this first listening to get an idea of the gist of the passage and the 'setting of the scene'. After that you can listen for specific details.

In the following two exercises you should first of all listen for gist only – you merely have to find out whether these figures are mentioned or not. After that you should 'home in' on the specific information required for exercise 2b.

2 a Hören Sie die Kassette an (Seite 76, Aufgabe 3). Hören Sie diese Zahlen oder nicht?

25 54 55 61 94 17 68

b Hören Sie noch mal die Kassette an. Sind diese Sätze richtig oder falsch?

1 Mehr als die Hälfte der Befragten behaupten, sie nehmen ihre Rolle als Vater ernster als ihre eigenen Väter.
2 Fast zwei Drittel glauben, sie verstehen ihre Kinder nicht so gut wie ihre eigenen Väter.
3 Etwas mehr als die Hälfte behaupten, sie sind bessere Väter als ihre eigenen Väter.
4 Drei Viertel der Väter meinen, sie bestrafen ihre Kinder nicht hart genug.
5 Die meisten Väter verbringen mehr Zeit mit ihren Kindern, als ihre eigenen Väter es gemacht haben.
6 Die Mehrzahl der Frauen sagten, dass ihre Männer gute Väter sind.

Verb forms

In order to develop accuracy in your written German, it is important to pay careful attention to details such as verb forms. As you know, verbs have many different endings and follow lots of different rules. In particular it is important not to confuse the past participle with the infinitive. You know that most past participles start with *ge-* and end in *-t* (weak verbs) or *-en* (strong verbs). Be careful, however, with infinitives which also happen to start with *ge-*.

1 Passiv, Perfekt, Plusquamperfekt oder Infinitiv? Schreiben Sie diese Sätze richtig. Wählen Sie jeweils die richtige Verbform.

z.B. Die Eltern hatten nichts von ihren Kindern [**gehört/gehören**].

a Ich hatte viel von diesem Restaurant [**gehört/gehören**].
b Der Preis, den er [**gewonnen/gewinnen**] hatte, war eine Mahlzeit in einem chinesischen Restaurant.
c Der Gasthof hat mir gut [**gefiel/gefallen**].
d Könnt ihr alle bitte [**zuhören/zugehört**]?
e In diesem Rezept wird kein Fett [**gebrauchen/gebraucht**].
f Unsere Besucher werden [**gebeten/gebetet**], ihre Mäntel in der Garderobe zu lassen.
g Es war ihm nicht [**gelungen/gelingen**], frisches Obst zu kaufen.
h Er hatte so einen großen Hunger. Zwei Portionen Pommes haben ihm nicht [**genügt/genügen**].
i Ich möchte diese neue Redewendung [**gebraucht/gebrauchen**].
j Die unartigen Kinder hatten keine Lust, [**zuhören/zuzuhören**].
k Ihr müsst an eure Diät [**denken/gedenken**].

2 Passiv oder Aktiv Plusquamperfekt? Was passt in die Lücken?

z.B. Mein Freund *hatte* ein tolles Essen vorbereitet.

a Hier ________ Hamburger immer mit Ketschup gegessen.
b Er ________ nicht genug frisches Obst und Gemüse gegessen.
c Letztes Jahr ________ in den USA 400 Milliarden Dollar für Lebensmittel ausgegeben.
d Ich ________ noch nie Kartoffelpuree gekostet.
e Letztes Jahr ________ weniger deutscher Wein als früher im Ausland verkauft.
f Meine Schwester und ihre Freundin ________ jeden Tag eine Ananas gekauft.
g Bestrahltes Obst ________ nicht in diesem Laden verkauft.
h Die Kinder ________ zwei große Tüten Gummibärchen ins Klassenzimmer gebracht.
i Was ________ ihr gegessen, bevor ihr in die Schule gegangen seid?
j Was ________ in diesem Restaurant serviert?

3 Was hatte Irene gemacht, bevor sie ins Büro ging? Sehen Sie die Bilder an und erfinden Sie Sätze im Plusquamperfekt. (Achtung: Plusquamperfekt mit „haben" oder mit „sein"?)

z.B. *Sie hatte sich die Haare gebürstet.*

47 Werden

The verb *werden* is used to form the future and the conditional as well as the passive. It is essential to be clear in your mind which of these is meant when you are reading or listening to German.

Future: Present tense of *werden* + infinitive (Ich werde ... spielen)

Conditional: Imperfect subjunctive of *werden* + infinitive (Ich würde ... spielen)

Passive: *werden* + past participle (Fußball wird gespielt)

Remember that the past participles as well as the infinitives go to the end of the clause.

1 Schreiben Sie diese Sätze im Passiv.

z. B. Man spricht hier Deutsch. *Deutsch wird hier gesprochen.*

a Jedes Jahr trinken die Deutschen Millionen von Flaschen Weißwein.
b Die Amerikaner verzehren Millionen von Hamburgern.
c Eine Woche lang isst Uschi nur Obst und Gemüse.
d Thomas gibt zwanzig Mark für Bonbons aus.
e Man löst nicht leicht die Essprobleme.
f Sie putzt alles sehr sorgfältig.
g Man erkannte sehr leicht Petras Probleme.

2 Ergänzen Sie diese Sätze mit *würde* or *wurde*:

z. B. Ich *würde* nie Fleisch essen.

a Früher ____________ kein Öko-Produkt in diesem Supermarkt verkauft.
b Als Vegetarier ____________ er keine Hamburger essen.
c Sie ____________ keine Kosmetik kaufen, weil sie gegen Tierexperimente ist.
d An deiner Stelle ____________ ich das Gleiche tun.
e Es ____________ Probleme machen, wenn er für seine Frau kein Fleisch vorbereitete.
f Nichts ____________ gemacht, um diese Probleme zu lösen.
g Diese Jacke ____________ aus Wolle gemacht.
h Aus religiösen Gründen ____________ mein Freund kein Schweinefleisch essen.
i Dieses Gericht ____________ mit Butter und Eiern vorbereitet.
j Dieses Fitnesszentrum ____________ 1988 gegründet.

3 Was passt in die Lücken? Sollte das Verb im Infinitiv oder im Partizip Perfekt sein?

z. B. Heute Abend *wird* die ganze Familie gemeinsam *essen*. (essen).

a In dieser Familie ____________ kein Fleisch ____________ . (essen)
b Wir ____________ heute Abend in einem Restaurant ____________ . (essen)
c Jedes Jahr ____________ mehr frisches Obst ____________ . (kaufen)
d In speziellen Geschäften ____________ vegetarische Produkte ____________ . (verkaufen)
e Wenn wir nach Italien fahren, ____________ ich jeden Tag eine Pizza ____________ . (essen)
f Ich hoffe, eines Tages ____________ alle genug zu essen ____________ . (haben)
g Benzoesäure ____________ in vielen Produkten ____________ . (finden)
h Das Obst ____________ bestrahlt, um das Aussehen zu ____________ . (verbessern)
i Wir ____________ hoffentlich nicht so viel Geld für Essen ausgeben ____________ . (müssen)
j E126 ____________ hauptsächlich bei der Färbung von Margarine ____________ . (benutzen)

Using the pluperfect in complex sentences

When you have mastered the pluperfect you can often use it to good effect in subordinate clauses which start with *nachdem, weil* etc.

e.g. Nachdem sie mit ihrer Freundin gesprochen hatte, ging sie sofort aus.

Remember that when a sentence starts with a subordinate clause, the verb in the main clause must come immediately after the end of the subordinate clause. As you know, the main verb must always be the 'second idea'. In complex sentences the whole of the subordinate clause counts as the 'first idea', therefore the next word after it must be the main verb.

Think: **verb comma verb**

▼ ▼ ▼

Nachdem sie das Essen vorbereitet hatte , klingelte das Telefon.

1 Was hat Juliana an diesem Abend gemacht? Schreiben Sie Sätze, die mit „Nachdem" beginnen.

z.B. *Nachdem sie sich geduscht hatte, hat sie sich die Haare getrocknet.*
Nachdem sie sich die Haare getrocknet hatte ...

Und was ist danach passiert? Schreiben Sie 150 Worte, um diese Geschichte zu Ende zu bringen.

2 Schreiben Sie entweder (a) oder (b):

a Ihr Freund / Ihre Freundin hat Ihnen neulich gesagt, dass er/sie Vegetarier/in ist. Schreiben Sie einen Brief (200 Worte), in dem Sie versuchen, ihn/sie zu überreden, dass das eigentlich keine gute Idee ist.

b Ihr Freund / Ihre Freundin war früher Vegetarier/in, hat aber neulich gesagt, dass er/sie nicht mehr daran glaubt. Schreiben Sie einen Brief (200 Worte), in dem Sie versuchen, ihn/sie zu überreden, dass er/sie nicht aufhören sollte, Vegetarier/in zu sein.

Benutzen Sie folgende Ausdrücke:

auf der anderen Seite ... darüber hinaus ...
ich bin nicht überzeugt, dass ... ohnehin ...
immer wieder muss betont werden, dass ...
was ich für besonders wichtig halte, ist, dass ...

Benutzen Sie auch: zwei Sätze, die mit *weil* beginnen; mindestens ein Verb im Futur, ein Verb im Konditional und ein Verb im Passiv.

49 Learning vocabulary

Everyone has his or her own method of learning vocabulary. There is no right or wrong way. If you find that learning and remembering vocabulary is difficult, it may be that you have not yet discovered the way which works best for you.

To learn best you need to be relaxed – in what psychologists call a state of 'relaxed alertness'. Some people put on quiet background music to achieve this state, others prefer total silence. Some prefer loud rhythmic music, whether classical or rock.

It is true that the human brain filters out information which it does not require. (It is said of Einstein that he could not remember his own address – it simply wasn't important for him in what he was doing.) You will therefore learn vocabulary more readily if you have a specific need for it. This could be because you need it for a letter you have to write, or for an essay in which you hope to get a good mark, or simply in order to get a high mark in a test. Unfortunately it is also true that the human brain forgets 80% of all it learns if it is not used again within 24 hours, so regular re-use or recall of new vocabulary is absolutely essential.

Some people respond well to mnemonics – FUDGEBOW is a popular one for recalling the prepositions which take the accusative: *für, um, durch, gegen, entlang, bis, ohne, wider*.

You may be the type who recalls things best when they are associated with a certain rhythm or song. Try chanting the following whilst clapping a steady rhythm:

DURCH – OHne – GEgen – WIder – UM – FÜR – entLANG – BIS and see whether this helps you or not. If it does, you may like to make up a rap or song of your own. The sillier it is, the better it will stick in your memory!

Some people find it useful to associate certain things they wish to learn with certain geographical locations. When they need to recall that information, they imagine themselves in that particular place and the information comes flooding back. Go, for example, into a garden, look around you before you start work, listen to the sounds, take in the sights and the smells, feel the breeze on your face – it is important to use all your senses. Try and return to this same location every time you do any work on this particular topic. When you need to recall the information, think about the garden and the work which you associate with that place.

Some people find it useful to stick notices and signs around them so they are regularly confronted by what they need to learn. You could perhaps put a list of ten new vocabulary items on your fridge door or on your bathroom mirror or on top of your alarm clock. If you are the type of person who learns best by this method, try making large, colourful and visually striking posters of the material you need to learn. Put them in prominent places (perhaps even on your classroom or common room wall). If you have a good 'visual memory' they will help you a great deal.

Using some or all of the methods described above, find a way which works for you personally and learn the following:

- the prepositions which always take the accusative
- the prepositions which always take the dative
- the prepositions which can take either the dative or the accusative
- *der, die, das* in all cases
- ten verbs which take *sein* rather than *haben* in the perfect tense
- ten irregular past participles
- ten reflexive verbs

Textverständnis, 2

➔ S. 88, S. 91

1 Lesen Sie den Text auf Seite 88. Welche von diesen Sätzen sind richtig? Wählen Sie jeweils 1, 2, 3 oder 4.

a 1 Petra dachte ständig ans Essen und an ihr Gewicht.
2 Petra dachte nur an ihr Gewicht.
3 Petra dachte nur ans Essen.
4 Petra dachte nie ans Essen und selten an ihr Gewicht.

b 1 Sie musste ständig auf die Toilette gehen.
2 Sie verlor beim Essen die Kontrolle.
3 Sie fand ihr Essen ekelhaft.
4 Sie kann sich nicht daran erinnern, wie sie sich fühlte während ihrer Essorgien.

c 1 Sie konnte gegen das Erbrechen nichts machen.
2 Sie wollte sich erbrechen, konnte aber nicht.
3 Sie versuchte, sich keine Sorgen zu machen.
4 Sie hoffte, sich durch das Erbrechen zu beherrschen.

d 1 Nach einem Jahr hatte sie zugenommen.
2 Nach einem Jahr hatte sie abgenommen.
3 Nach einem Jahr hatte sie weder zu- noch abgenommen.
4 Nach einem Jahr litt sie an einer Magenkrankheit.

e 1 Mit dem Geld, das sie gespart hatte, kaufte Petra Kleider.
2 Mit dem Geld, das Petra gespart hatte, musste sie Medikamente kaufen.
3 Mit dem Geld, das sie gespart hatte, kaufte Petra Essen.
4 Petra sparte Geld, um einen Fernsehapparat zu kaufen.

f Petra konnte sich in der Schule nicht konzentrieren …
1 weil sie sich in den Stunden langweilte.
2 weil andere Schülerinnen sich über sie lustig machten.
3 weil es in der Schule immer zu heiß war.
4 weil sie die ganze Zeit ans Essen dachte.

g Petra nahm kein Essen aus dem Kühlschrank …
1 weil es ihr verboten war.
2 weil es unmöglich war, die Kühlschranktür aufzumachen.
3 weil es nichts darin gab, was sie mochte.
4 weil sie nicht wollte, dass andere merkten, dass sie so viel aß.

h 1 Petra begann, an Migränen zu leiden.
2 Petra bekam eine Blinddarmentzündung.
3 Petra bekam ein geschwollenes Gesicht und rote Augen.
4 Petra bekam rote Augen und fettige Haare.

2 Read the passage on page 91. When you have done so, put these sentences into German using the passive:

a No animal products are eaten by vegans.
b No wool or leather is worn by these people.
c The question cannot be answered.
d Soya products are not sold in the supermarket.
e Many animals are exploited by humans.
f The eggs are collected every day.
g The fly was killed by the vegan.
h The issue was discussed a lot.

51 Indem

Indem can mean 'while' or 'as' (i.e. 'at the same time as').

e.g. **Indem er nach Hause fuhr**, machte er einen Telefonanruf.
As he was driving home he made a telephone call.

It can also carry the sense of 'by doing something'.

e.g. **Indem du die Broschüre liest**, lernst du, wie das Ding funktioniert.
By reading the brochure you learn how the thing operates.

This latter construction uses *indem* in a way which has no direct equivalent in English. If you practise this construction and use it yourself it will give your German a very authentic flavour.

1 Translate these sentences into German:

a By watching television one can learn a lot.
b By watching too much television children can become lazy.
c By sitting down for too long one can become unfit.
d Children can be harmed by seeing too much violence on the television.
e I get some good ideas by reading the newspaper every day.
f By limiting the freedom of the press we damage democracy.
g By hearing both sides of the argument we get a balanced view.

2 Wie schreibt man das richtig? Und wie heißt das auf Englisch?

z.B. indemdudassagstzeigstdudeinevorurteile
Indem du das sagst, zeigst du deine Vorurteile.
By saying that you are showing your prejudices.

a indemsieverschiedenezeitungenleseninformierensiesichgut
b indemduzulangevorderglotzesitztwirstdumüdeundunfitwerden
c indemdudiesesendungansiehstwirstduvielüberdiegeschichtelernen
d indemsiemitgewaltkonfrontiertwerdensindkindergutfürdaslebenvorbereitet
e indemsiezuvielwerbungsehensindleutedazugezwungendingezukaufendiesienichtbrauchen

3 Wie schreibt man das richtig? Und wie heißt das auf Englisch?

z.B. Die bekommen aus Sender Geld bezahlen jeder den die Rundfunkgebühren muss
Die Sender bekommen Geld aus den Rundfunkgebühren, die jeder bezahlen muss.
The stations receive money from the licence fees which everyone has to pay.

a Die – Sender – Sendezeit – sie – indem – an – Geld – verschiedene – bekommen – Firmen – verkaufen
b Gewalt – viele – und – hat – verschiedenen – Gesichter – Formen – wird – in – ausgeübt
c Unterschied – Erwachsene – den – Fernsehen – verstehen – zwischen – Realität – und
d Sportsendungen – aber – Ich – gern – ich – leiden – kann – sehe – Quiz-Sendungen – nicht
e Die – Sendung – am – sieht – die – er – *Sesamstraße* – liebsten – heißt
f Die – 50 – die – Werbespots – sind – für – Leute – die – als – Jahre – weniger – Hauptzielgruppe – sind – alt
g Die – Familien – hatten – meisten – nur – nicht – ein – oder – zwei – drei – Fernsehgerät – sondern

2 Imperativformen

1 Was sagt die Mutter hier?

z.B. *Putz deine Schuhe!*

2 Was sagen diese Leute?

z.B. Die Mutter, deren fünfjähriges Kind schmutzige Hände hat.
Wasch dir die Hände!

a Ein Polizist, der einen Engländer sieht, der auf der falschen Straßenseite fährt.
b Ein Kind, dessen Bruder ihm seine Schokolade gestohlen hat.
c Ein Passbeamter, der den Pass eines ausländischen Reisenden sehen will.
d Ein Zollbeamter, der in die Tasche eines Reisenden sehen will.
e Eine Mutter, deren kleine Tochter zu weit weg gelaufen ist.
f Ein Kunde, der Information über Ferien in Spanien bekommen will.
g Ein Lehrer, dessen Schüler nicht fleißig genug arbeiten.
h Ein Herbergsvater in einer Jugendherberge, wo es verboten ist, nach 22 Uhr Lärm zu machen.
i Ein Kunde in einem Restaurant, der die Speisekarte sehen will.
j Ein Mann, dessen Hund zu schnell frisst.
k Ein Mann, dessen Frau zu schnell fährt.

> Man kann eine Bitte entweder höflich ausdrücken (Könnten Sie bitte herkommen?) oder man kann etwas unhöflich sein (Kommen Sie her!).

3 Wie kann man diese Bitten höflicher ausdrücken?

z.B. Sprechen Sie langsamer!
Könnten Sie bitte ein bisschen langsamer sprechen?

a Machen Sie die Tür zu!
b Kommen Sie herein!
c Reparieren Sie mein Auto!
d Geben Sie mir zwei Brötchen!
e Ruf mich morgen an!
f Gib mir eine Briefmarke!
g Hört zu!
h Wechseln Sie dieses Geld!
i Sagen Sie mir, wann der nächste Zug fährt!
j Bring deine Freundin zur Party mit!

4 Und wie kann man das unhöflich ausdrücken?

z.B. Können Sie vielleicht am Freitag zurückkommen?
Kommen Sie am Freitag zurück!

a Könnten Sie das noch einmal wiederholen, bitte?
b Können Sie mir einen Hundertmarkschein wechseln?
c Kannst du mich morgen Abend anrufen, Christian?
d Könnten Sie bitte versuchen, nicht so laut zu schreien?
e Könntest du mir zehn Mark leihen?
f Marcus, könntest du für mich zur Post gehen?
g Herr Ober, ich hätte gern die Rechnung, bitte.

55 Modal verbs

→ S. 104

You may not/You must not

These two expressions can easily catch you out if you are unwary. Read the notes on page 104.

Ich muss = I must, I have to
Ich muss nicht = I do not have to, I need not

Ich darf = I may, I am allowed to
Ich darf nicht = I may not, I am not allowed to, I must not

1 Translate into English:

a Man muss nicht Mitglied einer Gewerkschaft sein.
b Mit achtzehn Jahren darf man wählen, muss es aber nicht.
c In einer Demokratie darf man an Demonstrationen teilnehmen.
d Du darfst nicht nach achtzehn Uhr hier bleiben.
e Man muss nicht seine politischen Meinungen frei äußern.
f Man muss das Gesetz einhalten.
g In vielen Ländern darf man seine Religion nicht frei ausüben.
h Du darfst hier deine Meinungen äußern, auch wenn sie unmodisch sind.
i Wir müssen nicht warten, bis alle fertig sind.
j Irene ist überzeugt, dass sie gegen Not und Armut kämpfen muss.

2 Müssen oder dürfen: Was passt hier am besten? Füllen Sie die Lücken.

z.B. In Deutschland *müssen* alle Sechsjährigen in die Schule gehen.

a In Großbritannien __________ man mit 18 Jahren wählen.
b Mit sechzig Jahren __________ Frauen aufhören zu arbeiten.
c Mit 16 Jahren __________ britische Jugendliche rauchen.
d In einer Demokratie __________ die Bevölkerung regelmäßig die Regierung wählen.
e In diesem Land __________ man keinen anderen Menschen töten.
f Man __________ Mitglied einer Gewerkschaft sein, __________ es aber nicht.
g Die Asylbewerber __________ lange Schlange stehen.
h Hier __________ Sie nicht parken, junger Mann!
i Du __________ nicht die ganze Suppe aufessen, wenn du keine Lust hast.
j Wir __________ nicht lange hier bleiben, sonst kommen wir zu spät nach Hause.

Revision of modal verbs

3 Sind diese Sätze richtig oder falsch? Sagen Sie Ihre eigene Meinung.

a Über 50% der Bevölkerung von Europa kann Englisch sprechen.
b In Deutschland muss man mit 17 Jahren in die Schule gehen.
c In Deutschland müssen junge Männer Militärdienst machen, während junge Frauen ihn nicht machen dürfen.
d Man muss keinen Zivildienst machen.
e Mit 75 Jahren dürfen Engländer nicht mehr Auto fahren.
f Die meisten Briten wollen in einer Demokratie leben.
g Man sollte am besten verheiratet sein, wenn man ein Kind haben will.

4 Translate into German:

a She wants to leave home for personal reasons.
b They cannot leave the country because of the political situation.
c He doesn't want to be part of an ethnic minority.
d I wouldn't like to live under an oppressive political regime.
e Everyone should be free to practise a religion if they want to.
f In many countries you may not travel about freely.

5 More on *werden* and the passive

→ S. 106

1 Sehen Sie Seite 106 an. Wie könnte man das auf Deutsch anders schreiben, ohne das Passiv zu gebrauchen?

z.B. Hier wird getanzt. *Leute tanzen hier.*
oder: *Man tanzt hier.*
oder: *Leute dürfen hier tanzen.*
usw.

a In ihrer Familie wird viel über Fußball geplaudert.
b Es wird in dieser Schule nicht genug gearbeitet.
c Es wird hier gegen die Regierung demonstriert.
d Asylbewerber werden von der Regierung unterstützt.
e An diesem Tisch wird nicht geraucht, bitte.
f Das Konzert wurde von den Schülern eigentlich sehr gut organisiert.
g In Diskussionen wurden verschiedene Meinungen geäußert.
h Auf der Party wurde getanzt, gesungen und gegessen.
i Leider wurde nachher auf den Straßen gekämpft.

As you know, the verb *werden* has multiple uses in German.

- On its own it means 'to become'.
- With an infinitive it forms the future tense.
- With a past participle it forms the passive.
- In the forms *würde, würdest* etc. it forms the conditional tense.

2 Was gehört in diese Lücken hinein?

z.B. Die politische Lage *wird* immer gefährlicher.

a Das Thema „Ausländerfeindlichkeit" __________ im Politikunterricht behandelt.
b An deiner Stelle __________ ich Politik studieren.
c Die Asylbewerber __________ nicht länger als eine Woche hier bleiben dürfen.
d Die Gefahren dieser Situation __________ immer deutlicher.
e Mehr als 90 Asylbewerber __________ von den Sozialarbeitern gefunden.
f Er sagt, er __________ an der Demonstration teilnehmen, wenn er mehr Zeit hätte.
g Die Situation muss für diese Leute verbessert __________ .
h Es __________ an der Tür geklopft.
i Es __________ immer wichtiger, sich über seine Rechte gut zu informieren.
j Was __________ Sie heute Abend machen, Herr Hiller?

57 Weak masculine nouns, adjectival nouns, place names as adjectives

➔ S. 111

1 Wie schreibt man diese Sätze richtig?

z. B. Zimmer – Das – stets – des – Studenten – Unordnung – war – in.
Das Zimmer des Studenten war stets in Unordnung.

a Die – nächsten – Sozialdemokraten – den – Wahlen – bei – werden – gewählt – werden – bestimmt.
b Mein – Anarchist – Bruder – ist – nicht – kann – und – die – leiden – Monarchisten.
c Meiner – Menschen – Würde – Meinung – unantastbar – nach – ist – die – des – völlig.
d Ein – getötet – der – Junge – von – Maschinengewehren – wurde – den – Soldaten.
e Die – einen – Brief – dieses – Schwester – Herrn – Jungen – brachte – Schmidt.
f Der – Kommunisten – schrieb – Aktivitäten – einen – Bericht – über – die – Journalist – der.

2 Translate into German:

a The civil servant gave the forms to the disabled man.
b The young people in this area are politically active.
c This place is reserved for the sick.
d Black people and white people live in harmony in many parts of the world.
e The Germans, the French and the Greeks have worked together on this project.
f The policeman's face was hard as he questioned the accused.
g My relatives live next to a blind man who is very gifted.
h Unemployed people and rich people have different problems.
i The old man was accompanied by two other adults.

Making adjectives out of town and city names
As you know, *-er* can be added to most town or city names in order to form an adjective. If the name ends in *-en*, it is usual to omit the final *-n*.

z. B. Öhringen Das Öhringer Gymnasium

If you are translating from German into English be sure to knock off the final *-er*.

z. B. Der Hamburger Hafen The Hamburg docks.

3 Was ist das auf Englisch?

a das ehemalige Bonner Parlamentsgebäude
b das Brandenburger Tor in Berlin
c eine Berliner Weiße
d der Frankfurter Hauptbahnhof
e der Nürnberger Prozess
f die aktuelle Pariser Punk-Szene
g die Tübinger Akademiker
h die Rostocker Polizei
i die Londoner Börse
j das Münchener Olympiastadion

3 More about using your dictionary

If you are to make the most of your dictionary, it is important to understand the concept of 'head words'. These are the words which appear at the start of an entry, The entry may then show the word in various contexts, in different forms and with different functions. Different dictionaries have their own shorthand and abbreviations for the different contexts and it is essential to be familiar with the conventions of your own dictionary.

Look up, for example, the word 'keep'. It is usual for the different functions of the word to be numbered, e.g. 1 vt, 2 n (first function: transitive verb; second function: noun). Within these numbered sections you will find different meanings. After 'vt', for example you may find a further explanatory word or phrase for the different meanings of the verb 'keep', e.g. 'retain', 'store', 'look after'. (Usually the head word is not repeated but is represented by a symbol such as ' ~ ', so you find, for example '~ s.th. tidy', '~ s.o. talking', ' ~ s.o. happy', and so on.

You will also find a list of phrases or idioms which use the head word, such as: 'keep out', 'keep back', 'keep away'. These may also appear in abbreviated form: '~ out', '~ back', '~ away', etc.

Usually only the infinitives of verbs are given, so don't try to look up past participles or other verb forms, e.g. to find 'kept' or 'keeping' you will need to look up 'keep'.

1 Look up these words in an English–German dictionary and use them in a sentence of your own.

a keep (in castle)
b keep (detain)
c keep (as in 'earn one's keep')
d show (concert)
e show (display)
f show (show-jumping)
g show (appear)
h pull (pull a gun on s.o.)
i pull (pull apart)
j pull (attraction)
k pull ('pull the other one', expressing disbelief)
l pull (as in 'the car pulled into the drive')
m wave (of water)
n wave (of hair)
o wave (as in wavelength)

2 Füllen Sie die Lücken. Die Wörter finden Sie im Kästchen rechts.

liegen lag lügst Lüge
herumliegen lügt hinzulegen
lügte Lügen liegt

z.B. Er ging, sich auf das Sofa *hinzulegen*.

a Sie dürfen nicht auf diesem Sofa ________ .
b Auf der Polizeiwache sagte dieser Mann eine große ________ .
c Ach, es gefällt mir nicht, dass deine Sachen so ________ .
d „Du ________ ", sagte der kleine Peter zu seiner Schwester.
e Es ________ bei dir, das Problem zu lösen, Mattäus.
f Dieser Bericht besteht aus nichts als ________ , meinte der Politiker.
g Bis April ________ der Schnee in diesem Tal.

Compound nouns can sometimes be difficult to find in dictionaries. Whenever you can, always break a compound noun down into its constituent parts. Remember that the gender of all compound nouns is taken from the last element in the compound.

e.g. *Fußballmannschaft* = *Fuß + Ball + Mannschaft*
Mannschaft is feminine, therefore *Fußballmannschaft* is feminine.

3 Give the English for these compound nouns. If you cannot find them in a dictionary, work out their meanings from the constituent parts. Give their genders also.

a Rechtsextremisten
b Oppositionsparteien
c Betriebsgewerkschaftsleitung
d Fabrikarbeiterinnen
e Meinungs- und Glaubensfreiheit
f Vierparteienabkommen
g Gesamteinkommen
h Bürgerinitiative
i Ausländerfeindlichkeit
j Nervenzusammenbruch
k Lebensgefahr
l Arbeitsfähigkeit
m Ausnahmegenehmigung
n Persönlichkeitsentwicklung
o Regierungsänderungen

59 Text- und Hörverständnis

→ S. 107, S. 109

1 Read the passage on page 107 and complete these sentences:

a In our politics lessons we have often …
b After an argument we decided …
c We heard about …
d Through the mother of a friend we …
e We went to the camp and asked …
f We could have obtained information from …
g In readiness for our first meeting we had …
h It is very important that …
i Our first activities included …
j The worst times were when …
k If your offers are not accepted …

2 Lesen Sie den Text auf Seite 109. Sind diese Sätze richtig oder falsch?

a Werner ist in den sechziger Jahren in der Bundesrepublik angekommen.
b Zwölf Tage vorher hatte man die Berliner Mauer gebaut.
c Er landete in einem Vorort von Ost-Berlin.
d Er bekam eine Stelle als Automateneinrichter in West-Berlin.
e Er hatte eine Frau, aber keine Kinder.
f Seine Schwiegermutter starb in Berlin-Schöneberg.
g Was er machte, war von seiner Gewerkschaft nicht erlaubt.
h Seine Frau wollte nicht aus der Kirche austreten.
i In der Schule wurde sein Sohn von den Lehrern verspottet.
j Die Schwierigkeiten hatten keine Wirkung auf die Familie.

3 Listen to the tape (exercise 5, page 109) and read the following passage. The printed passage contains eleven mistakes. What are they?

SONJA is a 40-year-old refugee. She lives with her parents and two brothers in a camp for refugees from the former Yugoslavia about ten kilometres from the centre of town. They have the use of a sitting room and a kitchen – 42 square metres in all. Other families have to manage with the same space for six people.

Sonja comes from Sarajevo, the capital of Bosnia, where her father had a well-paid job as a metalworker. Life was good – until the war started. Cars were attacked, food became scarce, and the airport was burned down. It was when a shell landed on the local school, killing twelve children, that Sonja decided it was time to leave. The family left Sarajevo under cover of darkness, taking with them only what they could carry.

After six months in the camp Sonja now has a job of her own.

Making an oral presentation

A popular feature of modern AS- and A-Level examinations is the oral presentation. Sometimes you may have to give a short talk introducing a topic which the examiner then questions you about. Sometimes you may be required to 'defend' a point of view, while the examiner puts forward opposing arguments. In each case there are two strands, both of which are essential if you are to do well:

- You need a sound understanding of your subject matter.
- You need a good grasp of the vocabulary associated with your chosen topic.

When you are well prepared in both of these areas you will be able to make a success of your oral presentation.

Understanding your subject matter

Examiners are very quick to spot 'waffle' and to sniff out candidates whose knowledge is shaky. Make sure that you have done sufficient background research. Have the necessary facts and figures at your fingertips so that you are able to back up the claims you make. Keep a collection of useful newspaper and magazine articles (in German or English) and use a highlighter pen so that when you re-read them during your revision you will be able to go straight to the relevant parts.

Make notes in a notebook which you can update when, in the future, you find out more about your chosen topic. Examiners can quickly spot tired and worn material which is taken directly from that used in previous years, but they respond very favourably to up-to-the-minute information, for example from current news programmes or the Internet. Even just a few last-minute additions to your bank of information can lift your presentation above the mundane and run-of-the-mill and make it sound exciting and relevant. If you can tell the examiner something he or she has not heard before, so much the better. Examiners listen to an awful lot of oral presentations and if yours stands above the others because of its lively and contemporary content, that's bound to make a good impression.

Knowing the right vocabulary

However good your grasp of your material is, it is important to be able to convey it in appropriate language. It is essential to be familiar with any technical or specialist terms associated with your chosen area, including genders, plurals, and so on. You should also use language which matches your own intellectual capabilities, e.g. if you are discussing Britain's contribution to Europe, you don't want to use the language of a six-year-old. It is a good idea to note down specific phrases or constructions which you particularly want to include, in order to create the right impression, and make a point of learning these and practising them over and over again as you prepare for the examination.

If you are allowed to take notes into your examination, think carefully about what will serve you best. Some boards only allow you to take 'headings', in which case you may want to note down key words which will help you to recall the content you want to cover. However you may find it useful to note down a particular phrase or structure which you want to 'work in', rather than simply a key word. Some students find it useful to prepare a 'spider' diagram, in which they put the central theme in the middle of their paper and have several 'sub-themes' branching from it. These 'sub-themes' can be prompts about content or key items of vocabulary. The advantage of this method of creating prompts is that you do not need to work through your notes chronologically. You can start at any point on the 'web' and if you miss a point, or if you have been side-tracked by the examiner's response to something you said, you can return to your 'web' and pick up your points without losing them.

1 Choose from the following topics to prepare an oral presentation. You should aim to give a balanced overview of the topic.

- Was erwartet man von seiner Ausbildung?
- Welche sind die wichtigsten Schulfächer?
- Fernsehen – Segen oder Fluch?
- Sport in der modernen Gesellschaft
- Legen wir zu viel Wert auf Mode?
- Gesund essen heißt gesund leben
- Politiker denken nur an sich selbst
- Das Intellektuelle wird zu sehr in unseren Schulen betont

2 Choose from the following topics to give an oral presentation. You should adopt a particular stance or point of view which an examiner could challenge.

- Die Legalisierung von Cannabis
- Hat die Ehe eine Zukunft?
- Tierexperimente
- Gewalt im Fernsehen
- Jeder soll rauchen dürfen
- Schwangerschaftsabbruch – das größte Übel unserer Zeit?
- Die Gleichberechtigung der Geschlechter ist zu weit gegangen
- Vegetarianismus
- Ohne Computer wäre die Welt viel besser

61 Getting started on coursework

Many students feel daunted at the idea of German coursework. The thought that they have to write several hundred words on a topic which is not even decided upon seems impossibly demanding. Once you get started, however, it is easy to become very involved with your chosen topic, particluarly if you have chosen something which you are personally interested in, and the problem for many students becomes not what to write but what to leave out! It is crucial, however, to choose the right topic area for **you**, and it is worth spending a good deal of time at the planning stage before you settle on your topic.

Most boards insist that your choice of topic is related to Germany or a German-speaking country. Your interest may be sparked off by an article you have read in a magazine, or seen on the news, or something you have read in *Schauplatz*. If you have German relatives or friends who can provide you with information, so much the better. It is always good to have personal involvement and it almost always makes for better coursework.

Once you have thought of the general area you wish to write about, you should see what source materials you can get hold of before settling on a final choice of topic. The Internet is obviously an excellent place to start. Make sure you know how to access German search engines so that you can find material in German. Most boards insist that you list the sources you have used and they expect these to be in the target language. Some students think that they can use mainly English sources to gather the bulk of their material and then simply add a few German sources to their bibliography to impress the examiners. This trick almost always backfires – you only acquire the correct vocabulary and turns of phrase by using German sources. As you read articles, use a highlighter pen to pick out relevant facts and figures as well as useful vocabulary which you wish to incorporate into your coursework.

Libraries are also a good place to look, particularly if they contain CD-ROM newspaper archives or back issues of newspapers and journals. You may need to send away for material. This can be a useful means of acquiring up-to-the-minute information, but equally it can be frustrating and time-wasting if, after sending letters and waiting a while, you receive nothing you can use. Similarly beware of placing too much reliance on sending questionnaires off. However reliable your correspondents may seem to be, you may be disappointed if you do not receive a reply – or if the quality of the replies you receive does not allow you to do very much with them.

Coursework falls broadly into two categories – the 'analytical' and the 'creative' – and it is important to appreciate their characteristics. It is almost never adequate to write about, for example, 'Gastarbeiter in Deutschland'. Examiners expect to see either an analytical approach, dealing with a question such as 'Wie kann man die heutigen Probleme der türkischen Gastarbeiter in Deutschland lösen?' or they expect a creative approach based on the background knowledge you have gleaned from your source material, such as: 'Tagebuch eines zwanzigjährigen Gastarbeiters in Berlin'. Be clear which of these categories your own work falls into and make sure that you bring out this particular aspect of your topic.

It is a good idea to look at the 'marking criteria' which will be used to grade your coursework. Your teacher or your examination board will be able to supply these. Look carefully at the qualities which characterise good work as well as poor work, and make sure you understand the difference. You may find phrases such as 'shows good grasp of syntax', or 'shows a wide and varied vocabulary'. Discuss with your teacher and others what these things actually mean for you, and make sure they feature in your work.

When you have read around your topic and are choosing a title for your coursework remember that, generally speaking, the narrower the focus, the better the piece of work will be. If you choose a title such as 'Drogen in Deutschland' you cannot possibly cover it in depth within the word limit and you therefore will lose marks for being too superficial. Choose a title such as 'Wie kann man das heutige Drogenproblem in deutschen Gymnasien lösen?' which you can really analyse in depth within the scope of your work.

In order to develop research skills, and to open up possible avenues of interest which you may want to develop into coursework, find out about some of the following:

Nietzsche von Stauffenberg SPD Nürburgring
das Reichstagsgebäude Die Weiße Rose Gruppe
das Viermächteabkommen Albrecht Dürer
Internationales Rotes Kreuz Bayreuth
Paritätischer Wohlfahrtsverband Karl Marx
Dietrich Bonhöffer Gutenberg Boris Becker
Interlaken Bodensee Kölner Dom Moselwein
Zugspitze Kreuzberg DDR Willy Brandt

Textverständnis, 3

→ S. 118, S. 120, S. 122

1 Read the passage on page 118. In what order are these things mentioned?

a Britta did not want to let her parents and her teachers down.
b Britta spent weeks revising.
c She needed to let off steam.
d One gets dragged down.
e She ploughed through 70 topics.
f She took a book to the park.
g The training costs were 80 000 marks per person.
h She drank tea before going to bed.
i She started her final revision five days before the first exam.
j Toothpaste made her angry.

2 a Read the passage on page 120.
Find the German equivalents in the passage.

1 everyday life in the world of work
2 on the other hand
3 to get one's foot in the door
4 a lack of practical experience
5 college graduates
6 one of many similar organisations
7 students of the history of language
8 He is regarded as one who knows nothing
9 dipping one's toes into the world of work
10 students with practical experience
11 in a more focused way
12 for example
13 a work experience placement abroad
14 It stands in second position
15 working for a limited period ot time

b Hier sind die Antworten. Was waren die Fragen?

z.B. Durch Praktika. *Wie können Studenten ihre Theorie-Ausbildung aufwerten?*

1 Mangelnder Praxisbezug.
2 Thea Pajome.
3 In München.
4 Philologen und Kunstgeschichtler.
5 Nicht länger als zwei Monate.
6 Harro Hanolka.
7 In Großbritannien oder Frankreich.
8 Als Sprungbrett.
9 Leute, die schon in der Firma gearbeitet haben.

3 Lesen Sie den Text auf Seite 122. Was gehört zusammen?

z.B. *a6*

a Die Zeit, wo Leute an Fließbändern arbeiten …
b Viele Arbeitsplätze …
c Arbeitnehmer, die flexibel und kreativ sind …
d Ein Producer …
e Krankenhäuser …
f Krankenhausmanager …
g Heilpraktiker …
h Werbe- und PR-Agenturen …
i Ein Öko-Ranger …

1 müssen sowohl ökonomische als auch medizinische Kenntnisse haben.
2 muss pädagogische Fähigkeiten besitzen.
3 benutzen Leute, die einen guten Riecher für die neueste Trends haben.
4 müssen Geld sparen.
5 verschwinden.
6 ist vorbei.
7 behandeln Krankheiten wie Asthma und Allergien.
8 hat die Verantwortung, Leute für verschiedene Jobs herauszusuchen.
9 werden für den Dienstleistungsbereich gesucht.

63 Textverständnis, 4

→ S. 123, S. 124

1 Read the texts on page 123 and answer the following questions:

a Why is Martin Smith hoping to work abroad?
b What is the significance of the 23rd of July?
c Which of the following areas of work are handled by the Dorsch-Gruppe?
  1 computer technology
  2 water technology
  3 the environment
  4 human resource management
  5 public relations
  6 web site design
  7 civil engineering
  8 graphic design
  9 transportation
  10 performance textiles
  11 project management
d Which of the following are specifically required for the post with the Dorsch-Gruppe?
  1 knowledge of English and French
  2 ability to work under pressure
  3 a friendly personality
  4 previous experience
  5 knowledge of computers
  6 a diploma in French
  7 reliability
e What three qualities are deemed the most important for the advertising agency job?
f Where will the flight receptionists be working?
g What qualifications do they need?
h How are their 18 working hours spread out over the week?
i What personal qualities do they need to show?
j When does the press agency need new staff?
k What will the specific job of the new person be?
l What might happen at the end of the six months' contract?

2 Read the text on page 124. Translate into German:

a Applicants need to know what employers are looking out for.
b I'd like to confirm the date and time of my interview, please.
c I feel good in this outfit.
d It is good to maintain eye contact with the interviewer.
e Employers have an allergic reaction to people who speak badly of their colleagues.
f This looks good and also creates a good effect.
g The worst that can happen is that you fail the exam.
h I'd like to be there half an hour earlier.
i You need to make it clear to yourself that this is not an exam.
j I tried to think about a previous success.

Indirekte Rede

Bis zum Jahr 2030 soll sich die Zahl der Fahrzeuge verdoppeln. Die Partei Bündnis 90/Die Grünen sieht eine jährliche Erhöhung des Benzinpreises um 30 Pfennig bis ins Jahr 2009 vor.

Benzin ist zu billig!

Das ist die eine Seite:
Autofahren ist bequem.
Die Fahrt mit Bus und Bahn erscheint uns kompliziert, umständlich, langsam, unangenehm und teuer.
Das Auto ist auch ein Statussymbol.
Benzin ist so billig, dass wir auch kurze Wege mit dem Auto fahren. Der Benzinverbrauch spielt dabei kaum eine Rolle.

Das ist die Kehrseite:
Autoverkehr macht krank. Denn er verursacht Lärm, Unfälle und Abgase. Die Lebensqualität sinkt mit zunehmendem Verkehr.
Der Autoverkehr trägt zu einem Viertel zu den klimaschädlichen Kohlendioxidausstößen bei.
Die Autoabgase schädigen den Wald und greifen das Mauerwerk von Gebäuden an.
Das Umweltbundesamt hat ausgerechnet, dass erst ein Benzinpreis von heute 5 Mark pro Liter die Folgekosten und Schäden durch den Automobilverkehr ausgleichen würde.

Diese Partei will:
Autoverkehr vermeiden, verlagern und umweltverträglicher machen.

Und zwar so:
Die Kraftfahrzeugsteuer entfällt, die Mineralölsteuer wird stetig erhöht. Im ersten Schritt steigt dadurch der Benzinpreis um 50 Pfennige pro Liter und in den folgenden Jahren bis zum Jahr 2009 um jeweils 30 Pfennige pro Liter.
Benzinsparende Autos kommen auf den Markt. Die Senkung des durchschnittlichen Benzinverbrauchs entlastet die Umwelt. Der sozialen Gerechtigkeit wird Genüge getan – deshalb gibt der Staat den größten Teil der Mittel aus der Mineralölsteuererhöhung durch Einkommensteuersenkungen und verbesserte Sozialleistungen zurück.

Sie waren neulich auf einer Pressekonferenz der Grünen und haben den Text des Sprechers vor Ihnen. Sie müssen einen Bericht für eine Radiosendung vorbereiten. Ergänzen Sie Ihr Skript: Wo das Verb unterstrichen ist, schreiben Sie die richtige Form in der indirekten Rede.

Fangen Sie so an:

> Die Grünen haben neulich behauptet, dass Benzin zu billig … und das Autofahren … Auf einer Pressekonferenz sagte ihr Sprecher, dass die Fahrt mit Bus und Bahn ihnen … Das Auto … und Benzin … Er meinte, der Benzinverbrauch …

Machen Sie weiter und benutzen Sie Ausdrücke wie: „Der Sprecher war der Meinung, dass ...“; „Er hat gesagt/behauptet/bestätigt/erklärt, dass ...“; „Er meinte, dass ...“

Nehmen Sie Ihre Reportage auf Band auf.

Indirekte Rede – Extension

Hören Sie die Meinungen dieser Leute zu der Frage, ob Benzin fünf Mark pro Liter kosten sollte. Für jede(n) Befragte(n), fassen Sie die Meinungen mit Hilfe der indirekten Rede zusammen.

1. Marcus hat gesagt, er halte das für … Er meinte, die öffentlichen …
2. Markus sagte, er … Er glaubte, dass junge Leute …
3. Anja hat gemeint, wenn ein erhöhter Benzinpreis … Sie hat weiterhin gesagt, dass …
4. Matthias hat die Meinung geäußert, dass …
5. Uwe glaubte, dass …

VOKABELN

ausgereift hoch entwickelt

sich etwas zulegen (ugs.) etwas kriegen

65 Debatte: Erhöhung der Benzinpreise

Die Partei Bündnis 90/Die Grünen schlägt eine dramatische Erhöhung der Benzinpreise als Lösung der Verkehrsproblematik vor, so dass der Benzinpreis innerhalb von zehn Jahren auf 5 Mark pro Liter erhöht wird.

Nehmen Sie an dieser Debatte teil, in der Sie die angegebene Rolle spielen.

SCHRITT 1: Jede(r) Teilnehmer(in) stellt sich vor. Sie sagen, ob Sie für oder gegen die Preiserhöhung sind und warum.
SCHRITT 2: Jede Person muss erklären, mit wem er/sie einverstanden ist und mit wem er/sie nicht einverstanden ist, und auch Gründe geben.
SCHRITT 3: Offene Debatte. Versuchen Sie am Ende der Debatte, einen Kompromiss zu schließen.

Herr/Frau Pendler
Sie fahren jeden Tag 50km mit dem Auto zum Arbeitsplatz. Die Fahrt mit öffentlichen Verkehrsmitteln würde wesentlich länger dauern, weil man nicht direkt fahren kann. Sie finden diesen Vorschlag ungerecht, weil Sie als Autofahrer/in die öffentlichen Verkehrsmittel nicht subventionieren wollen.

Herr/Frau Schonen
Sie sind der Meinung, dass wir Opfer für die Umwelt bringen sollten. Sie glauben, wir müssen alles machen, um die Verkehrslawine zu stoppen. Wenn es so weitergeht, werden wir überall nur Staus sehen. Ihrer Meinung nach können nur hohe Preise das Verhalten der Leute verändern.

Herr/Frau Selbstständig
Sie sind Selbstständige/r und arbeiten als Gemüsehändler/in. Sie finden, das würde Ihre Kosten enorm in die Höhe treiben, weil Sie auch einen Lieferservice haben. Ihrer Meinung nach kann man ein ganzes Wirtschaftssystem nicht nur über den Benzinpreis definieren.

Herr/Frau Ländlich
Sie wohnen „weit draußen", auf dem Land und finden Ihr Auto unentbehrlich, da es keine öffentlichen Verkehrsmittel gibt. Ohne Ihr Auto würden Sie isoliert sein. Da Sie jedoch ein gutes Einkommen haben, sind Sie für die Erhöhung des Benzinpreises. Sie glauben nicht, dass die Leute sich das Benzin nicht leisten können – sie müssen einfach sorgfältiger mit dem Geld umgehen!

Herr/Frau Angst
Sie sind ein(e) alleinerziehende(r) Vater/Mutter und wohnen in der Stadtmitte. Sie haben Angst, allein mit öffentlichen Verkehrsmitteln zu fahren und finden es sehr schwer, Ihr Auto zu finanzieren, da Sie nur teilzeitbeschäftigt sind. Sie rauchen und finden es ungerecht, dass Sie als Raucher/in und Autofahrer/in hohe Steuern bezahlen müssen.

Herr/Frau Radikal
Sie sind für die Preiserhöhung, aber finden das nicht radikal genug. Sie würden in Stadtzentren alle privaten Autos verbieten und mehr Geld in öffentliche Verkehrsmittel investieren. Sie finden Autofahrer umweltschädlich und unverantwortlich.

65 Debatte: Erhöhung der Benzinpreise – Extension

Jede(r) Teilnehmer(in) muss im Laufe der Debatte einen der folgenden Ausdrücke einfließen lassen:

Es bringt nichts, das so isoliert zu betrachten.
Ich bin in dieser Sache sehr skeptisch.
Es lässt sich diskutieren, ob...
Wir sollten jedoch nicht vergessen, dass ...
Das stimmt doch nicht, da ...

Darüber hinaus sollte jede(r) Teilnehmer(in) versuchen, folgende Vokabeln/Strukturen zu verwenden:

Autofahren wird spürbar teurer.
Wenn sich der Benzinpreis in zehn Jahren verdreifacht, ...
Der durchschnittliche Benzinverbrauch
Ein verbessertes öffentliches Verkehrssystem würde (nicht) ...
Wer auf sein Auto angewiesen ist, sollte ...
Auf jeden Fall werden sich unsere Lebensgewohnheiten ein wenig verändern.
Um die Umweltbelastung zu verringern, ...
Verbrauchsarme Fahrzeuge
Wenn wir Fahrgemeinschaften bilden, ...
Das Geld soll für ... eingesetzt werden.
Leute, die beruflich fahren ...

Internationale Projekte

1 Listen to the extract and write a summary of 90–110 words in **English**. Include the following points:

- Greenpeace's purpose and main principle
- its organisation
- two of its achievements
- the link between the environment and the economy
- three energy-saving devices it has developed

2 Read the text on the right and answer the questions on it.

a What are the human consequences of landmines?
b Why is the landmine so 'reliable'?
c What information about landmines is unclear?
d When were they used and for what purpose?
e What happens after the end of the war?

Landminen sind Massenvernichtungswaffen in Zeitlupe. ***Jeden Monat töten Minen 800 bis 1200 Menschen, die gleiche Zahl wird verstümmelt oder schwer verletzt.*** Jedes dritte bis vierte Opfer ist ein Kind. Die Mine ist der "treueste Soldat", denn sie tötet auch nach Beendigung der Kampfhandlungen und bleibt nach dem Ende der Kriege scharf. Niemand weiß genau, wie viele dieser verborgenen Killer weltweit verstreut in der Erde lauern. Man schätzt zwischen 100 Millionen und 300 Millionen in etwa 60 Ländern. Sie wurden und werden gegen feindliche Armeen und in Bürgerkriegen eingesetzt. Ihr Zweck: gegnerische Armeen aufhalten, eigene militärische Einrichtungen schützen. Aber auch: Flüchtlingsströme kanalisieren und stoppen. Für die Zivilbevölkerung beginnt der Krieg oft erst nach seinem Ende. ***Denn die Minen ziehen nicht ab.*** Sie bedrohen weiter die einheimische Bevölkerung. Ziel der Politik muss sein, eine weltweite Ächtung der Landminen zu erreichen. Eine glaubwürdige Politik darf Rüstungskontrolle und humanitäres Völkerrecht nicht dazu nutzen, von anderen Um- oder Abrüstung zu verlangen und gleichzeitig selbst neue Waffensysteme zu entwickeln. Obwohl die UN-Waffenkon-vention bislang sich als zahnloses Instrument erwies, bleibt nichts anderes übrig, als weiter auf ihre Verbesserung, das heißt ein generelles Verbot von Landminen, zu dringen.

3 Übersetzen Sie ins Deutsche:

Every month there are 800 to 1200 victims of landmines. These weapons of mass destruction remain active even after the end of the hostilities and represent a further threat for the local population. As the mines do not move out, they are more reliable than the most trusty soldier. These landmines, which were employed to counter enemy armies and used in civil wars, should be banned worldwide.

Internationale Projekte – Extension

1 Listen to the extract and write a summary of 90–110 words in **English**. Include the following points:

- UNICEF's purpose
- its projects and their purpose
- the challenges it faces in education and in the cities
- the role of the German committee

2 Read the extract from Exercise 2 above ('Landminen sind …') and answer the questions, plus the following:

a What should be the hallmark of a credible policy?
b What should be the ultimate objective?

3 Übersetzen Sie ins Deutsche:

The purpose of landmines is not only to hold up opposing armies and protect one's own military installations but also to stop floods of refugees. As mines threaten the local population long after the end of hostilities and do not move out, the banning of these weapons of mass destruction worldwide must be our political aim. Many are of the view that the UN weapons convention has proved to be a toothless instrument but this should not prevent us from pressing for a total ban on landmines.

67 Wie klimafreundlich ist Ihr Lebensstil?

Fragebogen

a Warmwasser

Ich dusche pro Tag ...	bis zu 10 Min.	5
	10–20 Min.	0
	mehr als 20 Min.	–5
Ich bade pro Woche ...	ein- bis zweimal.	0

b Freizeit-Aktivitäten

In meiner Freizeit widme ich mich Tätigkeiten, die kaum Fremdenergie brauchen: z.B. soziale Aktivitäten, Lesen, energiearme Sportarten wie Radfahren, Fußball. Energieaufwendige Sportarten (Schlittschuhlaufen usw.) mache ich nur ausnahmsweise. 5

Zwar verbringe ich einen Teil meiner Freizeit wie oben beschrieben, aber ich betreibe regelmäßig energieaufwendige Sportarten. 0

Die Freizeit verbringe ich größtenteils mit energieaufwendigen Sportarten. –5

c Elektrogeräte

Ich benutze an geeigneten Orten Energiesparlampen. Licht brennt nur, wo nötig. Ich stelle Geräte, wenn ich sie nicht brauche, immer ganz ab (kein Stand-by). Ich stelle den Kühlschrank ab, wenn ich in Urlaub fahre.

Das beschriebene Verhalten ...	trifft voll auf mich zu.	5
	trifft teilweise zu.	0
	trifft nicht zu.	–5

d Ernährung

Ich esse Fertig- oder Tiefkühlprodukte ...	höchstens einmal pro Woche.	5
	höchstens viermal pro Woche.	0
	mehr als viermal pro Woche.	–5

e Reisen

Ich bin in den letzten drei Jahren ...	nie geflogen.	5
	ein- oder zweimal geflogen.	0
	mehr als zweimal geflogen.	–5

f Konsumgüter

Ich kaufe im Wesentlichen das, was ich brauche. 5

Ich kaufe gelegentlich mehr, als ich bräuchte, und wähle oft Billigangebote. 0

Ich leiste mir immer das Neueste und achte nicht auf Qualität. –5

g Verkehr

Ich fahre in der Regel ...	nicht, sondern gehe zu Fuß.	5
	mit öffentlichen Verkehrsmitteln.	0
	mit dem Auto.	–5

Punkte insgesamt ☐

Auswertung:	35 bis 20	Dunkelgrün!
	15 bis -5	Ziemlich grün!
	-10 bis -35	Umweltsünder!

8 Das Passiv mit Modalverben

1 Lesen Sie diese Vorschläge für die Verbesserung unserer Umwelt. Was muss/sollte/könnte gemacht werden?

> **Was jeder von uns tun kann und tun sollte**
>
> Der umweltfreundliche Verbraucher hat zahlreiche Möglichkeiten, umweltbewusst und abfallwirtschaftlich zu handeln:
>
> a Aktive Mitwirkung an Sammelaktionen:
> - Altglas in die dafür vorgesehenen Container bringen; Mehrwegprodukte den Einwegprodukten vorziehen (z. B. Mehrwegflaschen statt Getränkedosen aus Aluminium);
> - Aluminium, das im Haushalt anfällt (Folien und dünne Bleche, Abreißdeckel, Jogurtdeckel, Portionsdosen von Kondensmilch, Konfitüren usw.), sammeln und in die hierfür vorgesehenen Sammelbehälter geben;
> - Altpapier, Textilien, Schuhe usw. bei Sammelaktionen karitativer Verbände abgeben;
>
> b Organische (Küchen-)Abfälle möglichst selbst kompostieren;
> c Auf das Umweltzeichen beim Einkauf achten;
> d Recyclingprodukte verwenden (z. B. Papier aus Altpapier);
> e Produkte mit gefährlichen Stoffen, wie z. B. Spraydosen, giftige Farben usw., vermeiden;
> f Einkaufskorb statt Plastiktüte verwenden;
> g kurzlebige Güter meiden (z. B. unnötige, nicht reparierbare Kleingeräte);
> h gefährliche Stoffe (z. B. Arzneimittel) an den vorgesehenen Sammelstellen abgeben.
>
> Durch all diese Maßnahmen kann die Menge der Abfälle verringert, aber auch die Beseitigung erleichtert werden. Außerdem lassen sich im Müll vorhandene Rohstoffe besser und leichter dem Recycling zuführen.

Füllen Sie die Lücken aus:

a Altglas ____________ in die dafür vorgesehenen Container ____________ werden. (können)
b Mehrwegprodukte ____________ den Einwegprodukten ____________ werden. (sollen)
c Aluminium, das im Haushalt anfällt, ____________ ____________ und in die hierfür vorgesehenen Sammelbehälter ____________ werden. (können)
d Organische Abfälle ____________ selbst ____________ ____________. (sollen)
e In umweltfreundlichen Haushalten ____________ Recyclingprodukte ____________ werden. (müssen)
f Produkte mit gefährlichen Stoffen ____________ (sollen)
g Kurzlebige Güter sollten …
h Gefährliche Stoffe …
i Die Menge der Abfälle kann …
j Im Müll vorhandene Rohstoffe könnten …

2 Bilden Sie mit Hilfe des Texts unten Ihre eigenen Passivsätze!

> Die folgenden Möglichkeiten könnten Autoabgase verringen.
> a Innenstädte für Autos sperren
> b Tempolimit auf allen Straßen einführen
> c Benzin teurer machen
> d Bürger über Umweltschäden durch das Auto besser informieren
> e Umwelttechnik in Autos verbessern
> f Fahrten mit Bussen und Bahnen billiger machen
> g nur noch Autos mit Katalysator zulassen
> h eine Umweltsteuer einführen
> i Fahrgemeinschaften bilden

8 Das Passiv mit Modalverben – Extension

> **Wir trennen, mach mit!**
>
> Liebe Gäste,
>
> McDonald's hat sich dem Dualen System Deutschland (DSD) angeschlossen, um <u>alle Verpackungen mit dem grünen Punkt einer geordneten Verwertung zuführen zu können</u>. Hier sind wir auf Ihre Hilfe angewiesen.
>
> <u>Benutzen Sie bitte die bereitstehenden Behälter, die wir für die Trennung im Gastbereich vorgesehen haben</u>. Symbole auf den Verpackungen und den Abfallboxen vereinfachen die Zuordnung.
> - <u>Bitte Papier, Kunststoff und Reststoff nicht vermischen!</u>
> - <u>Alle Speisereste vollständig aus den Verpackungen leeren und getrennt entsorgen.</u>
> - Wenn Ihnen dies zu viel Mühe macht, lassen Sie bitte Ihr Tablett stehen.
>
> <u>McDonald's ist außerdem ständig bemüht, überflüssige Verpackungen zu vermeiden.</u> Eine der neuesten Maßnahmen: Bei Getränken, die im Restaurant verzehrt werden, wird auf den Deckel verzichtet. Wenn Sie jedoch einen Deckel wünschen, fragen Sie einfach unser Personal.
>
> Wir benötigen Ihre Mithilfe! Denn nur gemeinsam können wir erreichen, dass alle Verpackungen einer geordneten Verwertung zugeführt werden können.
>
> Vielen Dank!

Bilden Sie Passivsätze mit Modalverben aus den unterstrichenen Sätzen. Wählen Sie können/sollen oder müssen. Können Sie sich andere Beispiele ausdenken?

69 Fachvokabeln, Definitionen und Notizen

Für Ihre Facharbeit müssen Sie Fachvokabeln und Synonyme verwenden können.

Wie kann man Drogenkonsum bei Freunden oder Kollegen erkennen? Die folgenden Merkmale können Anhaltspunkte sein für eine beginnende oder bereits ausgeprägte Sucht:

- Ein plötzlicher Rückzug vom Freundeskreis
- Schwankende Leistungen in der Arbeit und Schule
- Plötzliche Stimmungswechsel
- Unerklärlicher Geldmangel

Legale Drogen

Alkohol

Wirkung
Die „sozial erlaubte Droge" enthemmt, mindert Ängste, macht kontaktfreudiger. Sie verlangsamt das Reaktionsvermögen und kann bis zur Bewusstlosigkeit führen.

Nebenwirkungen
Erhöhte Unfallgefahr, teilweise Vergiftungen mit Todesfolge, steigende Wechselwirkung mit Medikamenten.

Langzeitwirkungen
Leberschäden, Schädigung des Herzens und der Bauchspeicheldrüse, vorzeitiges Altern, bei längerfristigem Missbrauch schwere geistige Schädigungen.

Suchtpotential
Die körperliche und seelische Abhängigkeit entwickelt sich langsam. Da Alkohol Hemmungen abbaut, wirkt er häufig auch als Einstiegsdroge für andere harte Drogen.

In Deutschland gibt es, so schätzen Drogenexperten, ca. 2,5 Millionen behandlungsbedürftige Alkoholkranke.

Medikamente

Wirkung
Die Medikamente wirken sehr unterschiedlich – von schmerzdämpfend, beruhigend, entspannend bis zu aufputschend oder appetitzügelnd.

Nebenwirkungen
Abhängigkeit, Koordinationsstörungen, Realitätsverlust, Selbstüberschätzung, Appetitmangel, kann die Liebeslust vermindern.

Langzeitwirkungen
Leberschäden, Depressionen, Wahnvorstellungen, Herz- und Kreislaufzusammenbruch.

Suchtpotential
Meist ist die Abhängigkeit seelisch und kann schnell bis schleichend je nach Art des Medikamentes auftreten. Teilweise kommt es auch zu körperlicher Abhängigkeit.

In Deutschland sind schätzungsweise ca. 1,7 Millionen Menschen medikamentenabhängig.

Illegale Drogen

Haschisch und Marihuana

Wirkung
Ein Joint wirkt ähnlich wie Alkohol und sorgt für eine gelöste, relaxte Stimmung.

Nebenwirkungen
Krebsfördernd, Antriebsverlust, das Immunsystem wird beeinträchtigt.

Langzeitwirkungen
Teilnahmslosigkeit, Realitätsverlust, Verlust der Konzentrations- und Leistungsfähigkeit.

Suchtpotential
Langsam einsetzende seelische Abhängigkeit.

Extasy

Wirkung
Extasy wirkt aktivierend und entspannend zugleich. Es putscht auf, gibt Energie zum Tanzen, kann aber auch zu fast tranceartigen Zuständen führen.

Nebenwirkungen
Hohe Herzfrequenz und erhöhter Blutdruck, Depressionen, Unkonzentriertheit, Schweißausbrüche.

Gefahren
Herz-, Leber- und Nierenversagen, epileptische Anfälle, allergische und asthmatische Reaktionen.

Langzeitwirkungen
Darüber gibt es noch kaum Erkenntnisse, da Extasy eine neue Droge ist. Bisher bekannt: Herz-, Leber- und Nierenschäden, Persönlichkeits-, Schlaf- und Bewusstseinsstörungen.

Suchtpotential
Extasy führt zu starker seelischer Abhängigkeit. Häufig wird Extasy zudem von den Dealern mit Heroin verschnitten, um so eine Abhängigkeit zu erzeugen. Durch die extrem enthemmende Wirkung von Extasy gilt es inzwischen als die Einstiegsdroge Nr. 1 für Heroin.

1 Finden Sie die folgenden Fachvokabeln im Text:

a addiction
b effect
c slows down reactions
d unconsciousness
e side effects
f premature ageing
g reduces inhibitions
h drug leading to further addiction
i in need of treatment
j stimulating
k lack of appetite
l psychological
m relaxed mood
n loss of concentration
o trance-like conditions
p high blood pressure
q long-term effects
r the main drug which leads to heroin

2 Können Sie diese Definitionen ergänzen?

a Nebenwirkung: das. was passiert, wenn man …
b Sucht: wenn man eine Droge …
c beruhigend: wenn man sich … fühlt
d erhöhte Unfallgefahr: die Chancen, dass man z. B. … , sind …
e Stimmungswechsel: wenn man sich bald … , bald …

3 Machen Sie Notizen, aber schreiben Sie nur einige Einzelheiten für jeden Teil des Texts: Einleitung; Alkohol; Medikamente; Haschisch und Marihuana; Extasy.

4 Halten Sie einen Vortrag von anderthalb Minuten zum Thema, in dem Sie die Hauptpunkte zusammenfassen!

5 Schreiben Sie Definitionen:

a unerklärlicher Geldmangel
b plötzliche Stimmungwechsel
c schätzungsweise
d körperliche Abhängigkeit
e Verlust der Leistungsfähigkeit

6 Finden Sie das Wort bzw. den Ausdruck:

a wenn man glaubt, man kann mehr tun, als eigentlich der Fall ist (siehe 'Medikamente')
b wenn man z. B. auf einmal schlechte Laune bekommt (siehe 'Einleitung')
c eine Reaktion, wobei man sich z. B. sehr offen benimmt (siehe 'Extasy')
d wenn man z. B. den Arzt besuchen oder medizinische Hilfe suchen sollte (siehe 'Alkohol')
e wenn man nichts unternehmen will (siehe 'Haschisch')

Konditionalsätze

Probable Conditions:

1 Füllen Sie die Lücken aus. Benutzen Sie folgende Verben:

werden	kennen lernen	scheinen	bekommen	ersetzen	fahren
haben	gehen	besuchen	kaufen	einziehen	

a Wenn ich genug Geld ________, ________ ich mir ein neues Auto ________.
b Wenn sie nach Amerika ________, ________ sie Disneyland ________.
c Wenn die Sonne ________, ________ ich zum Strand ________.
d Wenn wir in die neue Wohnung ________, ________ wir den alten Teppich ________.
e Wenn er eine Stelle ________, ________ er neue Leute ________.

Improbable Conditions:

2 Ergänzen Sie das Kreuzworträtsel. Wie heißt das Schlüsselwort?

a Wenn ich nicht so viele Fehler ________, würde ich bessere Noten bekommen. (machen)
b Wenn es mehr Therapieplätze ________, würden Drogenabhängige bessere Chancen haben. (geben)
c Wenn ich eine Stelle ________, würde ich selbstsicherer sein. (haben)
d Wenn ich nicht so so deprimiert ________, würde ich nicht trinken müssen. (sein)
e Wenn sie miteinander ________, würden sie sich besser verstehen. (reden)
f Wenn sie ihre gute Seite ________, würden sie mehr Freunde haben. (zeigen)
g Wenn ich mehr ________, würde ich bessere Qualifikationen kriegen. (studieren)
h Wenn er zum Arzt ________, würde er Hilfe bekommen. (gehen)
i Wenn ich mit ihm sprechen ________, würde ich ihm helfen können. (können)
j Wenn er mehr ins Ausland ________, würde er seine rechtsradikalen Meinungen ändern. (fahren)
k Wenn er seinen Eltern ________, würden sie ihn zurücknehmen. (schreiben)
l Wenn er die Wahrheit ________, würde er ihr nicht mehr vertrauen. (wissen)

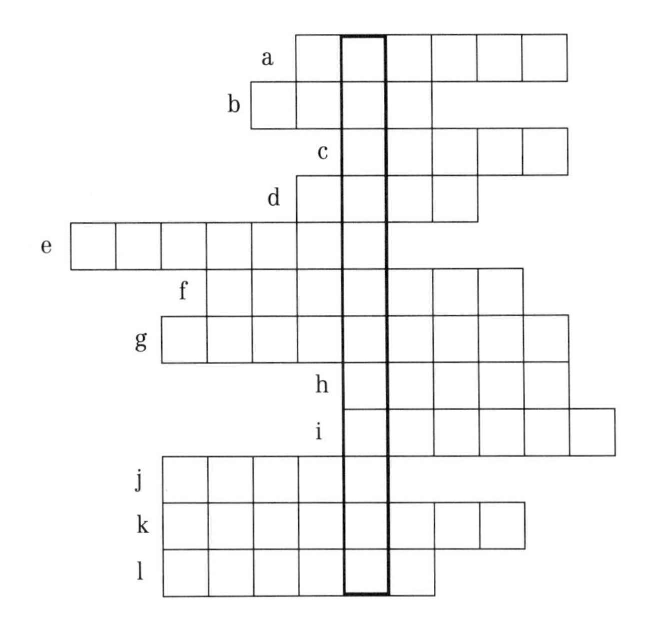

Konditionalsätze – Extension

Erfinden Sie andere Satzanfänge zu den obenstehenden Aussagen (Übung 2 a–l),
z.B.:
b *Wenn die Regierung mehr Geld in Vorbeugunsmaßnahmen investierte,* würden Drogenabhängige bessere Chancen haben.

71 Facharbeit organisieren und schriftliche Arbeit überprüfen

1 Können Sie die Fehler korrigieren?

Jedes Jahr kommt rund 700 000 Ausländer neu nach Deutschland. Gesetzlichen Regelungen für der Zuzug fehlen. Statt aufkeimende Angste zu nehmen, schüren manche Politiker eher die latente Ausländerfeindlichkeit.

Vierzig Jahren ist es her, dass die ersten Gastarbeiter als Aufbauhelfer dankbar begrüßt waren. Viele bleibten hier – mehr oder minder integriert, mehr oder minder akzeptieren. An dem Wort von Max Frisch „Es würden Arbeitskräfte gerufen, doch es kommten Menschen" haben bis heute viele Deutsche zu geknabbert. Inzwischen gibt es eine zweite, eine dritte Generation des ausländischen Arbeitnehmer – Inländer, dass aber als Ausländer behandelt sind. Und da sind zugewanderte EU-Bürger, Asylbewerber, Bürgerkriegsflüchtlinge und Illegalen. Sieben Millionen insgesamt. Der Wanderungsdruck von Ost zu West, von Süd nach Nord wird anhält. Und hier beginnt die Problem. Zuwanderung – erst recht, wenn sie unkoordiniert geschehen – weckt in Zeiten sozialen Anspannung heftige Abwehrreaktionen: ein diffuses Gemisch aus Ängsten, Vorurteile und Aggression.

2 Wenn Sie Ihre Facharbeit organisieren, müssen Sie einen genauen, gezielten Titel auswählen, so dass Sie nicht zu allgemein schreiben. Finden Sie für jedes Thema einen Titel:

Sucht   Jugendkriminalität   Die Umwelt   Die Medien   Ausländerfeindlichkeit

71 Facharbeit organisieren und schriftliche Arbeit nachprüfen – Extension

Können Sie die Fehler korrigieren?

Deutschland hat das meist rückständig Einbürgerungsrecht Europa. Hier geltet immer noch das völkisch verquere „Blutrecht" von 1913. Automatischen Anspruch auf ein deutscher Pass hat nicht die Ausländerfamilie, dass seit 30 Jahre hier lebt und dessen Kinder hier geboren ist, sondern die Familie aus Sibirien mit dem deutschen Großvater. Damit nicht genug. Für die doppelte Staatsangehörigkeit – ein Gebot des Vernunft – gäbe es über alle Parteigrenzen hinweg in den Bundestag eine Mehrheit, auch für ein Einwanderungsgesetz liegt im Parlament mehrere Vorschlag. Aber eine rechte Minderheit haben eine Einigung bisher erfolgreich verhindern. Die Barrieren sind für Nicht-Deutsche immer höher gesetzt. Das ist inhuman, auch unchristlich, und es ist, wirtschaft gesehen, engstirnig. Ausländer sind Nettozahler für unseren sozialen Sicherungssysteme, sie sind Arbeitgeber, sie sind Konsumenten.

Es muss Schluss ist mit der gnadenlos geschlossenen Gesellschaft. Schafft endlich ein liberales, ein menschliches Recht für Ausländer, dass hier leben und dass – aus welche Grunde auch immer – zu uns kommen. Zu Integration gibt es keine Alternative. Das heißt nichts anders als ein modernes Einwanderungs- und Einbürgerungsgesetz. Der Zaun müssen weg.

2 Vokabeln und Strukturen aufbessern

Lesen Sie den folgenden Text und ersetzen Sie die einfachen Vokabeln (unterstrichen) mit den Ausdrücken im Kästchen:

Stichwort Jugendkriminalität

Was steckt dahinter? Tägliche Berichte in den Zeitungen über jugendliche Kriminelle bestätigen die Meinung, dass die neue Generation kriminell ist. Meinungen wie: "Die gehören in den Steinbruch!" sind bei Gesprächen über dieses Problem aktuell.

Jugendkriminalität gibt es, weil es zu wenig Klubs und Aktivitäten gibt. Das ist wahrscheinlich nicht ganz unwahr. Doch steht dem entgegen, was zum Beispiel Burkhard S., Lehrer an einer Rostocker Schule sagt: "Wir versuchen, den Kindern interessante Angebote zu machen. Aber gerade von den Älteren bekommen wir nur allzu oft zu hören: 'Keinen Bock!' Das treibt den Schweiß."

Im Kindernotdienst der Stadtmission in Evershagen hört man andere Gründe für kriminelles Verhalten bei Kids.

Frau Hannelore Meyer, stellvertretende Leiterin des Heimes, erzählt über ihre Kinder, die fast alle aus problematischen Elternhäusern kommen: "Sie haben oftmals kein Vertrauen in die Erwachsenen. Sie haben Schlimmes gesehen. Die Eltern arbeiten viel oder trinken viel, weil sie ihre Probleme nicht lösen. Die Kinder werden vergessen."

Schützlinge · stürzen sich in die Arbeit · Reizthema · Tatverdächtige · bemühen uns · bewältigen · von der Hand zu weisen · Pressemeldungen · berichtet · wird oft damit erklärt, dass · verbirgt sich · erlebt · ergeben sich dem Alkohol · an der Tagesordnung · bleiben dabei auf der Strecke · ausnahmslos · gestörten · heranwachsende · Äußerungen · Freizeitmöglichkeiten · zweifellos · erfährt

2 Vokabeln und Strukturen aufbessern – Extension

Lesen Sie den folgenden Text und ersetzen Sie einfache Vokabeln mit den Ausdrücken im Kästchen:

Stichwort Jugendkriminalität

Was steckt dahinter? Tägliche Berichte in den Zeitungen über jugendliche Kriminelle bestätigen die Meinung, dass die neue Generation kriminell ist. Meinungen wie: "Die gehören in den Steinbruch!" sind bei Gesprächen über dieses Problem aktuell.

Jugendkriminalität gibt es, weil es zu wenig Klubs und Aktivitäten gibt. Das ist wahrscheinlich nicht ganz unwahr. Doch steht dem entgegen, was zum Beispiel Burkhard S., Lehrer an einer Rostocker Schule sagt: "Wir versuchen, den Kindern interessante Angebote zu machen. Aber gerade von den Älteren bekommen wir nur allzu oft zu hören: 'Keinen Bock!' Das treibt den Schweiß."

Im Kindernotdienst der Stadtmission in Evershagen hört man andere Gründe für kriminelles Verhalten bei Kids.

Frau Hannelore Meyer, stellvertretende Leiterin des Heimes, erzählt über ihre Kinder, die fast alle aus problematischen Elternhäusern kommen: "Sie haben oftmals kein Vertrauen in die Erwachsenen. Sie haben Schlimmes gesehen. Die Eltern arbeiten viel oder trinken viel, weil sie ihre Probleme nicht lösen. Die Kinder werden vergessen."

Schützlinge · stürzen sich in die Arbeit · Reizthema · Tatverdächtige · bemühen uns · bewältigen · von der Hand zu weisen · Pressemeldungen · berichtet · wird oft damit erklärt, dass · verbirgt sich · erlebt · ergeben sich dem Alkohol · an der Tagesordnung · bleiben dabei auf der Strecke · ausnahmslos · gestörten · heranwachsende · Äußerungen · Freizeitmöglichkeiten · zweifellos · erfährt

73 Georg Danzer: Zehn kleine Fixer

Ergänzen Sie den Lückentext.

Zehn kleine Fixer war'n in einem Boot,
Ozean (1) ____________, Heimathafen Tod.
Einer sprang über (2) ____________ und sank wie ein Stein.
„Scheiße" war sein letztes Wort.
Da warn's nur noch neun.

Neun kleine Fixer, Mädchen auch dabei;
eine war erst dreizehn Jahr, kam schon nicht mehr frei.
Ging dann auf den (3) ____________ – kalte (4) ____________.
Himmel! Sie verkühlte sich.
Da warn's nur noch acht.

Acht kleine Fixer, einer aus dem (5) ____________.
Der Bewährungshelfer hat ihm einen Tritt verpasst.
Therapeut – keine Zeit. Eltern – abgeschrieb'n.
Wusste keinen (6) ____________ mehr.
Da warn's nur noch sieben.

Sieben kleine Fixer hatten es so satt
in der Wüste (7) ____________ im Ghetto Hochhausstadt.
Einer, sagt man, ist erstickt nur an Wein und Keks
und an (8) ____________. Da warn's nur noch sechs.

Sechs kleine Fixer. Einer machte (9) ____________
auf dem Klo, Bahnhof Zoo, mit dem Goldnen Schuss.
So ein Penner, der ihn fand, nahm sich Schuh und Strumpf,
den die (10) ____________ der nicht mehr.
Da warn's nur noch fünf.

Fünf kleine Fixer, ganz auf sich gestellt,
hatten keine (11) ____________ mehr, hatten auch kein Geld.
Einer ging in eine Bank, fragte den Kassierer.
Dieser (12) ____________ nicht lang. – Da warn's nur noch vier.

Vier kleine Fixer war'n in einem Boot,
Ozean (13) ____________, Heimathafen Tod.
Einer gab den Dealer an bei der Polizei.
Als der wieder (14) ____________ war, da warn's nur noch drei.

Drei kleine Fixer auf der letzten Tour.
Und die hatten jetzt zu dritt eine Ladung nur.
Ach, das (15) ____________ ging aus, es kenterte das Boot.
(16) ____________ war nie ihr Zuhaus' – und nun war'n sie tot.

Zehn kleine Fixer war'n jetzt alle weg.
Ausschussware, Großstadtmüll, nur der letzte (17) ____________.
– Doch wie lange wollt ihr den untern Teppich kehr'n?
Wenn die wieder aufersteh'n, werden sie sich wehr'n.

4 Argumentieren

Nehmen Sie einen Standpunkt zu den folgenden Themen ein. Sind Sie pro oder contra? Wenn Sie Ihre Argumente in der mündlichen Prüfung vorbringen, müssen Sie zeigen, dass Sie die Situation in z. B. Deutschland kennen. Benutzen Sie die Fakten und Anregungen, um zu zweit zu debattieren.

Thema 1: „Das Rauchen sollte für Leute unter 18 Jahren verboten sein."

Die Fakten:
- In Deutschland dürfen Jugendliche unter 16 Jahren nicht in der Öffentlichkeit rauchen.
- Fast ein Drittel der Jugendlichen raucht.
- Mehr als die Hälfte der Jugendlichen hat das Rauchen schon ausprobiert.
- In Deutschland rauchen mehr Mädchen als Jungen.
- Es gibt ein Werbeverbot im Fernsehen und im Radio.
- Kinder können ohne Kontrolle der Erwachsenen von Automaten Zigaretten ziehen.
- Nichtraucherzonen gibt es in vielen Restaurants.
- Rauchverbot herrscht meistens in Straßenbahnen, Bussen und U-Bahnen, außerdem in öffentlichen Gebäuden, Banken und bei der Post.

PRO
- Wegen des Gruppenzwangs ist man unter 18 Jahren nicht in der Lage, einen vernünftigen Entschluss zu fassen.
- Jugendliche sind für die Versuchungen der Werbung besonders anfällig.
- Jugendliche müssen vor der Gefahr des Nikotins geschützt werden.

CONTRA
- Wenn wir Jugendlichen etwas verbieten, machen wir es noch reizvoller.
- Jede(r) muss für ihr/sein eigenes Verhalten verantwortlich sein.
- Mit 16 Jahren ist man schon reif genug, selber zu entscheiden.
- Man muss die individuelle Freiheit achten.

Thema 2: „Abtreibung sollte in jedem Fall illegal sein."

Die Fakten:
- Ein Schwangerschaftsabbruch ist grundsätzlich nach § 218 des Strafgesetzbuches strafbar.
- Das Strafrecht greift jedoch nach der Beratungsregelung nicht ein, wenn:
  - ein Schwangerschaftsabbruch innerhalb von 12 Wochen nach der Empfängnis durch einen Arzt vorgenommen wird;
  - die schwangere Frau ihn verlangt;
  - die schwangere Frau dem Arzt durch eine Bescheinigung nachgewiesen hat, dass sie sich mindestens drei Tage vor dem Eingriff von einer anerkannten Beratungsstelle hat beraten lassen.
- Schwangerschaftsabbrüche, bei denen eine medizinische oder eine kriminologische Indikation vorliegt, sind nicht rechtswidrig.
  - Eine medizinische Indikation liegt vor, wenn der Abbruch der Schwangerschaft nach ärztlicher Erkenntnis angezeigt ist.
  - Bei Schwangerschaftsabbrüchen mit medizinischer Indikation ist keine Schwangerschaftskonfliktberatung und keine Frist einzuhalten.
  - Auch bei der kriminologischen Indikation, die voraussetzt, dass die Schwangerschaft auf ein Sexualdelikt zurückzuführen ist, ist keine Schwangerschaftskonfliktberatung erforderlich; seit der Empfängnis dürfen nicht mehr als 12 Wochen verstrichen sein.

PRO
- Abtreibung ist gegen Gottes Gebote.
- Man muss das Leben respektieren.

CONTRA
- Frauen müssen das Recht haben, selber zu entscheiden.
- Es gibt Fälle, wo das Leben der Mutter gefährdet ist.
- Wenn eine Frau vergewaltigt worden ist, sollte sie das Recht auf eine Abtreibung haben.

4 Argumentieren – Extension

Lesen Sie die folgenden Argumente und bilden Sie Ihre eigenen Argumente pro oder contra.

Thema: „Die Wehrpflicht sollte abgeschafft werden."

„Macht die Bundeswehr zur Berufsarmee, damit neue Arbeitsplätze geschaffen werden. Außerdem ist es besser, wenn man motivierte Berufssoldaten zur Verfügung hat, als gezwungene ‚Freiwillige'."

„Eine Abschaffung der Wehrpflicht lehne ich energisch ab. Ich habe selbst zwei Jahre ‚gedient'. Ich bin als Wehrpflichtiger eingezogen worden und habe festgestellt, dass man viel aus dieser Zeit mitnehmen kann. Anstatt die Wehrpflicht abzuschaffen, sollte man sich lieber Gedanken darum machen, wie man die Bundeswehr attraktiver machen kann."

75 Relativsätze

„Mit meinen Eltern kann man einfach nicht reden!" Diese Aussage hört man häufig von Kindern, häufiger noch von Jugendlichen. Eigentlich meinen sie: „Meine Eltern haben zu einem bestimmten Thema eine andere Meinung als ich."

In gewisser Weise müssen diese Konflikte in einer Familie stattfinden. Kinder werden erwachsen und müssen lernen, sich durchzusetzen. Sie machen sich ihre eigenen Gedanken, erleben auch andere Einflüsse als die der Familie, und das erschwert die Verständigung. Bei bestimmten Problemen sind auch die Eltern im Recht, wenn sie nicht von ihrer Meinung abrücken.

Davon abgesehen kann man aber über die eher alltäglichen Konflikte viel besser reden, wenn man sich an ein paar Regeln der Gesprächsführung hält.

- Besonders wichtige oder grundlegende Themen solltest du nicht zwischen Tür und Angel ansprechen. Wenn du weißt, dass deine Mutter in fünf Minuten den kleinen Bruder abholen muss oder du selbst schon auf dem Weg zur Gitarrenstunde bist, kannst du dir ausrechnen, was ein solcher Gesprächsversuch bringt.
- Man muss sich für wichtige Gespräche unbedingt Zeit nehmen.
- Selbst wenn Vater oder Mutter gerade genügend Zeit hätte, kann es andere Gründe geben, warum der Zeitpunkt trotzdem ungünstig ist.
- Wenn Leute nie jemanden ausreden lassen und andere dauernd unterbrechen, ist das unhöflich und nervt.
- Den anderen nicht zu unterbrechen, genügt aber noch nicht. Es geht auch darum, ihm zuzuhören.
- „Wenn ihr mir das nicht erlaubt, dann hau ich endgültig ab!" Drohungen sind schlechte Mittel, um sich in Gesprächen oder Streitigkeiten durchzusetzen. Sie spitzen die Situation zu, denn danach kann eigentlich keine Seite mehr vernünftig argumentieren.
- Auch wenn es schwer fällt, bemühe dich, nicht zu persönlich zu werden. In einer Familie kennt man die Schwächen der anderen meistens sehr gut und kann sie in Streitigkeiten nutzen, um die anderen zu treffen. Das ist aber unfair und bringt dich in der Sache nicht weiter.

der/die/das?

1 Das ist eine Aussage, ____ man häufig von den Kindern hört.
2 „Ich habe eine Meinung, ____ meine Eltern nicht teilen."
3 Das ist der Junge, ____ mit seinen Eltern nicht reden kann.
4 Das ist ein Thema, ____ in diesem Haus sehr umstritten ist.
5 Das sind Konflikte, ____ in einer Familie stattfinden müssen.

den/die/das?

6 Ich habe einen kleinen Bruder, ____ meine Mutter in fünf Minuten abholen muss.
7 Es gibt wichtige Gespräche, ____ Zeit brauchen.
8 Es gibt oft andere Gründe, ____ einen Zeitpunkt ungünstig machen.
9 Ein Gesprächsversuch, ____ zwischen Tür und Angel passiert, bringt nichts.
10 Das war ein Gespräch, ____ ich vergessen wollte.

dem/der/dem/denen?

11 Ich habe Respekt für meinen Vater, ____ ich zuhören muss.
12 Ich beneide meine Schwester, ____ meine Eltern alles erlauben.
13 Das sind Eltern, mit ____ man nicht reden kann.
14 Ich habe es besser als mein Bruder, ____ meine Eltern ständig drohen.

dessen/deren?

15 Das ist mein Bruder, ____ Schwächen wir alle kennen.
16 Meine Mutter, ____ Argumente immer unlogisch sind, gewinnt jedes Mal.
17 Kinder, ____ Eltern unflexibel sind, können unfair behandelt werden.
18 Mein Vater, ____ Drohungen unnötig sind, könnte flexibler sein.

75 Relativsätze – Extension

1 Bilden Sie Relativsätze und vermeiden Sie das Wort, das zweimal benutzt worden ist! Achten Sie auf die Wortstellung!

a Man kann mit Eltern nicht reden. Eltern sind unflexibel.
b Mein Vater erlaubt mir nicht genug Freiheit. Mein Vater ist besonders streng.
c Meine Mutter vermeidet immer Konflikte. Meine Mutter meint es gut mit mir.
d Das ist ein umstrittenes Thema. Wir schneiden dieses Thema nie an.
e Mein Bruder will ausziehen. Meine Eltern nerven meinen Bruder.
f Mein Vater versteht mich nicht. Ich höre meinem Vater nie zu.
g Meine Schwester sollte die Schuld auf sich selbst nehmen. Meine Eltern drohen regelmäßig meiner Schwester.
h Mein Vater will selber eine harmonische Familie haben. Die Eltern meines Vaters waren geschieden.
i Meine Eltern sind wunderbar. Man kann alles mit meinen Eltern besprechen.
j Meine Schwester nimmt alles sehr persönlich. Wir alle kennen die Schwächen meiner Schwester.

2 Erfinden Sie jetzt Ihre eigenen Relativsätze:

a Ich habe eine Schwester, …
b Es gibt Eltern, …
c Es gibt unhöfliche Leute, …
d Drohungen, …

Lückentext

Lesen Sie den folgenden Zeitungsbericht. Ergänzen Sie anschließend den Lückentext mit den Wörtern im Kästchen.

„Hören Sie damit auf, da streiten Daniela und ich nur wieder", wehrt Holger Buck ab, während seine Freundin die Einkaufstüten in den Kofferraum lädt. Es ist Sonntag – und nicht der erste, den das Paar zum Shopping nutzt. Dennoch: „Das ist eine unglaubliche Minderung der Lebensqualität für die Verkäufer, wenn sie das Wochenende nicht mehr mit ihrer Familie verbringen können", sprudelt es aus Buck heraus. „Was nützt es, wenn sie unter der Woche freihaben, aber die Kinder in der Schule sind?" Seine Begleiterin runzelt bereits die Stirn. „Na und? Andere Leute müssen auch sonntags arbeiten", erwidert Daniela Gohr, die als angehende Ärztin im Krankenhaus tätig ist. „Man ist doch heute beruflich so angebunden, dass man es kaum noch schafft, wochentags einzukaufen."

Der Ladenschluss ist wieder ein Streitthema in Deutschland. Schon als im November 1996 bundesweit die erlaubte Öffnungszeit an Wochentagen auf 20 Uhr ausgedehnt wurde, erhitzten sich die Gemüter. Dabei waren das Peanuts im Vergleich zum verkaufsoffenen Sonntag. Neulich öffneten die Geschäfte in Leipzig, begleitet von lautem Medienrummel, erstmals am traditionellen Feiertag. In Schwerin ist die siebentägige Einkaufswoche sang- und klanglos schon seit langem eingeführt. Der Hintergrund: Das Ladenschlussgesetz erlaubt den Bundesländern, ihren Fremdenverkehrsorten längere Öffnungszeiten zu gestatten.

Gedacht war dabei vor allem an die Kur- und Badeorte, zum Beispiel an der Küste. Doch längst erklären einzelne Länder auch Großstädte wie Leipzig und Schwerin zur Touristenattraktion. In Sachsen durften bisher allerdings nur genau definierte Reiseartikel verkauft werden, etwa frisches Obst und Souvenirs. Jetzt wurde die Bestimmung auf alle Waren des täglichen Bedarfs ausgeweitet.

Dass auch der Sonntag zum ganz normalen Einkaufstag werden könnte, verursacht gemischte Gefühle. Die einen sehen darin mehr Freiheit für den Verbraucher, der seine (Einkaufs-)Zeit besser einteilen kann. Die anderen beklagen die Zumutung fürs Personal oder den Verfall der Lebensstrukturen. Oder sehen darin ein Indiz dafür, dass sich das Leben der Menschen heute nur noch ums Konsumieren drehe.

„Das ist doch Ausdruck einer gottlosen Zeit", empört sich der Schweriner Holger Buck, obwohl er den Sonntagnachmittag selbst im Shopping-Center verbracht hat. Da weiß er sich einig mit den Kirchen, die ebenso heftig wie die Gewerkschaften protestieren.

Es gibt einen (1) ______ zwischen Holger Buck und seiner Freundin, weil Holger der Meinung ist, dass der verkaufsoffene Sonntag die Lebensqualität der Verkäufer (2) ______. Seine Freundin dagegen findet, dass die (3) ______ keine Zeit zum (4) ______ erlaubt. Seit November 1996 dürfen die Geschäfte in der (5) ______ (6) ______ offen bleiben. In Leipzig haben die (7) ______ die (8) ______ Öffnung der Geschäfte an einem Feiertag hochgespielt. In Schwerin dürfen die Geschäfte wegen der Bezeichnung als (9) ______ die Öffnungszeiten (10) ______. Waren, die man für das (11) ______ Leben (12) ______, dürfen jetzt (13) ______ werden. Die Meinungen zum Sonntag als ganz normaler (14) ______ sind (15) ______. Einerseits hätte der (16) ______ die (17) ______, seine Einkaufszeiten besser zu bestimmen, andererseits (18) ______ sich die Gegner, dass das (19) ______ unser (20) ______ dominieren wird. Holger Buck sieht den verkaufsoffenen Sonntag als (21) ______ dafür, dass wir ohne (22) ______ leben. Er ist mit den Kirchen und den Gewerkschaften (23) ______.

beschweren Einkaufen Arbeit braucht Touristenstadt verkauft Leben Gott Beweis verlängern Verbraucher einverstanden Streit tägliche geteilt Freiheit länger Konsumieren Woche Einkaufstag vermindert Medien neuerliche

Lückentext – Extension

Füllen Sie die Lücken mit Wörtern aus dem Text aus:

Holger Buck und Daniela (1) ______ sich, weil sie verschiedene Meinungen zum verkaufsoffenen Sonntag haben. Holger findet, dass die (2) ______ im Nachteil sind, da sie dadurch eine niedrigere (3) ______ haben. Daniela dagegen glaubt, dass der (4) ______ keine Zeit für das Einkaufen übrig lässt und dass viele (5) ______ sonntags (6) ______ müssen. Die (7) ______ der (8) ______ Öffnungszeit an Wochentagen hat die Gemüter (9) ______. Die (10) ______ haben ein großes Interesse an der Öffnung der Geschäfte in Leipzig an einem (11) ______ gezeigt. Da Schwerin als (12) ______ angesehen ist, dürfen die Geschäfte länger aufbleiben. Früher durfte man nur (13) ______ verkaufen, die sehr präzis (14) ______ wurden. Heutzutage aber darf man alles kaufen, was man jeden Tag (15) ______. Wenn Sonntag ein (16) ______ wie alle anderen wird, wird der Verbraucher (17) ______ sein, seine Zeit einzuteilen. Dies könnte aber negative Auswirkungen für unsere (18) ______ haben. Das (19) ______ könnte in Zukunft eine Welt ohne (20) ______ dominieren.

77 Konditionalsätze, 1

1 Ergänzen Sie die folgenden Sätze mit den Wörtern im Kästchen:

a Christiane: „Meine Mutter ______ mir nicht ______ ______."
b Die Mutter: „Ich ______ mehr Zeit mit meiner Tochter ______ ______."
c Die Mutter ______ Christiane strenger ______ ______.
d Die Mutter ______ misstrauischer ______ ______.
e Die Mutter ______ mit Unterstützung ihres Freundes die Arbeit ______ ______.

sollen (x 4)	hätte (x 5)	sein
behandeln	verbringen	glauben
können	aufgeben	

2 Übersetzen Sie ins Deutsche:

a Christiane's mother should have treated her differently.
b Christiane could have trusted her mother more.
c The boyfriend could have helped more.
d Christiane should not have taken drugs.

Christiane F., eine Drogenabhängige, beschreibt das Verhalten ihrer Mutter. Danach erklärt die Mutter, warum sie Christiane so behandelt hat.

Meine Mutter mit ihrem Freund und ich, wir lebten ja mittlerweile auch in ganz verschiedenen Welten. Sie hatten nicht die geringste Ahnung von dem, was ich machte. Sie dachten wohl, ich sei ein ganz normales Kind, das eben in die Pubertät gekommen ist. [...] Meine Mutter tat mir höchstens noch leid. Wie sie total gestreßt von der Arbeit kam und sich auf den Haushalt stürzte. Aber ich dachte, die Alte hat ja selber Schuld, wenn sie so ein Spießerleben führt.

CHRISTIANES MUTTER

Ich habe mich oft gefragt, wieso ich nicht früher gemerkt habe, was mit Christiane los ist. [...] Ich wollte einfach nicht wahrhaben, daß meine Tochter rauschgiftsüchtig ist. Ich habe mir so lange wie möglich etwas vorgemacht.

Mein Freund, mit dem ich seit der Scheidung von meinem Mann zusammenlebe, hatte schon frühzeitig einen Verdacht. Ich habe dann immer nur gesagt: »Was du dir bloß einredest. Sie ist ja noch ein Kind.« Das ist wahrscheinlich der größte Fehler, sich einzubilden, die Kinder seien noch nicht soweit. [...]

Wenn man berufstätig ist, achtet man wahrscheinlich nicht sorgfältig genug auf seine Kinder. [...] Ich wollte Christiane zu nichts zwingen. Damit hatte ich am eigenen Leib die schlimmsten Erfahrungen gemacht. Mein Vater war überaus streng.

This extract follows pre-1998 spelling rules.

77 Konditionalsätze, 1 – Extension

1 Schreiben Sie Konditionalsätze mit den angegebenen Wörtern und „hätte".

a Mutter – bemerken, was mit Christiane los war – sollen.
b Obwohl – sie – die Arbeit aufgeben – sollen – die Bedürfnisse der Familie ignorieren
c Die Situation – anders sein – können – da – die Mutter mit Christiane strenger sein – können
d Die Mutter – sich um die Kinder kümmern – sollen – obwohl – sie die Arbeit nicht aufgeben – können
e Christiane – der Mutter die Wahrheit sagen – sollen – weil das – ihre Lage ändern – können

2 Übersetzen Sie ins Deutsche:

a Although Christiane's mother could have given up work she chose to continue to work.
b Christiane's mother was to blame because she should have spent more time with her family.
c Christiane should have talked with her mother because she could have helped her.
d Although Christiane's mother should not have been so stressed she was trying to earn money for the family.

3 Schreiben Sie nun 3 weitere Sätze, die die Situation von Christiane und ihrer Mutter beschreiben.

Synonyme

Lesen Sie den ersten Absatz dieses Texts und finden Sie Wörter oder Ausdrücke, die den folgenden entsprechen:

1 heißt
2 machbar machen
3 verringern
4 wegschmeißt
5 gibt Geld aus
6 Probezeit
7 Begriff
8 Ausmaß von Abfall
9 hat sich nicht geändert
10 Preise

Technik für die Tonne

Wie der denkende Müllbehälter rücksichtslose Entsorgung fördert

VON NADINE OBERHUBER

In mancher Mülltonne steckt mehr, als man denkt. Neben ein paar Kilo Abfall nämlich auch ein Gedächtnis. Mit einem Mikrochip am Tonnenrand merkt sich der moderne Behälter, wem er gehört, wie oft er geleert wird und wann. „Identifikationssystem" nennt sich die Technik, mit der in Zeiten der Wohlstands- und Wegwerfgesellschaft selbst die Mülltonne das Denken lernt. Dahinter steckt ein Umweltkonzept, das eine „verursachergerechte Gebührenabrechnung" ermöglichen und Müll reduzieren soll. So wünschen es sich die Kommunen: Wer viel wegwirft, zahlt auch viel und beginnt früher oder später zu sparen. Doch trotz mehrjähriger Testphase geht das neue Konzept der Abfallwirtschaft nicht auf. Die Müllmenge ist die gleiche geblieben – sie wird nur anders entsorgt, weshalb die Gebühren steigen.

Die Chips funktionieren. Mit einer Fehlerwahrscheinlichkeit von weniger als 0,01 Prozent sei die Erkennungssicherheit der Transponder enorm hoch, erläutert der Dresdner Professor für Abfallwirtschaft Bernd Bilitewski. Außerdem seien die Chips nicht zu manipulieren, dafür sorge die Dreifach-Sicherung: In ein Glasröhrchen verpackt, das von einer Plastikschicht ummantelt wird, sind die letztlich markstückgroßen Transponder unter der Schüttungskante in die Mülltonnen eingeschweißt. Im Verborgenen arbeiten die Datenträger wie Minifunkgeräte. Beim Lesevorgang am Müllwagen werden sie aufgeladen und geben dann über einen Kondensator Energie und Daten ab. Das klappt berührungslos und macht das Behältergedächtnis „absolut wartungsfrei".

Synonyme – Extension

Lesen Sie den Text oben und finden Sie Wörter oder Ausdrücke, die den folgenden entsprechen. In Klammern steht der zutreffende Absatz.

1 ohne zu denken (Einleitung)
2 Beseitigung von Müll (Einleitung)
3 nimmt zur Kenntnis (1)
4 fängt an (1)
5 Chance, dass etwas nicht stimmt (2)
6 bewusst ändern (2)
7 geheim (2)
8 Geräte, die die Statistik enthalten (2)
9 funktioniert (2)
10 ohne Kontakt (2)

79 Die vollendete Zukunft

Ergänzen Sie, was man bis zum Jahr 2070 gemacht haben wird/was passiert sein wird.

1 Man ________ (werden) ein Auto ________ (erfinden) haben, das mit Wasser fährt.
2 Wir ________ mehrere Umweltprobleme ________ (lösen) haben.
3 „Ich ________ mich selbst ________ (verwirklichen) haben."
4 Wissenschaftler ________ ein Heilverfahren gegen HIV ________ (finden) haben.
5 Viele Leute ________ ihren Urlaub auf dem Mond ________ (verbringen) haben.
6 „ ________ du deine Deutschkenntnisse ________ (vergessen) haben?"
7 Flugzeuge ________ in wenigen Stunden nach Australien ________ (fliegen) ________.
8 Man ________ Häuser ohne Fenster ________ (bauen) haben.
9 „Ich ________ um die Welt ________ (fahren) ________."
10 Die Medizin ________ unsere Lebenserwartung ________ (verlängern) haben.

79 Die vollendete Zukunft – Extension

Übersetzen Sie ins Deutsche:

1 We will have conquered space.
2 I will have earnt a lot of money.
3 Crime will have been reduced.
4 A government for Europe will have been created.
5 Although we will have abolished schools, we will have created 'Education by Internet'.
6 We will have invented new pills for our daily nutrition.
7 One will have built new artificial holiday resorts in town centres.
8 As we will have discovered new energy sources we will have reduced pollution.
9 Life in the home will have been fully automated.
10 We will have improved our quality of life.

Können Sie weitere Beispiele erfinden?

Konditionalsätze, 2

Wie könnte das Leben von Jochen und Thomas anders sein? Ergänzen Sie diese Sätze mit der richtigen Form des Verbs:

1 Das ist wahrscheinlich (Wiederholung: Präsens + werden):

a Wenn Jochens Mutter mehr Zeit mit ihm ______ (verbringen), ______(werden) Jochen sich nicht mehr allein fühlen.
b Wenn Jochen und der Freund der Mutter miteinander ______(sprechen), ______(werden) sie sich besser verstehen.
c „Wenn ich keinen Ärger von meinen Mitschülern ______(bekommen), ______(werden) ich bessere Chancen für die Zukunft haben."
d Wenn Jochens Eltern mehr Zeit ______(haben), ______sie Jochen wieder ein Zuhause ______ (geben).
e „Wenn du dich besser verhalten ______(können), ______wir dir mehr Respekt ______(zeigen)."

2 Das ist unwahrscheinlich (Konjunktiv II):

a Wenn Thomas' Zuhause ihn nicht ______(nerven), ______(werden) er zu Hause bleiben.
b „Wenn meine Mutter nicht so streng ______(sein), ______(werden) ich nicht auf der Straße sein."
c Wenn Thomas keine Probleme zu Hause ______ (haben), ______(werden) er nicht dealen.
d „Wenn meine Eltern mich ______(verstehen), ______(werden) sie mich nicht hier in der Nervenklinik lassen."
e Wenn Thomas keine Drogen ______(nehmen), ______(werden) er nicht entziehen müssen.

Jochen ist oft allein. Seine Mutter ist geschieden und muss für den Lebensunterhalt aufkommen. Ihren neuen Freund empfindet er als Konkurrenten ... Eines Tages passiert es: Jochen wird bei einem Kaufhausdiebstahl erwischt.

Zu Hause gibt es Zoff und in der Schule hänseln ihn seine Mitschüler. Jochen schlägt zu, so hart, dass er den anderen schwer verletzt – und kommt in ein Fürsorgeheim. Lange hält er es dort nicht aus, doch weder sein Vater noch seine wiederverheiratete Mutter können oder wollen ihm ein Zuhause geben.

Thomas hat keinen Bock mehr darauf, ein lieber Junge zu sein. Sein kleinkariertes, spießiges Zuhause nervt ihn und die kalte Strenge seiner Mutter treibt ihn auf die Straße. In einer Diskothek raucht er seinen ersten Joint. Es bleibt nicht bei dem einen. Als er in der Schule beim Dealen erwischt wird, verfrachten ihn die Eltern in eine Nervenklinik. Thomas haut ab, kommt an harte Drogen. Doch irgendwann hat er genug von dem Zeug und »geht auf Entzug« – freiwillig. Da wird er durch Erpressung erneut zum Dealen gezwungen ...

Konditionalsätze, 2 – Extension

1 Erzählen Sie jetzt von der Vergangenheit:

a Wenn Jochens Eltern sich nicht ______(scheiden) hätten, ______(haben) Jochen vielleicht nicht so viele Probleme gehabt.
b Wenn Jochens Mutter mehr Zeit mit ihm ______ (verbringen) ______(haben), hätte er sich selbstsicherer ______(fühlen).
c Wenn Jochen nicht ______(stehlen) ______ (haben), ______(haben) seine Eltern ihn nicht ins Fürsorgeheim ______(schicken).
d „Wenn wir ______(wissen) ______(haben), was ihm widerfahren würde, ______(haben) wir ihn besser ______(versorgen)."
e „Wenn ich besser mit meinen Eltern ______ (auskommen) ______(sein), ______(haben) ich keine Drogen ______(probieren)."
f Wenn man Thomas nicht ______(erwischen) ______(haben), ______(sein) er nicht in die Nervenklinik ______(gehen).
g Wenn Jochens Eltern ihm ein Zuhause ______ (geben) ______(haben), ______(haben) er eine bessere Zukunft ______(haben).
h Wenn Thomas' Eltern nicht so streng ______(sein) ______(sein), (haben) sie ihn nicht auf die Straße ______(treiben).

2 Übersetzen Sie ins Deutsche:

a If Thomas had not smoked a joint he would not have taken hard drugs.

b If Jochen had not seen his mother's new friend as a rival he would have got on with him.

81 Notizen schreiben

Lesen Sie diesen Text und schreiben Sie Notizen für einen Vortrag dazu. Die wichtigsten Punkte sind unterstrichen.

TABAK

Die Zahl der Nichtraucher ist in den letzten Jahren gewachsen und umfasst etwa die Hälfte der Jugendlichen, der Anteil der regelmäßigen Raucher ist jedoch mit etwa einem Drittel relativ hoch.

Raucher nehmen für sich selbst, im Gegensatz zu fast allen anderen Drogenkonsumenten, keine Verhaltensänderungen als Auswirkung des Rauchens wahr. Dennoch entsteht mit der Zeit eine sehr starke Abhängigkeit, die sich in Nervosität, Angst oder Aggressivität ausdrückt, wenn eine bestimmte Zeit nicht geraucht wurde. Die Gefahren werden von Rauchern eher verdrängt. Aus dem Rauchen resultierende Schäden (Magenschmerzen, Durchblutungsstörungen, Nervosität, Krebs, Herzerkrankungen) wirken sich erst nach verhältnismäßig langer Zeit aus. Sie bleiben für andere größtenteils unerkannt und wirken auf den Betroffenen nicht stigmatisierend.

Tabak ist ein bedeutender wirtschaftlicher Faktor. Ca. 25 Mrd. DM wurden im Jahr 1987 in der Bundesrepublik ausgegeben, ca. 14,5 Mrd. DM davon flossen als Tabaksteuer in die Bundeskasse. Die Ausgaben der Allgemeinheit für die gesundheitlichen Schäden, die das Rauchen verursacht, sind jedoch um ein Vielfaches höher.

Führen wir uns ein paar Tatsachen vor Augen:

- Es gibt keine wissenschaftlich begründeten Zweifel daran, dass Rauchen eine der wichtigsten Einzelursachen für vorzeitiges und gehäuftes Auftreten von Krankheit, Invalidität und Tod ist.
- Neun von zehn Lungenkrebstoten sind starke Raucher gewesen. Mehrere Zehntausende Todesfälle durch Krebs werden aus wissenschaftlicher Sicht dem Rauchen angelastet.
- Bis zu einem Viertel aller Herz-Kreislauf-Krankheiten und peripheren Durchblutungsstörungen (Raucherbein) werden durch Rauchen verursacht.
- Bei 20 Zigaretten täglich auf 20 Jahre gesehen nimmt ein Raucher 6 kg Rauchstaub auf (= 10 Briketts) und pro Jahr eine Tasse Teer.
- Zigaretten enthalten nicht nur Nikotin. Auch eine ganze Reihe weiterer gefährlicher Stoffe werden durch den Tabakkonsum gleich mit ausgesogen.
- Statistisch gesehen, neigen rauchende Mütter eher zu Früh- und Fehlgeburten.
- Rauchen fördert die Alterungsprozesse, besonders bei Frauen.
- Stark rauchende Frauen kommen früher in die Wechseljahre.
- Rauchen – in kleinen Räumen und besonders im Auto – erhöht die Konzentration von Kohlenmonoxyd im Blut. Zwangsläufige Folge: Der Fahrer ermüdet schneller, auch wenn er das Gefühl hat, sich durchs Rauchen besser konzentrieren zu können.

81 Notizen schreiben – Extension

Lesen Sie diesen Text und schreiben Sie Notizen für einen Vortrag dazu. Machen Sie Notizen zu den folgenden Punkten:

- Auflage
- Kennzeichen der Straßenverkaufszeitungen
- Auflage der *Bild-Zeitung*
- Die *Bild-Zeitung*: pro und contra

Die Straßenverkaufszeitungen

Die Gesamtauflage der westdeutschen Tageszeitungen hat sich in den letzten vier Jahrzehnten fast verdoppelt – von elf Millionen Exemplaren auf über 20 Millionen. Besonders auffällig sind die Zuwächse der Straßenverkaufsblätter. Machten sie 1950 nicht einmal drei Prozent der gesamten Tageszeitungsauflage aus, so stellen sie heute über ein Viertel. Kennzeichend ist für diesen Typ, der – wie der Name schon sagt – überwiegend an Kiosken auf der Straße abgesetzt wird, dass er täglich durch eine auffällige Aufmachung die Aufmerksamkeit des Publikums auf sich lenken muss. Ungewöhnlich große Überschriften, die als sensationell empfunden werden, großformatige Fotos, Sex- und Horror-Geschichten, Prominenten-, Klatsch und Skandal-Storys – das sind die Mittel, mit denen jene Blätter arbeiten, die eben nicht überwiegend im Abonnement bezogen werden.

Titel	Verkaufte Auflage (2. Quartal 1990)
Bild, Hamburg	4 400 000
Express, Köln	313 000
BZ, Berlin	279 000
Abendzeitung, München	259 000
TZ, München	175 000
Hamburger Morgenpost	163 000

Quelle: IVW-Auflagenlisten.

Schon wegen ihrer Auflage, die in der früheren DDR auf 1,3 Millionen stieg und damit in Deutschland die Rekordhöhe von 5,7 Millionen erreichte, nimmt die „Bild-Zeitung" eine Sonderstellung ein. Die regelmäßigen Leser des Blattes verteilen sich auf die verschiedenen Berufsgruppen wie Unternehmer, Angestellte, Beamte und Arbeiter anteilsmäßig fast so, wie sie in der Gesamtbevölkerung repräsentiert sind. Das gilt auch für Alter und Einkommen. Die Leserschaft des im Axel Springer Verlag erscheinenden Blattes deckt sich nur bei einem wichtigen demographischen Merkmal nicht mit der Gesamtbevölkerung – beim Schulabschluss. Personen mit höherer Schulausbildung erreicht die Zeitung unterdurchschnittlich.

Die Meinungen über die „Bild-Zeitung" sind geteilt. Ihre Anhänger loben:

- Die Zeitung berichtet kurz und bündig über vieles, was passiert.
- Sie verwendet eine leichtverständliche Sprache.
- Sie spricht aus, was das Volk denkt.
- Sie kommt dem Unterhaltungsbedürfnis entgegen.
- Sie berichtet ausführlicher als viele andere Blätter über sportliche Ereignisse.

Die Kritiker des Blattes betonen:

- Die Welt und ihre Probleme sind komplizierter, als sie die „Bild-Zeitung" darstellt.
- Die Vereinfachung vieler Sachverhalte geht bis zur Verfälschung des Nachrichtenkerns.
- Viele Themen werden aufgebauscht, andere wichtige ausgelassen.
- Keine andere Zeitung, auch nicht die Illustrierte „stern", ist so häufig wegen Verstößen gegen die „Publizistischen Grundsätze" gerügt worden wie „Bild".
- Die Methoden der Nachrichtenbeschaffung sind zuweilen außerhalb der Legalität. (1979 brachen „Bild"-Reporter beispielsweise in die Wohnung eines Frankfurter Schülers ein, um Privatfotos zu stehlen.)

Aufsatzgliederung

Wählen Sie ein Thema aus und schreiben Sie mit Hilfe der Gliederung einen Aufsatz (300–350 Wörter).

Thema 1: **„Das Fernsehen – Fluch oder Segen?"**

Einleitung: Fernsehen übt einen großen Einfluss aus – allgegenwärtig. Verantwortung der Mediengremien wichtig

Teil 1: Fluch
- Absatz 1: Zeitverschwendung; zerstört das Familienleben und die Phantasie
- Absatz 2: Gewalt im Fernsehen; Beispiele; Kinder sind der Gewalt ausgesetzt

Teil 2: Segen
- Absatz 3: Wichtige Informationsquelle; gibt Denkanstöße
- Absatz 4: Trägt zur Unterhaltung und zur Entspannung bei. Flucht vor der Realität nötig

Abschluss: Den Mittelweg finden. Eltern tragen die Verantwortung für die Fernsehgewohnheiten ihrer Kinder

Nützliche Vokabeln
- den Blickwinkel erweitern
- den Fernseher laufen lassen
- der Gewalt ausgesetzt sein
- einen großen Einfluss ausüben
- etwas mit Maß und Ziel machen
- Flucht vor dem grauen Alltag

Thema 2: **„Die Todesstrafe ist die einzige Lösung für das Übel unserer Gesellschaft."**

Einleitung: Eine Lösung für das Problem des Verbrechens in der Gesellschaft; andere Möglichkeit: Freiheitsstrafe

Teil 1: Pro
- Absatz 1: Abschreckungsmittel; sollte für gewisse Verbrechen eingeführt werden
- Absatz 2: Gerechtigkeit für die Opfer / ihre Familien; „Auge um Auge, Zahn um Zahn"

Teil 2: Contra
- Absatz 3: Ermutigt zu anderen Gewalttaten; nicht respektabel für eine moderne Gesellschaft; möglich, rehabilitiert zu werden
- Absatz 4: Keinen Beweis, dass sie als Abschreckungsmittel wirkt; Problem eines falschen Urteils

Nützliche Vokabeln
- als Abschreckungsmittel für etwas dienen
- an jdm. für etwas Vergeltung üben
- aus seinen Fehlern lernen
- des Mordes falsch angeklagt sein
- ein schlechtes Beispiel geben
- eine Zunahme der Gewalttätigkeit

Thema 3: **Sie begegnen einem jungen Arbeitslosen in Deutschland. Sie kommen mit ihm ins Gespräch. Schreiben Sie einen Dialog, in dem der Junge Ihnen über sein Leben und seine Hoffnungen für die Zukunft erzählt.**

- Absatz 1: Hintergrund: Kein Erfolg in der Schule; Streit mit der Familie; obdachlos geworden
- Absatz 2: Warum er keine Arbeit findet: keine Qualifikationen/Adresse; keiner gibt ihm eine Chance
- Absatz 3: Reaktionen anderer Leute; warum die Gesellschaft ungerecht ist
- Absatz 4: Zukunft: hofft, dass sein Bruder ihm eine Chance gibt

Nützliche Vokabeln
- am Rande der Gesellschaft stehen
- der ständige Konkurrenzkampf
- eine Bewerbung ablehnen
- in Vorurteilen befangen sein
- mit Verachtung behandelt werden
- wegen einer Auseinandersetzung mit meiner Familie

Aufsatzgliederung – Extension

Schreiben Sie jeweils eine Aufsatzgliederung und einen Aufsatz (300–350 Wörter).

- Glauben Sie, dass die Familie eine wichtige Rolle in unserer Gesellschaft spielt?
- Eine Regierung für Europa- Alptraum oder Utopie?
- „Das größte Verbrechen aller Zeiten." Erzählen Sie, wie es dazu kam und welche Konsequenzen es hatte.

83 Debatte: die Ehe

Eva ist 19 und will schon dieses Jahr heiraten. Ihr Freund Norbert ist 26 und sie kennen sich seit acht Monaten. Eines Abends bespricht die Familie die Situation und jede(r) äußert eine andere Meinung.

SCHRITT 1 Jede(r) Teilnehmer(in) stellt sich vor. Sie sagen, ob Sie für oder gegen diese Ehe sind und warum.

SCHRITT 2 Jede Person muss erklären, mit wem er/sie mehr oder weniger einverstanden ist und mit wem er/sie nicht einverstanden ist, und auch Gründe geben.

SCHRITT 3 Offene Debatte. Versuchen Sie am Ende der Debatte, einen Kompromiss zu schließen.

Eva

Sie sind fest davon überzeugt, dass Norbert für Sie richtig ist. Obwohl Sie sich erst seit kurzer Zeit kennen, war es Liebe auf den ersten Blick. Seitdem haben Sie sich kaum gestritten und er hat eine gute Stelle. Sie sind nicht besonders ehrgeizig, aber wollen so bald wie möglich eine Familie gründen.

Der Vater

Sie sind gegen die Ehe, weil Sie Norbert zu alt für Eva finden. Sie vertreten die Ansicht, dass er viel mehr Erfahrung hat als sie, während sie noch jung ist und viel über sich selbst zu lernen hat. Sie kennen andere Leute, die jung geheiratet haben und dies sehr bereuen. Sie haben nichts gegen die Ehe selbst, vorausgesetzt, dass Eva einen neuen Freund findet.

Die Oma

Sie unterstützen Eva. Sie haben selbst mit 18 Jahren geheiratet und sind sehr glücklich gewesen. Sie finden es eher von Vorteil, dass Norbert älter ist als Eva, da er viel Erfahrung in das Verhältnis einbringt. Sie meint, dass er Eva schützen und leiten wird.

Die Mutter

Sie sind der Meinung, dass alles zu schnell gegangen ist. Für Sie ist es kein Thema, dass Norbert älter ist als Eva. Sie machen sich jedoch Sorgen darum, dass sie sich nur seit kurzem kennen. Sie glauben, dass Eva und Norbert abwarten sollten und sich erst nach ein paar Jahren für oder gegen die Ehe entscheiden. Eva könnte sich bis dahin ändern.

Der Bruder

Für Sie ist die Ehe auf jeden Fall altmodisch. Sie finden es unmöglich, dass zwei Leute vertraglich gebunden sein sollten. Sie sind dafür, dass Eva und Norbert zusammen leben, aber verstehen nicht, warum sie heiraten wollen. Für Sie ist die Ehe unter allen Umständen zu vermeiden.

83 Debatte: die Ehe – Extension

Jede(r) Teilnehmer(in) muss im Laufe der Debatte einen der folgenden Ausdrücke einfließen lassen:

- Das kann man nicht so pauschal sagen.
- Ich bin nicht davon überzeugt.
- Es erhebt sich die Frage, ob ...
- Wir sollten nicht ausschließen, dass ...
- Das ist aber nicht der Fall, da ...

Darüber hinaus sollte jede(r) Teilnehmer(in) versuchen, folgende Vokabeln/Strukturen zu verwenden:

- Da es Liebe auf den ersten Blick war, ...
- Man muss seiner Tochter vertrauen können.
- Jeder sollte sein eigenes Leben bestimmen.
- Ich finde den Altersunterschied (nicht) sehr bedeutend.
- Wenn du wirklich glücklich sein möchtest, solltest du ...
- Obwohl ihr euch seit kurzem kennt, könnt ihr ...
- Die Ehe ist die falsche/richtige Wahl, weil ...

1 Manipulation

Gedenkstätte Berliner Mauer

„Das war alles ganz normal ..."

Berlin, Bernauer Straße. Trauriger Schauplatz deutscher Geschichte. Hier springt am 15. August 1961 der DDR-Soldat Conrad Schumann über neuerrichtete Stacheldrahtrollen in den Westteil der Stadt. Seit ein paar Wochen erinnert hier eine Mauer-Gedenkstätte an die Teilung der Stadt. Amos Veith hat einige der Besucher nach ihren Eindrücken gefragt.

„Ich find's in Ordnung, dass man den Innenstreifen der Mauer durch zwei Stahlwände abgetrennt hat. So kann man zwar nicht auf dem Todesstreifen herumlaufen, aber das konnte man früher auch nicht." Der 27-jährige Jörg ist Wessi und erinnert sich daran, wie er früher an der Mauer entlang gelaufen ist: „Für mich ist das Erinnerung an ein Stück Absurdität. Es ist auf keinen Fall langweilig hier, ich finde es gut, dass ein Stück Mauer erhalten geblieben ist."

Sein Freund André ist in der DDR aufgewachsen. Er hat die Mauer vor der Wende nie gesehen. André ist zur Zeit Koch-Azubi in (West-) Berlin: „Für mich ist das ein bisschen zu blank, zu harmlos, weil sie das alles abgeschliffen und verputzt haben. Auf mich hat dieses Stück Mauer keine Wirkung. Es fehlt die gespannte Atmosphäre, die früher die Grenzsoldaten und die Hunde vermittelt haben. Es hätte für mich mehr Wirkung, wenn man noch sehen könnte, wie es früher aussah. Man müsste fehlende Teile rekonstruieren.
Ich hätte außerdem statt der Stahlwand einen Drahtzaun zu den Seiten hin gemacht, um einen besseren Blick auf den Todesstreifen zu ermöglichen.
So fehlt die Dramatik, die früher von der Mauer ausging."

Jörg sieht das anders: „Das war für uns nicht dramatisch. Wir stehen jetzt auf der Westseite. Genauso sah das aus. Einige Stellen waren bemalt, andere nicht. Einige Leute haben ihre Hunde hier ausgeführt und an der Mauer pinkeln lassen. Das war ganz normal und banal."

„Eigentlich wollten wir Reststücke der Mauer sehen, aber jetzt ist gar nicht mehr so viel da, wie wir erwartet haben." Caroline (15) aus der Nähe von Heidelberg ist mit ihrer kanadischen Brieffreundin zu Besuch in Berlin. Sie ist ein wenig irritiert von dem, was an der Bernauer Straße von der Mauer übrig geblieben ist: „Mir kommt das alles ein bisschen unecht vor."

Lesen Sie den Text und formulieren Sie die folgenden Sätze aus dem Text um. Fangen Sie jeweils mit den angegebenen Wörtern an.

1 *Hier springt am 15. August 1961 der DDR-Soldat Conrad Schumann über neuerrichtete Stacheldrahtrollen in den Westteil der Stadt.*
Der DDR-Soldat springt über Stacheldrahtrollen, die neu ...
(Use the imperfect passive.)

2 *Seit ein paar Wochen erinnert hier eine Mauer-Gedenkstätte an die Teilung der Stadt.*
Seit ein paar Wochen dient hier eine Mauer-Gedenkstätte als ...
(Use a noun from 'sich erinnern'.)

3 *Amos Veith hat einige der Besucher nach ihren Eindrücken gefragt.*
Einige der Besucher ...
(Use the imperfect passive and 'befragen'.)

4 *„So kann man zwar nicht auf dem Todesstreifen herumlaufen, aber das konnte man früher auch nicht."*
Jörg hat gesagt, dass man nicht auf dem Todesstreifen ...
(Indirect speech: use present subjunctive and perfect subjunctive of 'können'.)

4 Manipulation – Extension

Lesen Sie den Text und formulieren Sie die folgenden Sätze aus dem Text um. Fangen Sie jeweils mit den angegebenen Wörtern an.

1 *Es fehlt die Atmosphäre, die früher die Grenzsoldaten und die Hunde vermittelt haben.*
Die Atmosphäre ...

2 *„Es hätte für mich mehr Wirkung, wenn man noch sehen könnte, wie es früher aussah."*
Die Möglichkeit, ...

3 *Man müsste fehlende Teile rekonstruieren.*
Er glaubt, dass Teile, die ...

4 *Ich hätte außerdem statt der Stahlwand einen Drahtzaun zu den Seiten hin gemacht, um einen besseren Blick auf den Todesstreifen zu ermöglichen.*
André hätte statt der Stahlwand einen Drahtzaun zu den Seiten hin gemacht, weil ...

5 *„So fehlt die Dramatik, die früher von der Mauer ausging."*
In früheren Zeiten ...

85 Sentence matching

GEZIELTE SCHNITTE FÖRDERN DAS WACHSTUM.

Nach 50 Jahren Bundesrepublik steht Deutschland am Wendepunkt. Der Kassensturz hat es an den Tag gebracht: Die Finanzlage des Staates ist katastrophal. 1982 hatte der Bund 350 Milliarden Mark Schulden. Jetzt sind es 1,5 Billionen Mark. Jede vierte Mark geben wir für Zinsen aus. Das kann so nicht weitergehen. Wenn wir jetzt nicht das Steuer herumreißen, setzen wir unsere Zukunft aufs Spiel. Einschneidende Maßnahmen sind unvermeidlich. Wir müssen sparen, um unser Land zu modernisieren.

Jetzt startet die neue Bundesregierung ein Zukunftsprogramm für Wachstum und soziale Stabilität. Dieses Programm bewirkt den größten Reform- und Modernisierungsschub, den eine Bundesregierung je veranlasst hat.

Sparen: Als erste Maßnahme hat die Regierung 30 Milliarden Mark eingespart, und zwar gezielt und sozial gerecht in allen Politikfeldern.

Sichern: Die Altersversorgung stellen wir auf eine solide Grundlage: für die Renten jetzt und in Zukunft. Alle müssen dazu beitragen. Eine soziale Grundsicherung wird Armut im Alter und bei Erwerbsunfähigkeit vermeiden.

Das Programm „100.000 Jobs für Junge“ wird fortgesetzt. Für Forschung und Wissenschaft gibt es jährlich eine Milliarde Mark mehr.

Unser Gesundheitssystem ist eines der besten der Welt, aber es muss bezahlbar sein. Die Gesundheitsreform wird Kosten und Beiträge stabil halten.

Das ist vernünftige Politik nach dem Prinzip: nicht mehr ausgeben, als wir uns leisten können. Schnitte erfolgen gezielt und mit Augenmaß. Das geht nicht ohne Schmerzen. Doch die Zukunft muss uns das wert sein. Wir dürfen unsere Kinder nicht durch ausufernde Staatsverschuldung belasten. Wachstum braucht Gestaltung.

Für eine sichere Zukunft müssen wir Deutschland erneuern. Dazu gibt es keine Alternative.

Weitere Informationen finden Sie im Internet unter www.bundesregierung.de.

Lesen Sie den Text und setzen Sie den richtigen Satzanfang mit der entsprechenden Satzendung zusammen. Es gibt mehr Endungen als Anfänge!

1 Die Finanzen der BRD ...
2 Jede vierte Mark wird benutzt, um ...
3 Es gibt keine andere Wahl, als ...
4 Wenn wir ein modernes Land haben möchten, ...
5 Mit diesem Programm will die Regierung ...
6 Man hat genau und sachlich entschieden, wo ...
7 Jede(r) ist verpflichtet, ...
8 Obwohl das Gesundheitssystem zu den besten zählt, ...
9 Man kann Geld nur ausgeben, wenn ...
10 Obwohl es weh tun wird, ...

a die 30 Milliarden Mark eingespart werden müssen.
b wichtige Maßnahmen zu ergreifen.
c genug davon zur Verfügung steht.
d sind in schlechtem Zustand.
e den Staat zu modernisieren.
f lohnt es sich für die Zukunft unserer Kinder.
g gibt es einen wichtigen Grund für sie.
h die Schulden zu finanzieren.
i muss es rentabel sein.
j einen Beitrag zu der Altersversorgung zu leisten.
k sind Ersparnisse nötig.
l die größte Reform in Gang bringen.

85 Sentence matching – Extension

Lesen Sie den Text und setzen Sie den richtigen Satzanfang mit der entsprechenden Satzendung zusammen. Es gibt mehr Endungen als Anfänge!

1 Es muss viele finanzpolitische Änderungen geben, ...
2 Wir müssen Einsparungen machen, ...
3 Die Regierung hat schon ihre Pläne ...
4 Wenn man nicht in der Lage ist zu arbeiten, ...
5 Zusätzliche öffentliche Mittel werden ...

a wird man noch für den Lebensunterhalt sorgen können.
b sonst sind die Aussichten schlecht.
c gibt es keine andere Wahl.
d für Recherchen zur Verfügung gestellt.
e wenn wir einen zeitgemäßen Staat wollen.
f für die kommenden Jahre in Gang gebracht.

Ihre Arbeit verbessern

1 Lesen Sie diesen Text und korrigieren Sie die unterstrichenen Fehler.

Deutschland gilt vielen als der Land des Dichter und Denker. Weniger bekennen ist, das es in 19. und zu Beginn des 20. Jahrhundert auch viel berühmt Naturwissenschaftler hervorgebringt haben.

Fast jede wurde schon mit „Röntgenstrahlen" durchleuchtet – ihr Entdecker waren Wilhelm Röntgen, dass dafür in 1901 mit der ersten Nobelpreis für Physik geauszeichnen war. Ohne Massenmedien wie Rundfunk und Fernsehen ware die modern Kommunikationsgesellschaft undenklich. Die technische Grundlagen dafür legen deutschen Wissenschaftler wie Heinrich Hertz und Karl Ferdinand Braun.

2 Suchen Sie Ausdrücke (1–10), die diese einfachen Ausdrücke (a–j) ersetzen könnten:

a Es ist wahr, dass …
b Ich denke, dass …
c Ein Beispiel ist …
d Dieses Problem kann man untersuchen.
e Es ist nicht wichtig, dass …
f Es gibt … und auch …
g Heute ist dieses Thema sehr wichtig und …
h Man sagt oft, dass …
i Es kann nicht wahr sein, dass …
j Wir müssen etwas machen und …

1 Einerseits gibt es … , aber andererseits gibt es …
2 Neue Maßnahmen müssen ergriffen werden, damit …
3 Es ist nicht zu leugnen, dass …
4 Wenn wir diese Problematik näher anschauen …
5 Da diese Frage so aktuell ist …
6 Es spielt keine bedeutende Rolle, dass …
7 Es wird häufig behauptet, dass …
8 Um ein Beispiel zu nennen …
9 Es ist kaum zu glauben, dass …
10 Ich vertrete die Ansicht, dass …

Ihre Arbeit verbessern – Extension

1 Lesen Sie diesen Text und korrigieren Sie die Fehler.

Wer nicht auf eigene Faust seinen Ferien ins Ausland möchte verbringen, es einmal mit eine internationalen Jugendbegegnung sollte versuchen. Hier bieten sich die Moglichkeit, in eine Gruppe Jugendlichen aus andere Länder kennen lernen, mit sie diskutieren und Freizeit verbringen. Oft fallt dies in der gruppe mehr leicht. In den letzte Jahre hat besonders die Kontakte zu den mittel- und osteuropäischen staaten an bedeutung gewinnt. So hat die Bundesregierung und die polnische Regierung beispielweise das Deutsch–Polnische Jugendwerk gegründen, dass für der deutsch–polnischen Jugendaustausch zustandig sind.

2 Finden Sie interessante Synonyme für die folgenden Wörter:

- schlecht
- sagen
- schön
- sein
- wichtig
- groß
- denken
- geben

87 Debatte: Nebenjobs

Ein Gesetz wird vorgeschlagen, das Schülern und Schülerinnen verbieten würde, einen Nebenjob anzunehmen. Sie nehmen in Ihrem Dorf / Ihrer Stadt an einer Debatte teil.

SCHRITT 1 Jede(r) Teilnehmer(in) stellt sich vor. Sie sagen, ob Sie für oder gegen das Gesetz sind, und warum.

SCHRITT 2 Jede Person muss erklären, mit wem er/sie mehr oder weniger einverstanden ist und mit wem er/sie nicht einverstanden ist, und auch Gründe geben.

SCHRITT 3 Offene Debatte. Versuchen Sie am Ende der Debatte, einen Kompromiss zu schließen.

Lehrer(in)

Sie sind für das Gesetz:
- Ein Nebenjob stört die Schularbeit und ist für den Schüler / die Schülerin erschöpfend.
- Die Eltern haben die Verantwortung, ihren Kindern Geld zu geben.
- Junge Leute sollten mehr Zeit mit ihrer Familie verbringen.

Inhaber(in) eines Geschäfts, das Computerspiele verkauft

Sie sind gegen das Gesetz:
- Junge Leute haben das Recht, ihr eigenes Geld zu verdienen.
- Wenn junge Leute nicht genug Geld haben, um Spiele zu kaufen, werden Sie Bankrott machen.
- Heutzutage sind die Jugendlichen flexibler.

Student(in)

Sie sind für das Gesetz:
- Junge Leute sollten nicht ausgebeutet werden.
- Der Staat hat die Pflicht, jungen Leuten zu helfen.
- Die Ausbildung sollte Vorrang haben.

Angestellte(r) in einem Jugendzentrum

Sie sind gegen das Gesetz:
- Junge Leute sollten genug Geld haben, den Eintritt zum Zentrum bezahlen zu können.
- Man muss verstehen, dass man Nutzen aus der Arbeit ziehen kann.

Inhaber(in) eines Cafés

Sie sind gegen das Gesetz:
- Junge Leute sind als Bedienung im Café unentbehrlich.
- Ohne junge Leute müsste man die Preise erhöhen.
- Junge Leute dürfen jetzt schon nur wenige Stunden in der Woche arbeiten.

Student(in)

Sie sind gegen das Gesetz:
- Junge Leute haben das Recht, selbstständig zu sein.
- Ohne Geld werden junge Leute straffällig.
- Auseinandersetzungen über Geld können das Familienleben zerstören.

Abgeordnete(r)

Sie sind für das Gesetz:
- Das Schulsystem wird von der Regierung bezahlt und junge Leute sollten in der Schule lernen.
- Arbeitslose brauchen die Jobs mehr als Schüler und Schülerinnen.
- Ohne eine richtige Ausbildung sind die jungen Leute nicht fähig, gute Arbeit zu leisten.

Vater/Mutter

Sie sind gegen das Gesetz:
- Sie haben nicht genug Geld, Ihren Sohn finanziell zu unterstützen.
- Junge Leute sollten allein zurechtkommen.
- Die Arbeit tut gut.

Polizist(in)

Sie sind gegen das Gesetz:
- Ohne Geld und Arbeit bereiten junge Leute Ärger für die Gemeinde.
- Die Arbeit bringt den Jugendlichen Verantwortung bei.
- Arbeitserfahrung kann auch für die Schule nützlich sein.

Gewerkschaftler(in)

Sie sind für das Gesetz:
- Junge Leute werden von den Arbeitgebern ausgebeutet.
- Nebenjobs sind für junge Leute zu anstrengend.
- Junge Leute nehmen Arbeitsplätze ein, die andere brauchen.

87 Debatte: Nebenjobs – Extension

Jede(r) Teilnehmer(in) muss im Laufe der Debatte einen der folgenden Ausdrücke einfließen lassen:

- Man muss in Betracht ziehen, dass …
- Es gibt keinen Zweifel, dass …
- Es kommt darauf an, ob …
- Wie können Sie behaupten, dass … ?
- Ich bin völlig mit … einverstanden, da …

Darüber hinaus sollte jede(r) Teilnehmer(in) versuchen, folgende Ausdrücke zu verwenden:

- Da die Arbeit für junge Leute einen hohen Stellenwert hat …
- Man sollte Jugendlichen helfen, ihr eigenes Leben zu führ
- Wenn unsere Kinder Opfer der Konsumgesellschaft werd …
- Ich finde es unmöglich, dass Eltern ihre Kinder nicht selb versorgen.
- Obwohl die Ausbildung eine wichtige Rolle spielt, ist die Lebenserfahrung auch unentbehrlich.
- Die Arbeit ist wünschenswert, weil …
- Wir sollten unsere jungen Leute dazu ermutigen, … zu …

Wo/Da + Präposition

Ergänzen Sie die folgenden Sätze mit Wörtern aus dem Kästchen.

1 Ich kann mich nicht ________ erinnern, was passiert ist.
2 Wir hätten uns mehr ________ kümmern sollen.
3 Obwohl eine Steigerung des Benzinpreises zum Schutz der Umwelt beitragen würde, sind die meisten Leute ________ .
4 Ich freue mich ________, dass wir in Zukunft Armut reduzieren.
5 Er wollte nichts ________ zu tun haben.
6 ________ liegt das Problem?
7 Wir sollten stolz ________ sein, dass wir in einer Demokratie leben.
8 Ich habe Angst ________ , dass wir von der Technologie zu abhängig werden.
9 Ich weiß nicht, ________ sie sich interessiert.
10 Die dritte Welt leidet ________ , dass die Schulden nicht gestrichen worden sind.
11 Wir sind alle ________ verantwortlich, dass es Ungleichheit in der Welt gibt.
12 Was halten Sie ________ , dass wir das Rauchen in öffentlichen Gebäuden verbieten? Es hängt ________ ab.
13 Alle haben ein Recht ________ , wählen gehen zu dürfen.
14 Ich bin zweimal ________ gefahren.
15 Es folgt ________ , dass wir mehr Geld in das Ausbildungswesen investieren müssen.

davor daraus damit daran worin darauf darunter dagegen darum wofür dafür davon darauf davon dahin darauf

Wo/Da + Präposition – Extension

Ergänzen Sie diese Sätze.

1 Wie können wir unsere Umwelt schützen?
Wir müssen … sorgen, dass …
Alle können … beitragen, dass …

2 Ist Abtreibung immer berechtigt?
Es kommt … an, ob …
Ich bin … überzeugt, dass …

3 Wie kann man Gewalt in der Gesellschaft reduzieren?
Die Medien sind … verantwortlich, dass …
Die Schulen müssen … warnen, was …

4 Welche Gefahren gibt es, wenn wir weiche Drogen legalisieren?
Das könnte … führen, dass …
Man muss … rechnen, dass …

5 Welche Zukunftspläne haben Sie?
Ich interessiere mich … , …
Ich habe mich … entschlossen, …

89 Verben mit dem Akkusativ/Dativ

Ergänzen Sie die folgenden Sätze mit dem richtigen Wort aus dem Kästchen unten.

1 Ich möchte mich bei ________ für ________ Brief bedanken. (Dat., Akk.)
2 Die Schule bereitet mich auf ________ Leben vor. (Akk.)
3 Das Fernsehen hilft uns, ________ grauen Alltag zu entfliehen. (Dat.)
4 Karitative Organisationen zählen auf ________ Großzügigkeit. (Akk.)
5 Es erhebt sich die Frage, ob wir ________ Experten tatsächlich glauben können. (Dat.)
6 Möchten Sie an ________ Umfrage teilnehmen? (Dat.)
7 Eltern müssen sich um ________ Kinder kümmern.
8 Er konnte ________ Mutter nicht verzeihen.
9 Ich erinnere mich an ________ Kindheit mit Freude.
10 Alles deutet auf ________ bessere Zukunft für unsere Kinder hin.
11 Seine Ideen entsprechen ________ Realität nicht.
12 Es war reiner Zufall, dass ich ________ an diesem Tag begegnete.
13 Er konnte immer über ________ Fehler lachen.
14 Meine Freunde vertrauen ________ .
15 Man kann sich immer auf ________ verlassen.

seiner den das Ihnen der seine Ihren dich ihr dem mir unsere meine ihre eine dieser

89 Verben mit dem Akkusativ/Dativ – Extension

Übersetzen Sie ins Deutsche:

1 You promised me a room with a view. (versprechen)
2 I would like to complain about my holiday. (sich beschweren über)
3 Society must care for the elderly and the disadvantaged. (sorgen für)
4 Violence on television threatens our society. (gefährden)
5 He was ashamed of his life. (sich schämen für)

Komplizierte Satzbildung

Schreiben Sie jeweils **einen** Satz.

1 Leute glauben, dass + Obdachlose sind verachtenswert + Obdachlose, die betteln
Leute glauben, dass Obdachlose, die ...

2 Obwohl + unsere Umwelt ist bedroht + Firmen, die die Luft verschmutzen + werden nicht bestraft

3 Da Frauen, die + wollen eine Karriere haben + werden immer noch diskriminiert + wir müssen die Emanzipationsbewegung fördern.

4 Wenn ein Mann + darf sein Kind nicht sehen + da + die Mutter verbietet es + er fühlt sich frustriert.

5 Ein Bericht, der gerade + ist veröffentlicht worden + bestätigt, dass + der LKW-Verkehr wird sich bis zum Jahr 2010 verdoppeln.

6 Obwohl Leute, die + haben wichtige Stellen + verdienen gut + sie leiden oft unter Stress.

7 Ich glaube, dass auch junge Mädchen, die + werden schwanger + weil + sie haben kein Verhütungsmittel benutzt + haben ein Recht auf einen Schwangerschaftsabbruch.

8 Wenn wir davon ausgehen, dass + alle werden nach Gottes Bildnis geschaffen + wir müssen zugeben, dass + alle sollten gleich behandelt werden.

9 Wenn wir in Zukunft das Internet benutzen + um ... zu + tägliche Aufgaben zu erledigen + wir werden weniger Kontakt miteinander haben.

10 Politiker, die + wollen neu gewählt werden + müssen zeigen, dass + sie haben die Probleme ihrer Wähler zu Herzen genommen.

Komplizierte Satzbildung – Extension

Übersetzen Sie ins Deutsche:

1 If young people who cannot find a job receive the support of their families, they will feel much more confident.

2 Although young men who are members of right-wing groups appear confident, they are often lacking in self-esteem.

3 If we are able to spend holidays in space because new technologies have made it affordable, we must ensure that we do not destroy it.

Nützliche Vokabeln
die Unterstützung
rechtsradikale Gruppen
es fehlt ihnen
die Selbstachtung
bezahlbar

Worksheet notes

Transition worksheets

1 Dictionary skills, 1

Practice of basic dictionary skills to start the year. This worksheet should be completed as an individual task, either in class or as homework.

2 Dictionary skills, 1

Practice of basic dictionary skills, in addition or as an alternative to Worksheet 1. Make sure that scissors are available for cutting out the 'cards'. This worksheet should be completed as a group or pair activity.

3 Verbenrätsel: Präsens

Present-tense endings: regular and irregular verbs, *sein*

Students should be encouraged to use a dictionary in order to find out which verbs are irregular. These are quite a few verbs the students have to work on. In class students could be divided into two groups, one of them working on the 'Waagerecht' clues, the other one on the 'Senkrecht' clues.

Alternative in-class activity: Divide class into two groups. Each group has to think of ten different English verb forms and their German counterparts. The two groups quiz each other. A maximum amount of time to answer should be set. The group that gets more verbs right wins.

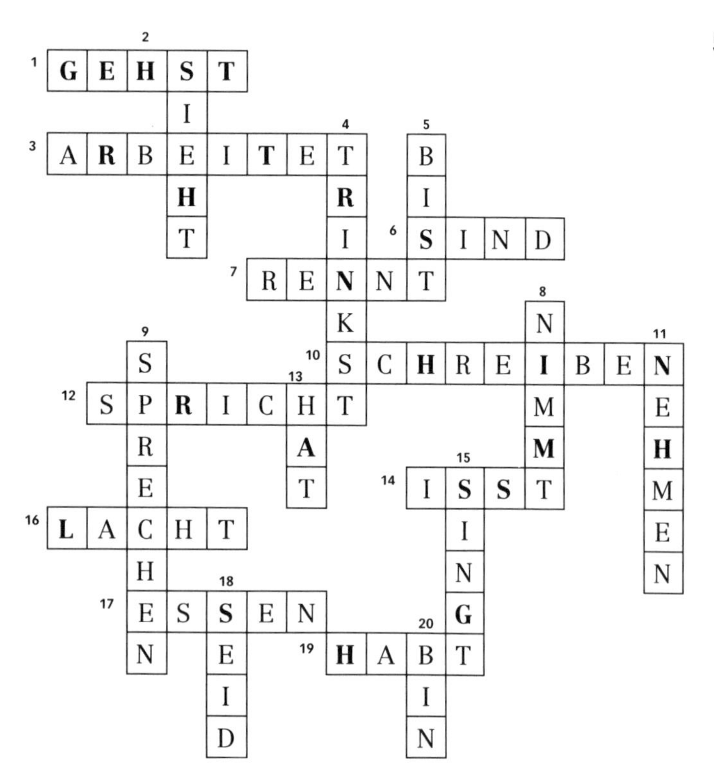

4 Mini-Quiz

Phrasing questions using question words (reinforcement)

1 Wann wurde Steffi Graf geboren?
Stefanie Maria Graf wurde am 14. Juni 1969 geboren.

2 Wo wohnt sie?
Sie hat zwei Wohnsitze in Deutschland (Brühl und Heidelberg), einen Wohnsitz in Florida und einen in New York City.

3 Wie viele Geschwister hat sie?
Sie hat einen Bruder, Michael. Michael ist zwei Jahre jünger als Steffi und Formel 3 Rennfahrer.

4 Wie alt war sie, als sie professionelle Tennisspielerin wurde?
Sie war 13 Jahre und vier Monate alt.

5 Mit wie viel Jahren hat sie zum ersten Mal Wimbledon gewonnen?
Mit 19 Jahren.

6 Wie oft hat sie Wimbledon gewonnen?
Siebenmal hat sie Wimbledon insgesamt gewonnen.

7 Wer war lange Zeit ihr Trainer und Manager?
Ihr Vater, Peter Graf, war lange Zeit ihr Trainer.

8 Was sind ihre Lieblingsfarben? Ihre liebsten Farben sind Schwarz, Olivgrün und Silber.

9 Was isst sie am liebsten?
Sie isst am liebsten chinesisch, italienisch und deutsch.

10 Hat sie ein Haustier?
Sie hat mehrere Hunde.

11 Was sind ihre Hobbys?
Sie interessiert sich für Fotografie und Kunst. Außerdem liest sie gerne, hört gerne Musik, geht gerne essen und ins Kino.

12 Wie viel Geld hat sie bisher gewonnen?
Sie hat bisher mehr als 20 Millionen Dollar gewonnen.

5 Fehlende Fragen

Phrasing questions using question words (extension)

Stefan Effenberg is one of Germany's best known football players. Since August 1998 he has again played for FC Bayern Munich, where he had already played between 1990 and 1992. To the general public, he is probably well known for making an insulting gesture at German supporters at the World Cup in 1994. After the incident, the German national team's coach, Berti Vogts, announced that Effenberg would never again play for the national team. However, eventually he was called back into the *Nationalmannschaft* because of the team's poor performance. After a few games Effenberg himself decided not to play in the team any longer, for exactly the same reason. In 1999, Effenberg lost with his current team, FC Bayern Munich, against Manchester United in the final of the Champions' League.

1 Wann wurde Stefan Effenberg geboren?
2 Wo wurde er geboren?
3 Ist er verheiratet?
4 Hat er Kinder?
5 Was sind seine Hobbys?
6 Was freut Effenberg am meisten?
7 Was ärgert ihn am meisten?
8 Was isst er am liebsten?
9 Was trinkt er am liebsten?
10 Was ist Effenbergs Lebensmotto?

6 Das Perfekt, 1

Perfect tense (reinforcement)

Exercise 1a

1 geschrieben
2 geflogen
3 getroffen
4 gefunden
5 gefahren
6 geholfen
7 gewesen
8 gearbeitet
9 gereist
10 gefahren
11 gemacht

Exercise 1b

Perfect with *sein*: geflogen, gefahren, gewesen, gereist

Exercise 2

ich hatte supertolle Ferien, davon muss ich dir erzählen. Also, im letzten März (1) habe ich eine Bewerbung an die 'Gesellschaft für Internationale Jugendkontakte' geschrieben. Und im Juli (2) bin ich tatsächlich in die USA geflogen! In einem Hotel in Connecticut (3) habe ich gleich die anderen Betreuer getroffen. Die meisten waren sehr nett und ich (4) habe sehr schnell Freunde gefunden. Vom Hotel aus (5) sind wir dann ins Camp gefahren. Ich (6) habe Kindern im Alter von 9–13 Jahren beim Segeln und Reiten geholfen. Die meisten Kinder (7) sind sehr nett gewesen. Insgesamt (8) habe ich neun Wochen im Camp gearbeitet. Danach (9) bin ich mit dem Greyhound Bus durch die USA gereist! Zusammen mit einer Freundin (10) bin ich nach Florida gefahren. Dort (11) habe ich mal so richtig Urlaub am Strand gemacht. Was sagst du jetzt?? Schreib mir doch bald!

7 Das Perfekt, 2

Perfect tense, word order – time, manner, place (extension)

This could be done at home or in class. For a lively in-class activity: photocopy the sentences on to an OHP transparency and cut off the rubrics. Tell the students that they are going to do a grammar exercise and get to read a story about an embarrassing incident at the same time. Then:

1 Practise on the white board, using the given example.
2 Group students in teams of two or three, depending on class size.
3 Make sure that unknown words are given beforehand (*mit rutschendem Rock, die Rolltreppe, beobachtet* etc.).
4 Start the game: reveal one jumbled sentence at a time.
5 Students will have to work out a correct version of the sentence, they won't mark the sentences with 'time', 'manner', 'place' but will use their knowledge as they go along.
6 If a team gives a wrong version, they get a negative point; for a correct version, they get three points.
7 Keep a record of the score for each group.
8 Allow a maximum of two minutes for each sentence. (This can be reduced or extended depending on the class.)
9 Reveal final scores.
10 Hand out the solutions.

1 Ich habe meinen neuen langen Rock angehabt.
2 Wir sind in ein Kaufhaus gegangen.
3 Mit der Rolltreppe sind wir in den ersten Stock gefahren.
OR: Wir sind mit der Rolltreppe in den ersten Stock gefahren.
4 Plötzlich ist mein Rock an einer Treppenstufe hängen geblieben.
OR: Mein Rock ist plötzlich an einer Treppenstufe hängen geblieben.
5 Mit rutschendem Rock habe ich auf der Rolltreppe gestanden.
OR: Ich habe mit rutschendem Rock auf der Rolltreppe gestanden.
6 Die anderen Kunden haben mich amüsiert beobachtet.
OR: Amüsiert haben mich die anderen Kunden beobachtet.
7 Schließlich habe ich ohne Rock auf der Rolltreppe gestanden.
OR: Ohne Rock habe ich schließlich auf der Rolltreppe gestanden!
8 Ich bin schnell in eine Umkleidekabine gelaufen.
OR: Schnell bin ich in eine Umkleidekabine gelaufen.
9 Irgendwann hat der Hausmeister die Rolltreppe gestoppt.
OR: Der Hausmeister hat irgendwann die Rolltreppe gestoppt.
10 Nach zwanzig Minuten hat er meinen Rock aus der Rolltreppe gezogen.
OR: Er hat nach zwanzig Minuten meinen Rock aus der Rolltreppe gezogen.

8 Nebensätze, 1

Question words as subordinating conjunctions, word order (reinforcement)

1 Kannst du mir sagen, wo der Kaffee ist?
2 Sie möchte wissen, wann wir nach Hamburg kommen.
3 Weißt du, warum er nicht nach Hamburg fährt?
4 Können Sie mir sagen, wo ich Geld wechseln kann?
5 Ich möchte wissen, warum sie das tut!
6 Wissen Sie, wohin Sie fahren müssen?
7 Sabine möchte wissen, was du morgen Abend machst.
8 Können Sie mir sagen, wie wir in die Gerberstraße kommen?
9 Ich kann Ihnen leider nicht sagen, wie viele Leute in Hamburg wohnen.
10 Ich möchte nicht wissen, wie viel das gekostet hat!

9 Nebensätze, 2

Subordinating conjunctions (reinforcement)

This worksheet can be completed in class or as a self-study activity.

Group activity: photocopy the sentences and cut them up. Form groups of two to three students and let the students match the sentences.

Self-study or pairwork activity: students match sentences by drawing arrows.

To make sure that the students understand the meaning of the conjunctions, translate the sentences in class.

1 c I don't like dogs anymore, because a dog once bit me.
2 d My sister's always going out although she really has to study.
3 a My mother always goes by bus, so that she won't get stuck in a traffic jam.
4 g Peter is studying in Marburg, because he likes the city so much.
5 h I prepared my breakfast after I had showered.

6 b Frau Meier wants to know whether you're coming tomorrow (too).
7 e I sometimes eat meat, although I'm really a vegetarian.
8 f We used to play lots of football when we were still children.
9 j My father never watches TV, because he finds the TV schedule boring.
10 i She does lots of sport, so she's very fit.

10 Nebensätze, 3

Subordinating conjunctions, word order (extension)

Use of the perfect tense, modal verbs and separable verbs make this a more complex activity. However, the underlying principle is the same: the verb that appears in the second position in a main clause, moves to the end of a subordinate clause. You may need to postpone this activity until the class has revised the perfect tense, modal verbs and separable verbs.

1 Ich gehe nicht gerne schwimmen, weil ich nicht schwimmen kann.
2 Sie gehen nicht gerne ins Kino, da sie Filme langweilig finden.
3 Petra liest nicht gerne, weil vom Lesen ihre Augen weh tun.
4 Frau Hansen steht immer früh auf, damit sie nicht zu spät kommt.
5 Wir bleiben morgen zu Hause, weil wir die Wohnung aufräumen wollen.
6 Ich bleibe heute zu Hause, obwohl ich eigentlich in die Schule gehen muss.
7 Stefan trägt immer Pullover, da er nicht gerne Hemden anzieht.
8 Barbara hat viel Mathe geübt, so dass sie eine gute Mathearbeit geschrieben hat.
9 Wir haben unsere Freunde nicht mehr gesehen, seit wir sie letztes Jahr besucht haben.
10 Ich habe sehr gerne gemalt, als ich ein Kind war.

11 Modalverben: (nicht) dürfen, (nicht) müssen

An extension activity to the grammar point on p. 19 of the students' book, for use in pair or group work. This worksheet also revises household chores / family rules. Alternatively, you may wish to leave this topic until p. 104 (see Worksheet 55).

12 Modalverben: sollen, wollen, können

Exercise 1

a	will	f	können
b	Willst/Kannst	g	muss
c	kann	h	kann
d	soll/muss	i	will
e	wollen	j	können

13 Trennbare Verben, 1

Separable verbs (extension)

Students will probably come up with more literal solutions than the ones given here, i.e. 'to start walking' for *losgehen*, 'to give away' for *abgeben*, 'to lift up' for *aufheben* etc. Giving short phrases that use the verb, such as *eine Bewegung vormachen*, or *ein Buch aufheben* should help them to find a more specific meaning.

ab-	**'away', 'down', 'off'**
(das Papier) abmachen	to remove, take off
abfahren	to depart
(ein Telegramm) abgeben	to deliver
auf	**'up', 'on'**
(ein Buch) aufheben	to pick up
(eine Mütze) aufsetzen	to put on
aufschreiben	to write down
aus-	**often = 'out', 'off'**
ausgehen	to go out
(das Licht) ausmachen	to turn off
ausprobieren	to try out
ein-	**'to get used to', 'to get into (a state)'**
einschlafen	to fall asleep
einsteigen	to get in(to)
sich einarbeiten	to get used to a job (transitive: to train)
los	**'off', 'to start -ing'**
losgehen	to set off (on foot)
losfahren	to depart, set off (by vehicle)
(den Hund) loslassen	to let off the leash
mit	**'along', 'too'**
mitkommen	to come too/along
mitsingen	to sing along
mitnehmen	to take along
nach	**'after', 'following'**
nachfahren	to follow (by vehicle)
(eine Bewegung) nachmachen	to imitate
nachfühlen	to empathise with
vor-	**'in advance' or 'as a demonstration'**
(eine Bewegung) vormachen	to demonstrate
vorfahren	to drive ahead, to drive up
vorsingen	to sing out loud/ in public/to someone
weg-	**'away'**
weggehen	to leave, go away
(einen Fleck) wegmachen	to remove
wegnehmen	to remove, take away

14 Trennbare Verben, 2

Separable verbs (extension)

Depending on the level of the class, students may need to do the previous worksheet before attempting this one or may need further explanation.

1 Die Musik stört mich beim Arbeiten. Kannst du bitte das Radio ausmachen?
2 Ich weiß nicht genau, wie man das macht. Kannst du es mir vormachen?
3 Wir lernen zusammen für die Deutscharbeit. Machst du mit?
4 Ihr Zug fährt um sieben Uhr fünfzehn ab.
5 Ich fahre vor und du kannst mir nachfahren.
6 Wir fahren nach Italien. Willst du auch mitfahren?
7 Ich finde, Stefan ist wirklich schüchtern. Er sieht mich nie an, wenn ich mit ihm spreche!

8 Ihr könnt die unbekannten Wörter im Wörterbuch nachsehen.
9 Warum kannst du nicht einsehen, dass ich nicht mitgehen möchte?
10 Maria sieht heute toll aus, sie ist sehr schick angezogen!

15 Direkte Objekte

Word order of direct object nouns and pronouns

As a group activity:

1 Hand out worksheets to groups of three to four students. Each group underlines the direct objects. Check in class that the students got the direct objects right.
2 Use the example to point out that direct object pronouns follow immediately after the verb, or after the subject, if the subject follows the verb.
3 Groups then work on replacing the direct objects. Set a time limit. The group that replaces most objects correctly wins.
4 As a follow up, the students could write their own quiz (five to ten sentences with noun direct objects).

You could then divide the whole class into two groups. The two groups could then quiz each other. The group that gets most replacements right wins.

1 Sie trinkt ihn nicht gerne.
2 Wir haben sie gesehen.
3 Ich habe ihn gesehen.
4 Maria sucht es.
5 Wo ist sie?
6 Hast du ihn?
7 Kannst du ihn ausstellen?
8 Kann Petra sie lösen?
9 Wir wollen es kaufen.
10 Sie hat es sehr gerne gelesen.
11 Ich möchte sie gerne haben.
12 Mögen Sie sie?
13 Morgen besuchen wir sie.
14 Er hat sie letzte Woche getroffen.
15 Sie hat ihn gestern besucht.

16 Du, ihr, Sie

Exercise 1

Explain that *Sie* can be used for a group of people as well as for an individual.

a2, b3/4, c3/4, d1

Exercise 2

a dich	f euch	l Sie
b du	g ihr	m Sie
c dich	h ihr	n Sie
d du	j euch	o Sie
e du	k ihr	

17 Fortuna hilft ...

Noun and pronoun indirect objects

This worksheet can be used as a self-study or homework task, or as an in-class activity:

1 Cut out the groups of words. Explain that students will get to read sentences of a story about Fortuna making someone happy. Explain unknown words, e.g. *daraufhin, die Einladung, annehmen, der Heiratsantrag.*
2 Divide class into groups of three to five students. Each group gets a complete set of sentences.
3 Students try to get the sentences into the correct order. Each group writes its solutions down. Allow a maximum time.
4 Ask students whether they got an idea of what the story was about, using their sentences. Let them try to put the story together. Compare all the groups' solutions.

Alternatively, you could photocopy the sentences onto an OHP transparency and make this an activity for the whole class.

Eine Freundin hat Peter eine Einladung zu einer Party geschickt.
An diesem Abend habe ich ihm gute Laune geschenkt.
OR: Ich habe ihm an diesem Abend gute Laune geschenkt.
Auf der Party habe ich ihm eine nette junge Frau gezeigt.
OR: Ich habe ihm auf der Party eine nette junge Frau gezeigt.
Peter hat ihr eine lustige Geschichte erzählt.
OR: Eine lustige Geschichte hat Peter ihr erzählt.
Sie hat ihn sehr sympathisch gefunden.
OR: Sehr sympathisch hat sie ihn gefunden.
Später hat sie ihm einen Heiratsantrag gemacht!
OR: Einen Heiratsantrag hat sie ihm später gemacht!
Peter hat den Heiratsantrag angenommen!

18–19 Information gap

Writing support

Pairwork. Students should check their sheets for unknown vocabulary, which should be written on the board. Students work individually to begin with, then try to elicit the missing information from their partner.

basteln	to do handicraft work
das Holz (¨er)	wood
der Kunststoff (-e)	plastic, synthetic material
handwerklich	as a craftsman
die Bewerbung (-en)	application
die Lehrstelle (-n)	apprenticeship
die Praktikantin (-nen)	student trainee
die Bühnenbildnerin (-nen)	stage/set designer
die Miete (-n)	rent
proben	to rehearse

Solutions for Partner A:
1 b In Hamburg konnte sie bei einer Freundin wohnen.
3 a Sie konnte schon immer gut zeichnen und basteln.
4 a Sie musste viele Bewerbungen schreiben.
4 b Dann konnte sie beim Thalia-Theater in Hamburg anfangen.

Solutions for Partner B:
2 b Sie wollten Maria helfen.
3 b Sie wollte eine handwerkliche Ausbildung machen.
5 a In Hamburg mussten sie nach einem Bassisten und einem Drummer suchen.
5 b Dann konnten sie zusammen proben.

20 Wie geht es weiter?

Reading/writing skills

The story of Matthias Pütz is a true story which was written about a lot in German magazines.

Exercise 1a and 1b only could be set as support to the writing exercise. The students could read the headline and lead-in text only and then add a continuation of the story (in the perfect tense). If they do this, they will have to look up a lot of vocabulary. If they would like to, they could then read the text and compare it with their own story.

If the focus is on reading skills: students anticipate the text in exercise 1, then go on to exercise 2 and try again to anticipate how the story continues. Then they read the text and answer the questions as they go along. They should be encouraged to manage without the dictionary as much as possible.

Exercise 2

a Er hat Skizzen von der Anlage gemacht und seine Kollegen über alles befragt.
b Er hat mit seinem Computer Zeichnungen von der Anlage gemacht.
c Er hat insgesamt 100 000 Zeichnungen gemacht.
d Die „Simfactory“ ist ein Computerlernspiel. Der Arbeiter „Hermann“ erklärt darin die Anlage.
e Weil seine Chefs seine Leistung nicht anerkannt haben.
f Heute entwickelt er weitere Lernspiele für Hoechst.

21 Ich packe meinen Koffer ...

Possessive adjectives

This can be done as a speaking or writing activity. The items need not be mentioned in the order in which they appear on the sheet. Reduce the number of items depending on the number of students in the class.

You can also practice one or some of the other possessive adjectives, e.g. *Sabine zieht aus. Was nimmt sie mit? Ihre Sonnenbrille* etc.

meine Mütze
meinen Laptop
mein Portmonee
meine Sonnenbrille
meine Hose
meine Schuhe
meine Handschuhe
meinen Kugelschreiber
meine CDs
meinen Schal
meine Jacke
meinen Pullover
meine Hemden
meine Bücher
meinen Pass
mein Tagebuch

22 Familienfoto

Possessive adjectives

Exercise 1

Possessive adjective *unser* with nominative case endings:

masc. sing.	**fem. sing.**	**plural**
unser Großvater	unsere Mutter	unsere Kusinen
unser Bruder	unsere Schwester	unsere Tanten
unser Onkel	unsere Großmutter	
unser Kusin		
unser Vater		

Exercise 3

Possessive adjective *unser* with dative case endings:

masc. sing.	**fem. sing.**	**plural**
unserem Großvater	unserer Mutter	unseren Kusinen
etc.	etc.	etc.

23 Nicole sucht ein Zimmer

Writing skills, possessive adjectives and pronouns, endings after prepositions

Studentin Nicole sucht ein Zimmer, möglichst preiswert und stadtnah. Sie sieht diese Anzeige und denkt sich: Wieso nicht ? Seit ihrem freiwilligen sozialen Jahr hat sie Erfahrung im Umgang mit Hilfsbedürftigen.

Rentnerin Josefine Schmidt hat ein Hüftleiden. Bei der Haushaltsarbeit und beim Einkaufen braucht sie Hilfe. Weil sie ein Hüftleiden hat, kommt Frau Schmidt nicht mehr oft aus dem Haus. Seit ihr Mann tot ist, fühlt sie sich oft einsam und wünscht sich ein bisschen Gesellschaft.

Nicole lernt Josefine Schmidt kennen. Das helle, große Zimmer gefällt ihr und sie zieht zu Frau Schmidt in die Wohnung. Es gefällt Nicole, hier zu wohnen. Sie sitzt oft auf ihrem Balkon und genießt die Nachmittagssonne. Von ihrer Wohnung bis zur Universität sind es nur fünf Minuten mit dem Fahrrad. Sie spart also viel Zeit, weil sie nicht mit der U-Bahn aus einem Vorort zur Universität fahren muss. Jede Woche arbeitet sie zehn Stunden für Frau Schmidt. Sie kauft ein, putzt Frau Schmidts Wohnung, wäscht ihre Wäsche und kocht manchmal auch für sie. Obwohl Frau Schmidt sich über die Hilfe und die Gesellschaft freut, muss auch sie sich erst an ihre Mitbewohnerin gewöhnen. Es hat auch schon Konflikte gegeben. Aber insgesamt verstehen sich die beiden Frauen. Und unter dem Schlussstrich haben beide einen Vorteil von diesem Modell.

24 Vom Rand

Prepositions with the dative

vom rand

vom rand
nach innen

im innern
zur mitte

durchs zentrum
der mitte

nach aussen
zum rand

vom rand is an example of *Konkrete Poesie* (concrete poetry), in which words are arranged in a way that reflects their meaning. Here another example from Eugen Gomringer, which you may want to show to the students to explain what 'concrete poetry' aims for.

EUGEN GOMRINGER

ping pong
ping pong ping
pong ping pong
ping pong

25 Sonntags im Park

Two-way prepositions (reinforcement)

Hand out the picture to the students or photocopy on to an OHP transparency. Students start to describe what they see on the picture, e.g. *Auf der Wiese spielen Kinder. Auf dem Baum sitzen Vögel* etc. Then divide the students into groups. Hand the picture to the groups. Each group tries to find as many correct sentences to describe the picture as possible. Alternatively, this last phase could also be done at home.

26 Präpositionenmeister

Two-way prepositions, accusative and dative of possessive adjectives (extension)

This is a version of 'Snakes and Ladders'. Students play in groups of two or three. They will need one die and a copy of the game per group, as well as a counter for each student. If there is no time for the game in class, the students could still fill the gaps in at home.

The students fill in the missing endings as they go. As soon as everyone has finished – or after a set time – compare the results. During the game the teacher acts as umpire if the students disagree about the solution for a sentence.

Whoever reaches the 'Präpositionenmeister' field first wins the game. The game is then over. If the students are still very uncertain about the usage of two-way-prepositions, hand out the solutions to one student
for every two groups. This student can then act as umpire. After five minutes or so, another student could take over.

1 Auf dem Tisch (m.) steht eine Vase.
2 Neben dem Schrank (m.) steht der Sessel.
3 Die Bücher stehen in seinem Regal (n.).
4 Leg das Papier unter meinen Stuhl (m.).
5 Sie hat die Jacke in den Schrank (m.) gehängt.
6 Die Blumen stehen auf der Fensterbank (f.).
7 Das Regal steht zwischen dem Fenster (n.) und dem Schrank (m.).
8 Wir haben die Bilder an die Wand (f.) gehängt.
9 Sie ist vor das Haus (n.) gegangen.
10 Ich habe dein Rad vor die Garage (f.) gestellt.
11 Er ist vor unserem Haus (n.).
12 Deine Jacke ist in dem (im) Schrank (m.).
13 Das Fahrrad steht in der Garage (f.).
14 Das Papier liegt unter dem Stuhl (m.).
16 Das Regal ist über meinem Bett (n.)
18 Das Flugzeug fliegt über den Wolken (f., Pl.).
19 Sie steht hinter ihrem Freund.
20 Das Kino ist neben einem Kaufhaus (n.).
21 Wir gehen heute Abend in das (ins) Kino (n.).
22 Treffen wir uns in dem (im) Café (n.) ?
23 Wir haben das Regal über das Bett (n.) gehängt.
24 Sie sind in das (ins) Café (n.) Weiß gegangen.
26 Ich gehe heute nicht in die Schule (f.).
27 Sie ist vor unserem Haus (n.).
29 Der Fernseher steht auf ihrem Schrank (m.).
30 Häng die Jacke bitte an den Haken (m.).

27 Mitbewohner(in) gesucht

Speaking

This role-play goes with the 'Arbeiten um zu wohnen?' text on page 40. The students work in pairs. This activity could be done either right at the beginning of the lesson as an introduction to the topic, or after the text has been read.

28 Diskussion bei den Glotzis

Speaking

1 Students should take ten minutes to read through their role-cards. They can add arguments of their own.
2 Meanwhile, write these 'Diskussionshilfen' on the board:

Ich glaube nicht, dass ...	I don't believe that ....
Ich schlage vor, dass ...	I suggest that ...
Das stimmt doch gar nicht.	That's not true.
Ich bin (total) dagegen.	I'm (completely) against that.
Ich bin (nicht) dafür.	I'm (not) in favour of it.
Seid Ihr/bist du damit einverstanden?	Do you agree with this?
Das ist (k)eine gute Idee.	That's (not) a good idea.
Das finde ich gut/schlecht.	I like that / I don't like that.
Jetzt hör mir doch mal zu!	Listen to me!
Lass mich doch (bitte) mal ausreden!	Let me finish, (please)!

3 Students start the discussion: every family member states how he/she feels about the TV.
4 After this first confrontation, parents and children could take a timeout to talk about ideas for possible solutions and compromises before starting the discussion for the whole family again.

Two or three students could share a role. If there aren't enough students in class, just leave out some of the roles. The parents start the discussion by stating their point of view, then the children join in. The goal should be to find some kind of a solution or compromise within the family.

29 Tanzstundenpartner

Comparatives and superlatives (reinforcement)

Hanna ist älter als Rita. Peter ist am ältesten.
Rita ist schlanker als Peter. Hanna ist am schlanksten.
Peter ist größer als Hanna. Rita ist am größten.
Peter ist modischer gekleidet als Hanna. Rita ist am modischsten gekleidet.
Hanna ist netter als Rita. Peter ist am nettesten.
Rita tanzt besser als Peter. Hanna tanzt am besten.

Alternative in-class activity:

Write these groups of words on the blackboard. Let the students find as many differences within each group as possible. They could do this as an activity for the whole class or in groups. Working in groups would give them more time to think about differences and to look up unknown words in the dictionary.

Maus – Elefant – Kuh – Spinne
Schokolade – Brot – Obst – Sahnetorte
Zahnarzt – Krankenschwester – Politiker – Bäcker
Spanien – Deutschland – Schottland – Alaska

Some sample answers:

Eine Maus ist leichter als eine Kuh und ein Elefant.
Eine Spinne hat mehr Beine als die anderen Tiere.
Ein Elefant ist größer als die anderen Tiere.
Ein Elefant ist stärker als die anderen Tiere.

30 Samstagabend

Speaking

The events were taken from an authentic calendar of events for Mannheim.

Each student receives a flyer and one role-card. They work through the flyer and their role-card for about ten minutes, then start to discuss with their partners. They can add arguments as they go along. The goal should be to reach agreement.

31 Original und Fälschung

If you would like some written proof of the students' knowledge of adjective endings you could ask them to write a description of their picture at home.

Partner A:

1 Die Frau hat kurze Haare.
2 Sie trägt einen großen Hut mit einer weißen Blume auf der rechten Seite.
3 Sie trägt eine kleine runde Brille.
4 Sie hat eine große Nase.
5 Sie hat einen kleinen Mund.
6 Sie trägt eine gepunktete Bluse.
8 Sie hat einen langen Ohrring im rechten Ohr.
9 Sie trägt eine (Perlen-) Kette.
10 Sie hat eine schwarze Katze auf dem Schoß.

Partner B:

1 Die Frau hat lange Haare
2 Sie trägt einen kleinen Hut mit einer schwarzen Blume auf der rechten Seite.
3 Sie trägt eine große runde Brille.
4 Sie hat eine kleine Nase.
5 Sie hat einen großem Mund.
6 Sie trägt eine gestreifte Bluse.
8 Sie hat einen kleinen Ohrring im rechten Ohr.
9 Sie trägt keine (Perlen-) Kette.
10 Sie hat eine weiße Katze auf dem Schoß.

32 Adjektivendungen

Translation, adjectives with no article and with definite article, verbs that take the dative

1 Können Sie dem jungen Mann helfen?
2 Ich werde mit der neuen Schülerin sprechen.
3 Junge Leute leben gern in Wohngemeinschaften.
4 Deutsche Kinder gehen zur Schule, wenn sie sechs Jahre alt sind.
5 Mögen Sie die französische Sprache?
6 Alte Leute (Menschen) leben oft allein.
7 Ich mag italienischen Kaffee.
8 She kauft gerne neue Kleider.
9 Der junge Mann möchte gerne einen Kaffee.
10 Das Spiel ist für sechsjährige Kinder.

33 Adjektivmeister

All adjective endings

See notes for Worksheet 26.

1 Sie trägt eine Jacke mit einem roten Kragen.
2 Sie trägt einen blauen Rock.
3 Ich möchte ein großes Mineralwasser.
4 Gehört dir das rote Auto?
5 Ist das die neue Schülerin?
6 Ich habe einen kleinen Hund.
7 Schwarze Schuhe mag ich nicht.
8 Deutsches Bier schmeckt oft bitter.
9 Ich finde den neuen Lehrer nett.
10 Ich mag französisches Brot sehr gerne.
11 Er fährt mit einem blauen Auto.
12 Sie kommt mit ihrem neuen Freund.
13 Ich gehe nie ohne meine beste Freundin aus.
14 Er ist mit dem schwarzen Rad gefahren.
16 Gibt es hier ein gemütliches Café?
18 Sie trinkt ihren Kaffee schwarz.
19 Ich trinke gerne schwarzen Kaffee.
20 Ihr Kleid ist rot.
21 Englische Kinder gehen sehr früh in die Schule.
22 Schreibst du mit deinem neuen Stift?
23 Zeigen Sie der neuen Schülerin bitte die Schule.
24 Ich habe eine grüne Jacke.
26 Sie kam mit ihrer alten Mutter.
27 Wir fahren in den großen Zoo.
29 Wir fuhren zu meinem alten Onkel.
30 Sie lief durch den dunklen Wald.

34 Verbenrätsel: Imperfekt

Imperfect tense of regular and irregular verbs, *sein*, *haben*, modals

This crossword puzzle can be used as a revision of the imperfect tense. The students should be encouraged to use their dictionary to find out whether a verb is regular or irregular.

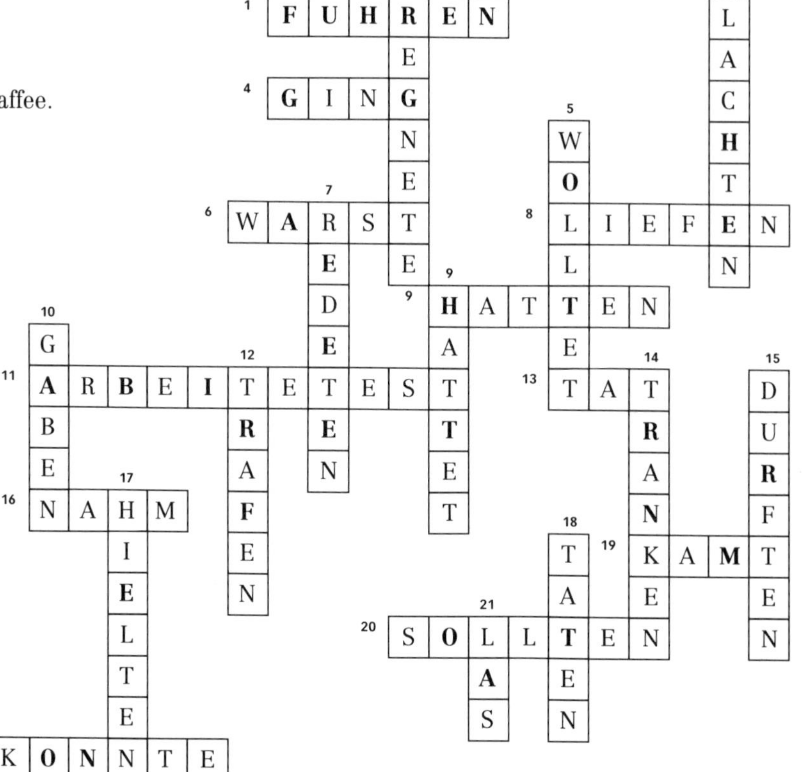

5 Wahlprogramm

Speaking/writing

Students could work on this activity individually, but it would be more fun if they could work in pairs or small groups of three or four. At the end, students should write their election manifestos on large spreads of paper. Each group should present its manifesto to the class. They should explain what they hope to achieve with their programme, particularly with the introduction of their own three ideas. The class could then take a vote based on the election manifestos. If you have little time in class, you may want to let the students work on the activity at home. They could then present their ideas during the next lesson and the class could still take a vote.

a Wir werden das Rauchen in allen öffentlichen Gebäuden verbieten.
Dann müssen weniger Menschen an Lungenkrebs sterben.
b Wir werden alle Schulen mit Internetanschluss ausstatten.
Dann können Schüler per Computer von Experten lernen.
c Wir werden alle Privatschulen abschaffen.
Dann müssen wohlhabende Eltern die öffentlichen Schulen unterstützen.
d Wir werden alle Schwimmbäder mit 50-Meter-Schwimmbecken ausstatten.
Dann können wir bei der nächsten Olympiade im Schwimmen gewinnen.
e Wir werden die Zigarettensteuer erhöhen.
Dann müssen weniger Menschen an Lungenkrebs sterben.
f Wir werden den Verkauf von Fleisch und Fleischprodukten verbieten.
Dann müssen keine Tiere mehr leiden.
g Wir werden mehr Geld für Lehrer und Lehrerinnen zur Verfügung stellen.
Dann können die Schulen mehr Lehrer und Lehrerinnen einstellen.
h Wir werden mehr Geld für Jugendzentren zur Verfügung stellen.
Dann können Jugendliche ihre Freizeit sinnvoller verbringen.
i Wir werden die Studiengebühren an den Universitäten abschaffen.
Dann können alle umsonst studieren.
j Wir werden eine abendliche Ausgangssperre für Jugendliche einführen.
Damit können wir die Kriminalitätsrate senken.

AS worksheets

36 Phrase? Clause? Sentence?

In order for students to produce accurate word order in German (e.g. to apply the 'verb to the end' rule correctly), they need to have a clear understanding of these terms. This worksheet could be used in conjunction with the grammar points on pp. 56–57 of the students' book.

Exercise 1

a Sie wollen zuerst nach London fahren.
b Wir wollten eigentlich in Jugendherbergen übernachten.
c Sie könnten Richtung Süden fahren und dann wieder bei Freunden in Cambridge übernachten.
d Als ich jung war, fuhr meine Familie immer nach Italien.
e Wir haben in Spanien Sehenswürdigkeiten gesehen und Souvenirs gekauft.
f Die Jungen könnten mit dem Fahrrad fahren oder zu Fuß gehen.
g Sie haben lange auf den Zug gewartet.

Exercise 2

a Als sie in der Türkei waren, hatten sie jeden Tag heißes Wetter.
b Wenn wir genug Geld gespart haben, werden wir nach Amerika fliegen.
c Als sie in Tunisien war, war meine Freundin krank.
d Wenn ich nach Russland fahre, werde ich einen alten Brieffreund besuchen.
e Als er den Zollbeamten bemerkte, sah der Tourist erstaunt aus.
f Wenn ich einen internationalen Studentenausweis hätte, könnte ich Vergünstigungen bekommen.
g Wenn ich einen Job finde, werde ich Geld sparen können.

37 More about word order in German

This worksheet provides more information about main clause and subordinate clause word order. Again, it can be used in conjunction with pp. 56–57 of the students' book. Make sure that students understand that the main verb is the second **idea** in the main clause, not necessarily the second **word**. This is especially important when using 'inversion', i.e. starting the main clause with something which is not the subject.

a Im August haben wir eine lange Reise nach Portugal gemacht.
Wir haben im August eine lange Reise nach Portugal gemacht.
b Letzten Sommer haben wir den Eiffelturm gesehen.
Wir haben letzten Sommer den Eiffelturm gesehen.
c Unglücklicherweise hat jemand mein Geld aus meiner Tasche gestohlen.
Jemand hat unglücklicherweise mein Geld aus meiner Tasche gestohlen.
d Jeden Tag haben sie miteinander auf dem Campingplatz gestritten.
Sie haben jeden Tag miteinander auf dem Campingplatz gestritten.
e Wir haben die Jugendherberge sehr sauber und ordentlich gefunden.
Die Jugendherberge haben wir sehr sauber und ordentlich gefunden.
f Ein Freund von mir hat zwei Wochen auf einem Bauernhof in Bayern gearbeitet.
Auf einem Bauernhof in Bayern hat ein Freund von mir zwei Wochen gearbeitet.

Exercise 2

a übernachten
b reservieren
c lernen
d ankomme
e sind
f waren
g wohnte … kennen
h spricht
i liegen
j fahren

38 Complex sentences in German

The third and most advanced worksheet in this sequence on word order, for use with pp. 56–57 of the students' book. When starting a sentence with a subordinate clause, students need to recognise that the subordinate clause is regarded as the first idea in the main clause, and that therefore the main verb is the first word after the comma. Students need to have thoroughly digested the basics of main and subordinate clause word order before progressing to this worksheet.

Exercise 1

a Weil das Wetter heiß ist, wollen wir schwimmen gehen.
b Als ich ein Kind war, fuhr ich jedes Jahr an die Küste.
c Weil ich viel davon gehört habe, möchte ich nach Amerika fahren.
d Obwohl meine Schwester wenig Geld hat, fährt sie trotzdem nach Spanien.
e Da wir etwas früh in Berlin angekommen sind, haben wir einen Stadtbummel gemacht.
f Wenn ich genug Geld gespart habe, möchte ich eine Weltreise machen.
g Wenn es viel Nebel gibt, habe ich keine Lust, in die Berge zu reisen.
h Weil es Taschendiebe gibt, sollte man nicht vor dem Bahnhof warten.
i Als ich meine Brieftasche verlor, ging ich zum Fundbüro.
j Da ich in der Schweiz bin, möchte ich das schweizerische Essen probieren.

Exercise 2

a Weil wir kein Geld mehr hatten, sind wir nach Hause gekommen.
b Bevor ich nach Hause gekommen bin, habe ich ein Geschenk für meine Mutter gekauft.
c Nachdem sie den Markt besucht hatte, ist sie direkt zum Bahnhof zurückgekommen.
d Nachdem wir in Thailand gelandet sind, hat sich meine Mutter unwohl gefühlt.
e Da dieser Urlaub so teuer war, müssen wir nächstes Jahr zu Hause bleiben.
f Weil er sehr gern Ski fährt, fährt er jedes Jahr im März nach Obergurgl in Österreich.
g Bevor wir die Reservierung machen, möchte ich die Broschüre noch einmal lesen.
h Während er am Strand war, hat jemand seine Kleider gestohlen.
i Wenn sie im Ausland sind, benehmen sich viele Leute anders als zu Hause.

Exercise 3

a Obwohl ich sehr müde war, habe ich mich amüsiert.
b Weil ich Deutschland besucht habe, hat sich mein Deutsch verbessert.
c Obwohl einige Leute sich seekrank fühlten, fühlte ich mich ganz wohl.
d Weil es nicht weit ist, fahren viele Briten nach Frankreich.
e Wenn das Wetter schön ist, wollen alle an die Küste fahren.
f Wenn ich meine Brieffreundin besuche, spreche ich immer mit ihrer jüngeren Schwester.
g Obwohl ich mich am Strand amüsiere, sehe ich auch gern die Sehenswürdigkeiten.

39 Make the most of your dictionary

This worksheet offers advice on and practice in finding the right German translation for an English word, identifying the appropriate part of speech and sense from amongst the translations offered in the dictionary.

Exercise 2

a Barren
b verriegeln
c Tafel
d Theke
e Kneipen
f Anwaltschaft
g außer

Exercise 3

a wohl
b Brunnen
c ach!
d gut
e auch

Exercise 4

a Schallplatte
b aufnehmen
c (rephrase, e.g. 'Deine Noten sind nicht im Buch.')
d Rekord

Exercise 5

a mag/lerne gern
b wie
c möchte
d wie
e wollen

40 Textverständnis, 1

Reading comprehension exercises based on the passages in the students' book on pp. 56 and 59.

Exercise 1

a7, b4, c5, d2/9, e1, f2/9

Exercise 2

a true
b false
c true
d false
e true
f false
g false
h true

Exercise 3

a2, b1, c3, d2, e4

41 Verbs which take the dative

This worksheet elaborates on the grammar point on p. 68 of the students' book. It provides practice with verbs that take both a direct and an indirect object, as well as the small number of verbs which take an indirect object only. In addition there is practice of the dative after *seit*.

Exercise 1

a seiner
b seinem
c dir
d mir
e mir
f seiner
g ihrem
h mir
i den
j seiner

Exercise 2

a ihrem ... ein
b seiner ... einen
c mir ... das
d seiner ... die
e ihren ... eine
f mir ... einen
g ihm ... keine

42 Relative pronouns

Exercises requiring students to supply relative pronouns in all four cases are followed by exercises designed to check students' accuracy in identifying and applying case endings to articles, possessives and adjectives. This worksheet can be used for additional practice after the grammar point and exercises on p. 71 of the students' book.

Exercise 1

a Der Mann, der am Mittwoch ankam …
b Das Mädchen, das aus Texas kam …
c Die Frau, die den Porsche hatte …
d Die Männer, die den Computer kaufen wollten …
e Die Autos, die gut aussahen …
f Das Mädchen, das Roland einen Kuss gab …
g Die Person, die die CDs auf die Party brachte …
h Die Kinder, die ihre Hausaufgaben nicht gemacht hatten …
i Der Mann, der in der Bank arbeitet …
j Das Mädchen, das grüne Haare hatte …

Exercise 2

a der
b dessen
c den
d den
e deren
f die
g der
h denen

Exercise 4

a Meine Freundin hat lange braune Haare und einen kleinen Mund.
b Meine Freundin schrieb mir einen langen Brief.
c Ich habe keine Haustiere und auch kein Geld.
d Der Junge, der hier wohnt, ist ein Freund von meiner Schwester.
e Die Leute, die in der Bank arbeiteten, kamen aus Polen.
f Meine Schwester Steffi geht seit einem halben Jahr mit diesem Jungen aus.

43 Improve your writing, extend your style!

This worksheet offers advice about how to enrich essays with more sophisticated structures and expressions, followed by two suggestions for creative writing practice. Exercise 2 ist for use with p. 69 of the students' book, but the other exercises could be used at any appropriate point in Chapter 2: Leute und Liebe.

Exercise 1

a10, b5, c3, d1, e4, f2, g6, h8, i7, j9

44 More dictionary skills

Further work on dictionary skills, building on the advice on translating homonyms offered on Worksheet 39.

Exercise 1

a fliegen
b Schnitt
c sah
d Kneipe
e Ausflug
f putzt
g Schallplatten
h klingt
i Neigung
j Bänke

Exercise 4

a Zeit
b Jungen
c Kindheit
d unseren
e Stadt
f Familien
g Jahren
h können
i verzweifelt
j gut
k Pläne
l sind
m Lösung
n weine
o weil
p schnell
q zu

45 Reading and listening skills

This worksheet focuses on scanning a text for specific information, and listening for gist and for detail. It is intended for use with pp. 73 and 76 of the students' book.

Exercise 1a

plans to run away from home – Julia has made plans to run away from home

a persistent admirer – Maria is pestered by a persistent admirer

financial dependency on parents – Julia and her boyfriend are both financially dependent on their parents

a nineteen-year-old boy known since childhood – Julia's boyfriend

the threat of a fight – between Maria's boyfriend and her admirer

New Year's Eve – Thomas fell in love on New Year's Eve

meeting in secret – Julia and her boyfriend

Exercise 1b

1 seit vielen Jahren
2 von zu Hause abzuhauen
3 da wir beide von unseren Eltern abhängig sind
4 an Silvester
5 Sie ziehen mich auf
6 wie ich mich verhalten soll
7 ständig
8 nicht ungewöhnlich
9 auf … losgehen
10 eine Freundin, die ich gern habe
11 was sie mit ihm unternommen hat
12 das nervt mich
13 sonst verstehen wir uns gut

Exercise 2a

Sie hören: 55 und 61.

Exercise 2b

a richtig
b falsch
c falsch
d falsch
e richtig
f richtig

46 Verb forms

This worksheet provides practice in identifying correct verb forms (past participles and infinitives) for the compound tenses and the passive. It requires understanding of the grammar points on pp. 84, 87 and 89 of the students' book.

Exercise 1

a gehört
b gewonnen
c gefallen
d zuhören
e gebraucht
f gebeten
g gelungen
h genügt
i gebrauchen
j zuzuhören
k denken

Exercise 2

a werden
b hatte
c wurden
d hatte
e wurde
f hatten
g wird
h hatten
i hattet
j wird

Exercise 3

Sie hatte Kaffee getrunken.
Sie hatte abgespült.
Sie hatte einen Mantel angezogen.
Sie war schwimmen gegangen.
Sie war in die Bäckerei gegangen.
Sie hatte eine Zeitung gelesen.

47 Werden

An examination of the various uses of *werden* as an auxiliary, i.e. future tense, conditional and passive.

Exercise 1

a Jedes Jahr werden Millionen von Flaschen Weißwein von den Deutschen getrunken.
b Millionen von Hamburgern werden von den Amerikanern verzehrt.
c Eine Woche lang werden nur Obst und Gemüse von Uschi gegessen.
d Zwanzig Mark werden von Thomas für Bonbons ausgegeben.
e Die Essprobleme werden nicht leicht gelöst.
f Alles wird sehr sorgfältig von ihr geputzt.
g Petras Probleme wurden sehr leicht erkannt.

Exercise 2

a wurde
b würde
c würde
d würde
e würde
f wurde
g wurde
h würde
i wurde
j wurde

Exercise 3

a wird ... gegessen
b werden ... essen
c wird ... gekauft
d werden ... verkauft
e werde ... essen
f werden ... haben
g wird ... gefunden
h wird ... verbessern
i werden ... müssen
j wird ... benutzt

48 Using the pluperfect in complex sentences

Use this worksheet when students are confident in using the pluperfect (grammar point, p. 87 of the students' book). The writing tasks tie in with Chapter 3: Essen und Gesundheit.

49 Learning vocabulary

This worksheet gives students advice on acquiring new vocabulary and can be used at any appropriate point in the course.

50 Textverständnis, 2

These reading comprehension exercises provide additional exploitation of the texts on pp. 88 and 91 of the students' book.

Exercise 1

a1, b2, c4, d1, e3, f4, g4, h3

Exercise 2

a Keine Tierprodukte werden von Veganern/Veganerinnen gegessen.
b Keine Wolle und kein Leder wird von diesen Leuten getragen.
c Die Frage kann nicht beantwortet werden.
d Sojaprodukte werden nicht im Supermarkt verkauft.
e Viele Tiere werden von Menschen ausgebeutet.
f Die Eier werden jeden Tag gesammelt.
g Die Fliege wurde von dem Veganer getötet.
h Die Sache wurde viel diskutiert.

51 Indem

An examination of the usage of the conjunction *indem* and ways it can be rendered in English, as well as revision of the word order and punctuation of complex sentences. Thematically, the worksheet ties in with pp. 92–93 of the students' book.

Exercise 1

a Indem man fernsieht, kann man viel lernen.
b Indem sie zu viel fernsehen, können Kinder faul werden.
c Indem man zu lange sitzt, kann man unfit werden.
d Kinder können beschädigt werden, indem sie zu viel Gewalt im Fernsehen sehen.
e Ich bekomme gute Ideen, indem ich jeden Tag die Zeitung lese.
f Indem wir die Freiheit der Presse beschränken, beschädigen wir die Demokratie.
g Indem wir beide Seiten des Arguments hören, bekommen wir eine objektive Meinung.

Exercise 2

a Indem Sie verschiedene Zeitungen lesen, informieren Sie sich gut.
By reading different newspapers you are well informed.
b Indem du zu lange vor der Glotze sitzt, wirst du müde und unfit werden.
By sitting for too long in front of the 'box' you will become tired and unfit.
c Indem du diese Sendung ansiehst, wirst du viel über die Geschichte lernen.
By watching this programme you will learn a lot about history.
d Indem sie mit Gewalt konfrontiert werden, sind Kinder gut auf das Leben vorbereitet.
By being confronted with violence children are well prepared for life.
e Indem sie zu viel Werbung sehen, sind Leute dazu gezwungen, Dinge zu kaufen, die sie nicht brauchen.
By seeing too much advertising, people are forced to buy things which they do not need.

Exercise 3

a Die Sender bekommen Geld, indem sie Sendezeit an verschiedene Firmen verkaufen.
The stations receive money by selling broadcasting time to various firms.
b Gewalt hat viele Gesichter und wird in verschiedenen Formen ausgeübt.
Violence has many faces and is practised in various forms.
c Erwachsene verstehen den Unterschied zwischen Realität und Fernsehen.

Adults understand the difference between reality and television.

d Ich sehe gern Sportsendungen, aber Quiz-Sendungen kann ich nicht leiden.
I like watching sports programmes but I cannot stand quiz shows.

e Die Sendung, die er am liebsten sieht, heißt *Sesamstraße*.
The programme he most likes to watch is called *Sesame Street*.

f Die Hauptzielgruppe für die Werbespots sind Leute, die weniger als 50 Jahre alt sind.
The main target group for the advertisements are people who are under 50.

g Die meisten Familien hatten nicht nur ein Fernsehgerät, sondern zwei oder drei.
Most families had not just one television set but two or three.

2 Imperativformen

Practice of the imperative and polite circumlocutions, for use with the grammar point on p. 101 of the students' book.

Exercise 2

a Fahren Sie rechts, bitte.
b Gib mir meine Schokolade!
c Zeigen Sie mir Ihren Pass, bitte.
d Machen Sie Ihre Tasche auf, bitte.
e Komm her!
f Geben Sie mir Information über Ferien in Spanien, bitte.
g Arbeitet fleißiger!
h Macht keinen Lärm nach 22 Uhr, bitte.
i Bringen Sie mir die Speisekarte, bitte.
j Friss nicht so schnell!
k Fahr langsamer!

Exercise 3

a Könnten Sie bitte die Tür zumachen?
b Könnten Sie bitte hereinkommen?
c Könnten Sie bitte mein Auto reparieren?
d Könnten Sie mir bitte zwei Brötchen geben?
e Könntest du mich bitte morgen anrufen?
f Könntest du mir bitte eine Briefmarke geben?
g Könntet ihr bitte zuhören?
h Könnten Sie bitte dieses Geld wechseln?
i Könnten Sie mir bitte sagen, wann der nächste Zug fährt?
j Könntest du bitte deine Freundin zur Party mitbringen?

Exercise 4

a Wiederholen Sie das noch einmal!
b Wechseln Sie mir einen Hundertmarkschein!
c Ruf mich morgen Abend an, Christian!
d Schreien Sie nicht so laut!
e Leih mir zehn Mark!
f Geh für mich zur Post, Marcus!
g Herr Ober, bringen Sie mir die Rechnung!

53 Indirekte Rede

This worksheet looks at the subjunctive of reported speech (see students' book p. 97). Exercise 1 is purely receptive; stronger students can attempt the speaking/listening activity in exercise 2.

Exercise 1

a richtig
b richtig
c richtig
d falsch
e falsch
f richtig
g richtig
h richtig

54 Listening for gist and for detail

More practice on listening for gist and for detail (see Worksheet 45), for further exploitation of the recording featured on p. 93 of the students' book.

Exercise 1

4000: Bis zu 4000 Menschen werden jede Woche in den Fernsehkanälen erwürgt, erschossen, in die Luft gesprengt oder sonstwie gemeuchelt.
14 000: Untersuchungen haben ergeben, dass Kinder und Jugendliche wöchentlich mit 14 000 Gewaltdarstellungen konfrontiert werden.
7: Ein 7-jähriges Kind wurde getötet.
14: Ein 14-jähriger Junge war der Täter dieses Verbrechens.

Exercise 2

a4, b1, c7, d3, e8, f6, g2, h5

Exercise 3

See transcript.

Exercise 4

a jeder, der Fernsehen anschaut
b Ich bin der Ansicht
c wöchentlich
d einen besonderen widerlichen Fall
e verdeutlicht
f ein falsches Weltbild
g Es wird befürchtet
h zwangsläufig
i beibringen
j Ich finde es sinnlos
k keine Ahnung
l die Grundregeln des Lebens

55 Modal verbs

A reminder of the usage of *(nicht) dürfen* and *(nicht) können* (see Worksheet 11), for use in conjunction with the grammar point on p. 104 of the students' book. This is followed by more general revision of modals.

Exercise 1

a You do not have to be a member of a trade union.
b When you are eighteen you may vote but you do not have to.
c In a democracy people are allowed to take part in demonstrations
d You must not stay here after six o' clock.
e People do not have to express their political views freely.
f We must adhere to the law.
g In many countries people are not allowed to practise their religion freely.
h You are allowed to express your opinions here even if they are unfashionable.
i We do not have to wait until everyone is ready.

j Irene is convinced that she must fight against need and poverty.

Exercise 2

a darf
b dürfen
c dürfen
d muss
e darf
f darf … muss
g müssen
h dürfen
i musst
j dürfen

Exercise 4

a Sie will aus persönlichen Gründen von zu Hause weggehen.
b Sie dürfen das Land wegen der politischen Lage nicht verlassen.
c Er will nicht Mitglied einer ethnischen Minderheitsgruppe sein.
d Ich möchte nicht unter einem repressiven politischen Regime leben.
e Alle sollten frei sein, eine Religion auszüben, wenn sie es wollen.
f In vielen Ländern darf man nicht frei herumreisen.

56 More on *werden* and the passive

The various uses of the verb *werden* are reviewed, together with alternatives to the passive. For use with p. 106 of the students' book.

Exercise 1

a Ihre Familie plaudert viel über Fußball.
b Man arbeitet nicht genug in dieser Schule.
c Leute demonstrieren hier gegen die Regierung.
d Die Regierung unterstützt Asylbewerber.
e Man darf nicht an diesem Tisch rauchen.
f Die Schüler haben das Konzert eigentlich sehr gut organisiert.
g Leute haben in Diskussionen verschiedene Meinungen geäußert.
h Man hat auf der Party getanzt, gesungen und gegessen.
i Leider hat man nachher auf den Straßen gekämpft.

Exercise 2

a wird
b würde
c werden
d werden
e wurden
f würde
g werden
h wurde
i wird
j werden

57 Weak masculine nouns, adjectival nouns, place names as adjectives

This worksheet practises weak masculine nouns and adjectival nouns in all cases, as well as the use of town and city names as adjectives. It ties in with p. 111 of the students' book.

Exercise 1

a Die Sozialdemokraten werden bei den nächsten Wahlen bestimmt gewählt werden.
b Mein Bruder ist Anarchist und kann die Monarchisten nicht leiden.
c Meiner Meinung nach ist die Würde des Menschen völlig unantastbar.
d Ein Junge wurde von den Maschinengewehren der Soldaten getötet.
e Die Schwester dieses Jungen brachte Herrn Schmidt einen Brief.
f Der Journalist schrieb einen Bericht über die Aktivitäten der Kommunisten.

Exercise 2

a Der Beamte gab dem Behinderten die Formulare.
b Die Jugendlichen in dieser Gegend sind politisch aktiv.
c Dieser Platz ist für Kranke reserviert.
d Schwarze und Weiße wohnen in Harmonie in vielen Teilen der Welt.
e Die Deutschen, die Franzosen und die Griechen haben an diesem Projekt zusammengearbeitet.
f Das Gesicht des Polizisten war hart, als er den Angeklagten / die Angeklagte befragte/verhörte.
g Meine Verwandten wohnen neben einem Blinden, der sehr begabt ist
h Arbeitslose und Reiche haben verschiedene Probleme.
i Der Alte wurde von zwei anderen Erwachsenen begleitet.

Exercise 3

a the former Bonn parliament building
b the Brandenburg Gate in Berlin
c a 'Berlin White' (type of beer)
d Frankfurt main station
e the Nüremberg Trial
f the present-day punk scene in Paris
g the Tübingen academics
h the Rostock police
i the London Stock Exchange
j the Munich Olympic Stadium

58 More about using your dictionary

Further work on dictionary skills, in particular finding the appropriate translation in a complex entry with multiple subentries. (See also Worksheets 39 and 44.)

Exercise 2

a liegen
b Lüge
c herumliegen
d lügst
e liegt
f Lügen
g lag

59 Text- und Hörverständnis

This worksheet offers further exploitation of the texts on pp. 107 and 109 of the students' book. Exercise 3 involves checking an English translation against the German recording (exercise 5, p. 109).

Exercise 1

a … looked at the theme of hostility towards foreigners
b … to do something rather than just talk
c … the so-called 'Friends' Circle'
d … found out about an information meeting of the 'Friends' Circle'
e … whether there were any young people there, from which countries they came, whether they spoke German, and what was planned
f … social workers or the warden of the camp

g ... prepared tea and coffee
h ... both boys and girls are at the meetings
i ... basketball, other sports competitions, games afternoons
j ... no visitors came
k ... don't become discouraged too quickly

Exercise 2

a richtig
b falsch
c falsch
d falsch
e falsch
f falsch
g richtig
h richtig
i richtig
j falsch

Exercise 3

Sonja is 14.
She lives with her parents and one brother.
She lives on the edge of town.
They have two rooms and a mini-kitchen.
24 square metres.
Pedestrians were attacked.
The airport was shot at.
A shell landed near Sonja's flat.
Two children were killed.
Sonja's father decided it was time to leave.
Sonja now goes to a German school.

60 Making an oral presentation

Students are given advice about preparing for an oral presentation, in particular the need for a good grasp of the subject matter and any relevant specialist vocabulary, and the preparation of notes for use in the examination. This is followed by suggested topics for oral practice.

61 Getting started on coursework

Advice on preparing coursework, in particular the choice of a suitable topic, analytical and creative approaches, and the importance of research, followed by some suggestions regarding general topics for background reading.

62 Textverständnis, 3

This worksheet offers further exploitation of the texts on pp. 118, 120 and 122 of the students' book.

Exercise 1

b, e, i, j, c, g, a, f, h, d

Exercise 2a

1 der Berufsalltag
2 dagegen
3 das Bein in die Tür bekommen
4 mangelnder Praxisbezug
5 Hochschulabsolventen
6 eine von vielen ähnlichen Organisationen
7 Philologen
8 Er zählt zu den Ignoranten
9 Das „Reinschnuppern ins Berufsleben“
10 Studenten mit Praxiserfahrungen
11 zielstrebiger
12 beispielsweise
13 ein Auslandspraktikum
14 Es steht an zweiter Stelle
15 Zeitarbeit

Exercise 2b

1 Was ist die größte Schwäche der Hochschulabsolventen?
2 Wer ist bei der Initiative „Student und Arbeitsmarkt“ zuständig?
3 Wo findet man die Initiative „Student und Arbeitsmarkt“?
4 Was für Studenten zählen zu den Ignoranten?
5 Wie lange dauert ein Praktikum normalerweise?
6 Wer ist Geschäftsführer des Münchener Instituts?
7 Wo haben Studenten Auslandspraktika gemacht?
8 Wie sollte man eine Zeitarbeit betrachten?
9 Was für Bewerber ziehen Personalchefs vor?

Exercise 3

a6, b5, c9, d8, e4, f1, g7, h3, i2

63 Textverständnis, 4

This worksheet offers further exploitation of the texts on pp. 123 and 124 of the students' book.

Exercise 1

a To extend his knowledge of German
b He will be available for work from this date.
c 2, 3, 7, 9, 11
d 1, 3, 4, 7
e Flexibility, willingness to 'get involved', desire to work together creatively.
f Munich airport (at the check-in desk).
g Good knowledge of German and English; a school leaving certificate for 16-year-olds; experience in the service sector.
h Either: 4 days per week at varying times
or: 5 days a week at fixed times.
i Ability to take pressure, ability to get on well with people.
j Immediately.
k Giving support in winning a new client.
l There may be the offer of further employment.

Exercise 2

a Bewerber müssen wissen, worauf Arbeitgeber achten.
b Ich möchte den Termin zum Vorstellungsgespräch bestätigen, bitte.
c Ich fühle mich in diesem Outfit wohl.
d Es ist gut, Blickkontakt mit dem Interviewer zu behalten.
e Arbeitgeber reagieren allergisch auf Leute, die schlecht über ihre Kollegen reden.
f Dies sieht gut aus und wirkt auch gut.
g Schlimmstenfalls fällst du in der Prüfung durch.
h Ich möchte dreißig Minuten früher dasein.
i Sie brauchen es sich klar zu machen, dass das keine Prüfung ist.
j Ich versuchte, an ein Erfolgserlebnis zu denken.

A2 worksheets

64 Indirekte Rede

This worksheet practises reported speech, with an emphasis on the third person, as this is the most frequently encountered. The extension task is more demanding, and more authentic, as it combines listening and writing skills.

A possible answer:

Die Grünen haben neulich behauptet, dass Benzin zu billig sei und das Autofahren bequem sei. Auf einer Pressekonferenz sagte ihr Sprecher, dass die Fahrt mit Bus und Bahn ihnen kompliziert, umständlich, langsam, unangenehm und teuer erscheine. Das Auto sei auch ein Statussymbol und Benzin sei so billig, dass man auch kurze Wege mit dem Auto fahre. Er meinte, der Benzinverbrauch spiele dabei keine Rolle. Der Sprecher hat jedoch erklärt, dass Autoverkehr krank mache und Lärm, Unfälle und Abgase verursache. Die Lebensqualität sinke mit zunehmenden Verkehr. Der Autoverkehr trage zu einem Viertel zu den klimaschädlichen Kohlendioxidausstößen bei. Die Autoabgase schädigen den Wald und greifen das Mauerwerk von Gebäuden an. Er hat auch behauptet, das Umweltbundesamt habe ausgerechnet, dass erst eine Benzinpreis von heute 5 Mark pro Liter die Folgekosten und Schäden durch den Automobilverkehr ausgleichen würde.

Er hat gesagt, seine Partei wolle Autoverkehr vermeiden, verlagern und umweltverträglicher machen, und zwar so: Die Kraftfahrzeugsteuer entfalle, die Mineralölsteuer werde stetig erhöht. Im ersten Schritt steige dadurch der Benzinpreis um 50 Pfennige pro Liter und in den folgenden Jahren bis zum Jahr 2009 um jeweils 30 Pfennige pro Liter. Er meinte, dass benzinsparende Autos auf den Markt kommen. Die Senkung des durchschnittlichen Benzinverbrauchs entlaste die Umwelt. Der sozialen Gerechtigkeit werde Genüge getan – deshalb gebe der Staat den größten Teil der Mittel aus der Mineralölsteuererhöhung durch Einkommensteuersenkungen und verbesserte Sozialleistungen zurück.

64 Extension

MODERATOR: Marcus Lippa, 28, Soldat

MARCUS: Ich halte das für wirtschaftlich unlogisch und nicht machbar. Die öffentlichen Verkehrsmittel sind nicht weit genug ausgereift. Am Ende gibt es noch mehr Arbeitslose. Vor einer Anhebung der Preise muss schon das Drei-Liter-Auto da sein. Ich glaube aber nicht, dass die Industrie da so einfach mitspielen wird, sonst hätten sie es schon längst auf den Markt gebracht.

PRESENTER: Markus Lampe, 21, Maler und Lackierer

MARKUS: Fünf Mark für einen Liter Benzin halte ich für eine Schweinerei. Junge Leute können es sich dann nicht mehr leisten, sich ein Auto zuzulegen. Autos mit einem wesentlich niedrigeren Verbrauch sind da sozusagen die letzte Rettung. Ich bin in dieser Sache aber sehr skeptisch.

PRESENTER: Anja Mische 30, Volontärin

ANJA: Wenn ein erhöhter Benzinpreis nicht zu einem Ausbau des öffentlichen Nahverkehrs führt, dann ist das ungerecht. Ich sehe nicht, dass sich dadurch etwas verändert. Im verkehrspolitischen Bereich interessieren mich doch andere Fragen.

PRESENTER: Matthias Becker, 25, Schifffahrtskaufmann

MATTHIAS: Diejenigen, die wenig Geld haben, können nur wenig Auto fahren. Das macht die Leute dann insgesamt unflexibler. In den Ballungszentren ist das noch okay, aber für alle, die weiter draußen wohnen, wird's dann schwer. Und die können sich auch nicht mal eben ein neues Auto leisten, das weniger Benzin verbraucht. Ich denke, das ist ungerecht.

PRESENTER: Uwe Reeder, 30, Speditionskaufmann

UWE: Also 4,95 Mark würde besser klingen ... Es ist sicherlich notwendig, dass die Umwelt geschont wird. Eine schrittweise Erhöhung der Preise würde ich daher auf jeden Fall akzeptieren. Ich denke, die Erhöhung würde die Wirtschaft dazu bringen, neue Motoren zu entwickeln.

65 Debatte: Erhöhung der Benzinpreise

This style of debate should work well if the three steps shown are followed. This enables students to gain confidence and express themselves more freely as the debate develops. Students should prepare vocabulary in advance and have notes on cards to help them. It would be helpful to brainstorm relevant vocabulary and useful phrases with the class before starting the debate.

The extension phrases can be written on card and given to students as 'wild cards.'

66 Internationale Projekte

The translation exercises encourage students to recycle vocabulary and phrases from the text, but they still need to concentrate on grammatical accuracy as some manipulation is involved.

Seit 1971 setzt sich Greenpeace für den Schutz der Lebensgrundlagen ein. Gewaltfreiheit ist dabei das oberste Prinzip. Die Organisation ist unabhängig von Regierungen, politischen Parteien und wirtschaftlichen Interessengruppen. Greenpeace arbeitet international, denn Naturzerstörung kennt keine Grenzen. Greenpeace hat schon viel erreicht: Ende der 80er Jahre wurde die Dünnsäureverklappung in der Nordsee gestoppt. Seit 1994 bewahrt ein Walschutzgebiet um die Antarktis 90 Prozent aller auf der Welt lebenden Großwale vor dem Abschuss. 1995 verhinderte Greenpeace die Versenkung der ausgedienten Öl-Plattform *Brent Spar*. 1996 wurde in New York ein weltweites Atomteststopp-Abkommen unterzeichnet.

Umweltschutz ist kein Luxus für Zeiten wirtschaftlichen Aufschwungs, im Gegenteil: Der ökologische Umbau der Industriegesellschaft schafft neue Jobs. Greenpeace zeigt mit der Entwicklung von Alternativen, wie die Zukunft aussehen könnte. Greenfreeze, der erste FCKW- und FKW-freie Kühlschrank der Welt, hat 1993 den deutschen Markt umgekrempelt. Die Cyrus-Solaranlage für den Strombedarf von Einfamilienhäusern wurde Ende 1995 der Öffentlichkeit vorgestellt. 1996 trat Greenpeace mit dem Twingo SmILE den Beweis an, dass Serienautos mit halbiertem Benzinverbrauch realisierbar sind. Doch trotz aller Erfolge bleibt viel zu tun.

Exercise 2

a They kill 800–1200 people a month and maim or seriously injure the same number. One in three or four victims is a child.

b It remains active after the war is over.

c The precise number of mines buried around the world.
d Against enemy armies and in civil wars to prevent armies from advancing, to protect one's own defences and to prevent the influx of refugees.
e The mines continue to threaten the population.

Exercise 3

Jeden Monat gibt es 800 bis 1200 Opfer der Landminen. Diese Massenvernichtungswaffen bleiben auch nach dem Ende der Kampfhandlungen scharf und bedrohen weiter die einheimische Bevölkerung. Da die Minen nicht abziehen, sind sie treuer als der treueste Soldat. Diese Landminen, die gegen feindliche Armeen und in Bürgerkriegen eingesetzt wurden, sollten weltweit verboten werden.

66 Extension

UNICEF ist die Entwicklungsorganisation der Vereinten Nationen, die sich für das Wohl der Kinder einsetzt. Wo immer Kinder leiden, versucht UNICEF als politisch und konfessionell unabhängige internationale Organisation Hilfe zu leisten.

UNICEF-Projekte in rund 138 Entwicklungsländern orientieren sich an den Grundbedürfnissen der Bevölkerung, bieten Hilfe zur Selbsthilfe.

Das Wohl der Kinder hat dabei immer Vorrang: Sie müssen vor dem Tod bewahrt werden. Sie sollen körperlich und geistig gesund aufwachsen, ausreichend und richtig ernährt werden. Zu ihrer Entwicklung benötigen sie zuallererst sauberes Wasser, eine medizinische Versorgung und eine Grundbildung.

Noch immer sterben täglich fast 5000 Kinder an Masern, Keuchhusten und Tetanus – Todesfälle, die durch kostengünstige Mehrfach-Impfungen verhindert werden können. Täglich sterben nahezu 8000 Kinder an Durchfall – die Behandlung mit einer Zucker-Salz-Lösung kostet nur wenige Pfennige.

Eine Spende kann viel bewirken, wenn es um das Leben und die Zukunft der Kinder geht!

Fast 130 Millionen Kinder im Grundschulalter erhalten keine Ausbildung – 60 Prozent davon sind Mädchen. UNICEF setzt auf Bildungsmaßnahmen, die sich am Alltag der Bevölkerung orientieren. Neben dem ABC lernen vor allem Frauen und Kinder Wesentliches über richtige Ernährung, Gesundheitsfürsorge und Hygiene.

Die Lage von Millionen Slumbewohnern in den rasant wachsenden Städten der Entwicklungsländer ist hoffnungslos. Arbeitslosigkeit und Kriminalität, Schmutz und Krankheit – das ist der Teufelskreis der Armut, dem nur wenige entrinnen können. Die Kinder leiden am meisten darunter. UNICEF ebnet Frauen in den Elendsvierteln den Weg zu einem eigenen Einkommen und hilft ihnen, die Lebensumstände ihrer Kinder zu verbessern.

Das Deutsche Komitee für UNICEF trägt durch Spenden und Informationsarbeit zu den weltweiten UNICEF-Maßnahmen in rund 138 Ländern bei. Es wählt auch beispielhafte Projekte in bestimmten Ländern aus, die es finanziert. Jede Spende hilft, die gesteckten Ziele der Entwicklungsarbeit zu erreichen.

Exercise 2

a New weapons should not be developed whilst demanding that other countries change their weaponry or disarm.
b A general ban.

Exercise 3

Der Zweck der Landminen ist es, nicht nur gegnerische Armeen aufzuhalten und die eigenen militärischen Einrichtungen zu schützen, sondern auch Flüchtlingsströme zu stoppen. Da Minen die einheimische Bevölkerung noch lange nach Beendigung der Kampfhandlungen bedrohen und nicht abziehen, muss Ziel unserer Politik ein weltweites Verbot dieser Massenvernichtungswaffen sein. Viele sind der Meinung, dass sich die UN-Waffenkonvention als zahnloses Instrument erwiesen hat, aber dies sollte uns nicht davon abhalten, auf ein generelles Verbot von Landminen zu dringen.

67 Wie klimafreundlich ist Ihr Lebensstil?

A questionnaire raising environmental issues connected with daily life, which could be used as at any point in Chapter 1: Umwelt.

68 Das Passiv mit Modalverben

Students often have difficulty with the passive and these exercises help them to see the pattern with modal verbs. Students should make up their own sentences once they have grasped the pattern.

Exercise 1

a kann; gebracht
b sollten; vorgezogen
c kann; gesammelt; gegeben
d sollten; kompostiert; werden
e müssen; verwendet
f sollten; vermieden; werden
g ... gemieden werden.
h ... sollten an den vorgesehenen Sammelstellen abgegeben werden.
i ... durch all diese Maßnahmen verringert werden.
j ... besser und leichter dem Recycling zugeführt werden.

Exercise 2

a Innenstädte sollten für Autos gesperrt werden.
b Ein neues Tempolimit könnte auf allen Straßen eingeführt werden.
c Benzin könnte teurer gemacht werden.
d Bürger sollten über Umweltschäden durch das Auto besser informiert werden.
e Die Umwelttechnik in Autos muss verbessert werden.
f Fahrten mit dem Bus und der Bahn könnten billiger gemacht werden.
g Nur Autos mit Katalysator sollten noch zugelassen werden.
h Eine Umweltsteuer könnte eingeführt werden.
i Fahrgemeinschaften sollten gebildet werden.

68 Extension

Possible answers:

Alle Verpackungen mit dem grünen Punkt sollen/können/müssen einer geordneten Verwertung zugeführt werden.

Die bereitstehenden Behälter, die wir für die Trennung vorgesehen haben, sollen/müssen benutzt werden.

Papier, Kunststoff und Reststoff sollen nicht vermischt werden.

Alle Speisereste sollen/müssen vollständig aus den Verpackungen geleert und getrennt entsorgt werden.

Überflüssige Verpackungen sollen (von McDonald's) vermieden werden.

69 Fachvokabeln, Definitionen und Notizen

This worksheet encourages students to extract topic-specific vocabulary which is vital for coursework and essays. In addition, it helps them to pick out the main points from a text without becoming too caught up in the detail.

Exercise 1

a Sucht
b Wirkung
c verlangsamt das Reaktionsvermögen
d Bewusstlosigkeit
e Nebenwirkungen
f vorzeitiges Altern
g enthemmt
h Einstiegsdroge
i behandlungsbedürftig
j aufputschend
k Appetitmangel
l seelisch
m relaxte Stimmung
n Verlust der Konzentrationsfähigkeit
o tranceartige Zustände
p erhöhter Blutdruck
q Langzeitwirkungen
r die Einstiegsdroge Nr. 1 für Heroin

Exercise 2

a eine Droge nimmt
b nimmt und nicht aufhören kann
c entspannt
d das Auto gegen eine Mauer fährt oder die Treppe hinunterfällt ... größer
e guter Laune ... schlechter Laune fühlt

Exercise 5

a Wenn man nicht erklären kann, warum jemand kein oder zu wenig Geld hat.
b Wenn man auf einmal schlechter bzw. guter Laune wird.
c Man weiß die genaue Zahl nicht.
d Wenn der Körper auf die Droge nicht verzichten kann.
e Wenn man nicht mehr viel schaffen kann.

Exercise 6

a Selbstüberschätzung
b Stimmungswechsel
c enthemmende Wirkung
d behandlungsbedürftig
e Antriebsverlust

70 Konditionalsätze

This sheet focuses on probable conditions, of the type: 'If it rains, I'll go to the cinema' and improbable ones, of the type: 'If I had a milion pounds, I would travel the world.' Students need to differentiate between the two and learn the verb sequences.

Exercise 1

a habe ... werde ... kaufen
b fahren ... werden ... besuchen
c scheint ... werde ... gehen
d einziehen ... werden ... ersetzen
e bekommt ... wird ... kennen lernen

Exercise 2

a machte	e redeten	i könnte
b gäbe	f zeigten	j führe
c hätte	g studierte	k schriebe
d wäre	h ginge	l wüsste

Schlüsselwort: Abhängigkeit

71 Facharbeit organisieren und schriftliche Arbeit überprüfen

This worksheet will hopefully lead to students checking their own work more thoroughly and should be used in conjunction with the tip on p. 167 of the students' book.

Jedes Jahr kommen rund 700 000 Ausländer neu nach Deutschland. Gesetzliche Regelungen für den Zuzug fehlen. Statt aufkeimende Ängste zu nehmen, schüren manche Politiker eher die latente Ausländerfeindlichkeit.

Vierzig Jahre ist es her, dass die ersten Gastarbeiter als Aufbauhelfer dankbar begrüßt wurden. Viele blieben hier – mehr oder minder integriert, mehr oder minder akzeptiert. An dem Wort von Max Frisch „Es wurden Arbeitskräfte gerufen, doch es kamen Menschen" haben bis heute viele Deutsche zu knabbern. Inzwischen gibt es eine zweite, eine dritte Generation der ausländischen Arbeitnehmer – Inländer, die aber als Ausländer behandelt werden. Und da sind zugewanderte EU-Bürger, Asylbewerber, Bürgerkriegsflüchtlinge und Illegale. Sieben Millionen insgesamt. Der Wanderungsdruck von Ost nach West, von Süd nach Nord wird anhalten. Und hier beginnt das Problem. Zuwanderung – erst recht, wenn sie unkoordiniert geschieht – weckt in Zeiten sozialer Anspannung heftige Abwehrreaktionen: ein diffuses Gemisch aus Ängsten, Vorurteilen und Aggression.

71 Extension

Deutschland hat das rückständigste Einbürgerungsrecht Europas. Hier gilt immer noch das völkisch verquere „Blutrecht" von 1913. Automatischen Anspruch auf einen deutschen Pass hat nicht die Ausländerfamilie, die seit 30 Jahren hier lebt und deren Kinder hier geboren sind, sondern die Familie aus Sibirien mit dem deutschen Großvater. Damit nicht genug. Für die doppelte Staatsangehörigkeit – ein Gebot der Vernunft – gäbe es über alle Parteigrenzen hinweg im Bundestag eine Mehrheit, auch für ein Einwanderungsgesetz liegen im Parlament mehrere Vorschläge vor. Aber eine rechte Minderheit hat eine Einigung bisher erfolgreich verhindert. Die Barrieren werden für Nicht-Deutsche immer höher gesetzt. Das ist inhuman, auch unchristlich, und es ist, wirtschaftlich gesehen, engstirnig. Ausländer sind Nettozahler für unsere sozialen Sicherungssysteme, sie sind Arbeitgeber, sie sind Konsumenten.

Es muss Schluss sein mit der gnadenlos geschlossenen Gesellschaft. Schafft endlich ein liberales, ein menschliches Recht für Ausländer, die hier leben und die – aus welchen Gründen auch immer – zu uns kommen. Zur Integration gibt es keine Alternative. Das heißt nichts anderes als ein modernes Einwanderungs- und Einbürgerungsgesetz. Der Zaun muss weg.

2 Vokabeln und Strukturen aufbessern

This worksheet shows students how more pedestrian phrases can be replaced by more ambitious ones, encouraging them to bring a greater range of structures and vocabulary to their work.

Was verbirgt sich dahinter? Tägliche Pressemeldungen über jugendliche Tatverdächtige bestätigen die Meinung, dass die heranwachsende Generation kriminell ist. Äußerungen wie: "Die gehören in den Steinbruch!" sind bei Gesprächen über dieses Reizthema an der Tagesordnung.

Jugendkriminalität wird oft damit erklärt, dass es zu wenig Klubs und Freizeitmöglichkeiten gibt. Das ist zweifellos nicht ganz von der Hand zu weisen. Doch steht dem entgegen, was zum Beispiel Burkhard S., Lehrer an einer Rostocker Schule berichtet: "Wir bemühen uns, den Kindern interessante Angebote zu machen. Aber gerade von den Älteren bekommen wir nur allzu oft zu hören: 'Keinen Bock!' Das treibt den Schweiß."

Im Kindernotdienst der Stadtmission in Evershagen erfährt man andere Gründe für kriminelles Verhalten bei Kids.

Frau Hannelore Meyer, stellvertretende Leiterin des Heimes, erzählt über ihre Schützlinge, die fast ausnahmslos aus gestörten Elternhäusern kommen: "Sie haben oftmals kein Vertrauen in die Erwachsenen. Sie haben Schlimmes erlebt. Die Eltern stürzen sich in die Arbeit oder ergeben sich dem Alkohol, weil sie ihre Probleme nicht bewältigen. Die Kinder bleiben dabei auf der Strecke."

2 Extension

As above, but without the help of underlining. (Make sure that the extension is separated **before** handing out the worksheet.) Answers as above.

3 Georg Danzer: Zehn kleine Fixer

This worksheet encourages listening for individual words as well as being food for thought for the topic of drug abuse.

1 Verzweiflung
2 Bord
3 Fixerstrich
4 Winternacht
5 Knast
6 Ausweg
7 Einsamkeit
8 Mitleidlosigkeit
9 Schluss
10 brauchte
11 Hoffnung
12 zögerte
13 Verzweiflung
14 draußen
15 Heroin
16 Liebe
17 Dreck

74 Argumentieren

Although background information is important and useful, the main focus of these tasks is to defend one's point of view and use phrases for expressing and defending one's opinion (see p. 187 of the students' book).

75 Relativsätze

1 die
2 die
3 der
4 das
5 die
6 den
7 die
8 die
9 der
10 das
11 dem
12 der
13 denen
14 dem
15 dessen
16 deren
17 deren
18 dessen

75 Extension

a Man kann mit Eltern, die unflexibel sind, nicht reden.
b Mein Vater, der besonders streng ist, erlaubt mir nicht genug Freiheit.
c Meine Mutter, die es mit mir gut meint, vermeidet immer Konflikte.
d Das ist ein umstrittenes Thema, das wir nie anschneiden.
e Mein Bruder, den meine Eltern nerven, will ausziehen.
f Mein Vater, dem ich nie zuhöre, versteht mich nicht.
g Meine Schwester, der meine Eltern regelmäßig drohen, sollte die Schuld auf sich selbst nehmen.
h Mein Vater, dessen Eltern geschieden waren, will selber eine harmonische Familie haben.
i Meine Eltern, mit denen man alles besprechen kann, sind wunderbar.
j Meine Schwester, deren Schwächen wir alle kennen, nimmt alles sehr persönlich.

76 Lückentext

Manipulation is an important language skill. In this worksheet it may be necessary to replace verbs with nouns etc. or vice versa.

1 Streit
2 vermindert
3 Arbeit
4 Einkaufen
5 Woche
6 länger
7 Medien
8 neuerliche
9 Touristenstadt
10 verlängen
11 tägliche
12 braucht
13 verkauft
14 Einkaufstag
15 geteilt
16 Verbraucher
17 Freiheit
18 beschweren
19 Konsumieren
20 Leben
21 Beweis
22 Gott
23 einverstanden

76 Extension

Possible answers:

1 streiten
2 Verkäufer
3 Lebensqualität
4 Beruf
5 Leute
6 arbeiten
7 Ausdehnung
8 erlaubten
9 erhitzt
10 Medien
11 Feiertag
12 Fremdenverkehrsort
13 Reiseartikel
14 definiert
15 braucht
16 Einkaufstag
17 freier
18 Lebensstrukturen
19 Einkaufen
20 Gott

77 Konditionalsätze

Phrases of the sort 'should/could have ...' may seem complex to the student, but the formula can be easily learnt and applied to many different contexts and is especially useful in essays.

Exercise 1

a hätte ... glauben sollen
b hätte ... verbringen sollen
c hätte ... behandeln sollen
d hätte ... sein sollen
e hätte ... aufgeben können

Exercise 2

a Christianes Mutter hätte sie anders behandeln sollen.
b Christiane hätte ihrer Mutter mehr vertrauen können.
c Der Freund hätte mehr helfen können.
d Christiane hätte keine Drogen nehmen sollen.

77 Extension

Exercise 1

a Die Mutter hätte bemerken sollen, was mit Christiane los war.
b Obwohl sie die Arbeit hätte aufgeben sollen, hat sie die Bedürfnisse der Familie ignoriert.
c Die Situation hätte anders sein können, da die Mutter mit Christiane hätte strenger sein können.
d Die Mutter hätte sich um die Kinder kümmern sollen, obwohl sie die Arbeit nicht hätte aufgeben können / nicht aufgeben konnte.
e Christiane hätte ihrer Mutter die Wahrheit sagen sollen, weil das ihre Lage hätte ändern können.

Exercise 2

a Obwohl Christianes Mutter die Arbeit hätte aufgeben können, hat sie sich entschieden, weiterzuarbeiten.
b Christianes Mutter war schuld, weil sie mehr Zeit mit ihrer Familie hätte verbringen sollen.
c Christiane hätte mit ihrer Mutter sprechen sollen, weil sie ihr hätte helfen können.
d Obwohl Christianes Mutter nicht so gestresst hätte sein sollen, wollte sie (schließlich) Geld für die Familie verdienen.

78 Synonyme

Practice of finding synonyms and phrases with a similar meaning.

1 nennt sich
2 ermöglichen
3 reduzieren
4 wegwirft
5 zahlt
6 Testphase
7 Konzept
8 Müllmenge
9 ist die Gleiche geblieben
10 Gebühren

78 Extension

1 rücksichtslos
2 Entsorgung
3 merkt sich
4 beginnt
5 Fehlerwahrscheinlichkeit
6 manipulieren
7 im Verborgenen
8 Datenträger
9 klappt
10 berührungslos

79 Die vollendete Zukunft

1 wird ... erfunden
2 werden ... gelöst
3 werde ... verwirklicht
4 werden ... gefunden
5 werden ... verbracht
6 Wirst ... vergessen
7 werden ... geflogen sein
8 wird ... gebaut
9 werde ... gefahren sein
10 wird ... verlängert

79 Extension

1 Wir werden das Weltall erobert haben.
2 Ich werde viel Geld verdient haben.
3 Man wird die Kriminalität reduziert haben.
4 Man wird eine Regierung für Europa geschaffen haben.
5 Obwohl wir Schulen abgeschafft haben werden, werden wir eine „Ausbildung im Internet" geschaffen haben.
6 Wir werden neue Pillen für unseren täglichen Nährungsbedarf erfunden haben.
7 Man wird neue künstliche Ferienorte in Stadtzentren gebaut haben.
8 Da wir neue Energiequellen entdeckt haben werden, werden wir die Umweltverschmutzung reduziert haben.
9 Das Leben zu Hause wird man völlig automatisiert haben.
10 Wir werden unsere Lebensqualität verbessert haben.

80 Konditionalsätze, 2

More practice of conditional sentences (see Worksheet 77).

Exercise 1

a verbringt, wird
b sprechen, werden
c bekomme, werde
d haben, werden ... geben
e kannst, werden ... zeigen

Exercise 2

a nervte; würde
b wäre; würde
c hätte; würde
d verständen; würden
e nähme; würde

80 Extension

Exercise 1

a geschieden ... hätte
b verbracht hätte ... gefühlt
c gestohlen hätte, hätten ... geschickt
d gewusst hätten ... hätten ... versorgt
e ausgekommen wäre, hätte ... probiert
f erwischt hätte, wäre ... gegangen
g gegeben hätten, hätte ... gehabt
h gewesen wären, hätten ... getrieben

Exercise 2

a Wenn Thomas keinen Joint geraucht hätte, hätte er keine harten Drogen genommen.
b Wenn Jochen den neuen Freund seiner Mutter nicht als Konkurrenten empfunden hätte, wäre er mit ihm gut ausgekommen.

81 Notizen schreiben

This worksheet focuses on extracting the salient points from texts, a skill particularly useful for coursework.

82 Aufsatzgliederung

This worksheet guides students through planning an essay. The outline plans offered are, of course, only one possibility, but aim to give a clear and simple structure for guidance. For the extension tasks, students should write their own essay plan before going on to do the essay.

83 Debatte: die Ehe

See notes for Worksheet 65.

84 Manipulation

Manipulation of language is a difficult task and students need to be shown how sentences can be reformulated whilst keeping the original meaning. Reference to and translation into English often helps.

1 Der DDR-Soldat springt über Stacheldrahtrollen, die neu errichtet wurden.
2 Seit ein paar Wochen dient hier eine Mauer-Gedenkstätte als Erinnerung an die Teilung der Stadt.
3 Einige der Besucher wurden von Amos Veith nach ihren Eindrücken befragt.
4 Jörg hat gesagt, dass man nicht auf dem Todesstreifen herumlaufen könne, aber das habe man auch früher nicht gekonnt.

84 Extension

1 Die Atmosphäre, die früher die Grenzsoldaten und die Hunde vermittelt haben, fehlt.
2 Die Möglichkeit, noch sehen zu können, wie es früher aussah, hätte für mich mehr Wirkung.
3 Er glaubt, dass Teile, die fehlen, rekonstruiert werden mussten.
4 ... weil er einen besseren Blick auf den Todesstreifen haben wollte.
5 In früheren Zeiten ging eine Dramatik von der Mauer aus, die jetzt fehlt.

85 Sentence matching

Encourage students to pay attention to the grammatical make-up of the sentence beginnings and endings, so that each full sentence makes grammatical sense.

1d, 2h, 3b, 4k , 5l, 6a, 7j, 8i, 9c, 10f

85 Extension

1b, 2e, 3f, 4a, 5d

86 Ihre Arbeit verbessern

This worksheet helps students to spot their own mistakes and to use more complex language when expressing their opinion.

Exercise 1

Deutschland gilt vielen als das Land der Dichter und Denker. Weniger bekannt ist, dass es im 19. und zu Beginn des 20. Jahrhunderts auch viele berühmte Naturwissenschaftler hervorgebracht hat.

Fast jeder wurde schon mit „Röntgenstrahlen" durchleuchtet – ihr Entdecker war Wilhelm Röntgen, der dafür 1901 mit dem ersten Nobelpreis für Physik ausgezeichnet wurde. Ohne Massenmedien wie Rundfunk und Fernsehen wäre die moderne Kommunikationsgesellschaft undenkbar. Die technischen Grundlagen dafür legten deutsche Wissenschaftler wie Heinrich Hertz und Karl Ferdinand Braun.

Exercise 2

a3, b10, c8, d4, e6, f1, g5, h7, i9, j2

86 Extension

Exercise 1

Wer nicht auf eigene Faust seine Ferien im Ausland verbringen möchte, sollte es einmal mit einer internationalen Jugendbegegnung versuchen. Hier bietet sich die Möglichkeit, in einer Gruppe Jugendliche aus anderen Ländern kennen zu lernen, mit ihnen zu diskutieren und Freizeit zu verbringen. Oft fällt dies in der Gruppe leichter. In den letzten Jahren haben besonders die Kontakte zu den mittel- und osteuropäischen Staaten an Bedeutung gewonnen. So haben die Bundesregierung und die polnische Regierung beispielweise das Deutsch–Polnische Jugendwerk gegründet, das für den deutsch–polnischen Jugendaustausch zuständig ist.

87 Debatte: Nebenjobs

See notes on Worksheet 65.

88 Wo/Da + Präposition

1 daran	6 worin	11 dafür
2 darum	7 darauf	12 davon (x2)
3 dagegen	8 davor	13 darauf
4 darauf	9 wofür	14 dahin
5 damit	10 darunter	15 daraus

89 Verben mit dem Akkusativ/Dativ

1 Ihnen ... Ihren	6 dieser	11 der
2 das	7 ihre	12 ihr
3 dem	8 seiner	13 seine
4 unsere	9 meine	14 mir
5 den	10 eine	15 dich

89 Extension

1 Sie versprachen mir ein Zimmer mit schöner Aussicht.
2 Ich möchte mich über meinen Urlaub beschweren.

3 Die Gesellschaft muss für ältere und benachteiligte Menschen sorgen.
4 Die Gewalt im Fernsehen gefährdet unsere Gesellschaft.
5 Er schämte sich für sein Leben.

90 Komplizierte Satzbildung

This worksheet guides students towards constructing more ambitious sentences and helps them to focus on word order.

1 Leute glauben, dass Obdachlose, die betteln, verachtenswert sind.
2 Obwohl unsere Umwelt bedroht ist, werden Firmen, die die Luft verschmutzen, nicht bestraft.
3 Da Frauen, die eine Karriere haben wollen, immer noch diskriminiert werden, müssen wir die Emanzipationsbewegung fördern.
4 Wenn ein Mann sein Kind nicht sehen darf, da die Mutter es verbietet, fühlt er sich frustriert.
5 Ein Bericht, der gerade veröffentlicht worden ist, bestätigt, dass der LKW-Verkehr sich bis zum Jahr 2010 verdoppeln wird.
6 Obwohl Leute, die wichtige Stellen haben, gut verdienen, leiden sie oft unter Stress.
7 Ich glaube, dass auch junge Mädchen, die schwanger werden, weil sie kein Verhütungsmittel benutzt haben, das Recht auf einen Schwangerschaftsabbruch haben.
8 Wenn wir davon ausgehen, dass alle nach Gottes Bildnis geschaffen werden, müssen wir zugeben, dass alle gleich behandelt werden sollten.
9 Wenn wir in Zukunft das Internet benutzen, um tägliche Aufgaben zu erledigen, werden wir weniger Kontakt miteinander haben.
10 Politiker, die neu gewählt werden wollen, müssen zeigen, dass sie die Probleme ihrer Wähler zu Herzen genommen haben.

90 Extension

1 Wenn junge Leute, die keine Stelle finden können, die Unterstützung ihrer Familien bekommen, werden sie sich viel selbstsicherer fühlen.
2 Obwohl junge Männer, die Mitglieder rechtsradikaler Gruppen sind, selbstsicher scheinen, fehlt ihnen oft die Selbstachtung.
3 Wenn wir unseren Urlaub im Weltall verbringen können, weil die neuen Technologien das bezahlbar gemacht haben, müssen wir dafür sorgen, dass wir es nicht zerstören.